86 - 90 - 25

CHRONIQUES POLITIQUES

LYSIANE GAGNON

CHRONIQUES POLITIQUES

Collection
| PAPIERS |
COLLÉS

BORÉAL EXPRESS

Données de catalogage avant publication (Canada)

Gagnon, Lysiane
    Chroniques politiques

(Collection Papiers collés)
2-89052-141-9

1. Québec (Province) — Politique et gouvernement — 1976-   . 2. Relations fédérales-
provinciales (Canada) — Québec (Province). 3. Canada — Politique et gouvernement —
1980-   . 4. Canada — Politique et gouvernement — 1984-   . I. Titre. II. Collection.

FC2925.2.G33 1985   971.4'04   C85094168-7   F1053.2.G33 1985

Photo de la couverture: Jean Goupil

Photocomposition et mise en pages: Helvetigraf Inc.

Diffusion pour le Québec:
Dimedia: 539, boul. Lebeau
Saint-Laurent (Québec) H4N 1S2

Diffusion pour la France:
Distique: 9, rue Édouard-Jacques
75014 Paris

© LES ÉDITIONS DU BORÉAL EXPRESS
5450, ch. de la Côte-des-Neiges
bureau 212, Montréal, H3T 1Y6

ISBN 2-89052-141-9

Dépôt légal: 4ᵉ trimestre 1985
Bibliothèque nationale du Québec

AVANT-PROPOS

1980-1985... Du référendum à Pierre Marc Johnson. Cinq années marquées par le déclin du projet souverainiste et par d'âpres conflits entre Québec et Ottawa, d'où Pierre Trudeau sortit vainqueur, et René Lévesque, brisé.

Octobre 1985: c'est la fin d'une époque, la fin de deux décennies de nationalisme militant. Les Québécois ont changé, les Canadiens aussi. La vague bleue a déferlé sur le pays. Brian Mulroney a succédé à Pierre Trudeau, Robert Bourassa à Claude Ryan, et Pierre Marc Johnson à René Lévesque. Autant de changements qui germaient déjà il y a cinq ans, quand commençait la grande bataille du référendum, et qu'on voit se dessiner ensuite de plus en plus clairement d'une année à l'autre.

C'est cette période cruciale de notre histoire contemporaine que raconte ce recueil de chroniques, qui sentent encore l'encre, le papier-journal et la vibration du grand quotidien dans lequel elles ont d'abord été publiées.

Qui dit journal quotidien dit observation sur place, dans le champ; réaction immédiate, exprimée sur le vif; analyse faite au fur et à mesure que s'enchaînent les événements.

La chronique — ce genre journalistique à mi-chemin entre le reportage et l'éditorial, qui est tantôt description, tantôt analyse, et où la rigueur et l'intuition font bon ménage —, la chronique donc se prête particulièrement bien à ce survol. C'est en quelque sorte de l'histoire encore fraîche, ou encore chaude, qui n'a pas été figée ni filtrée par les interprétations a posteriori de ceux qui veulent réécrire le passé à leur façon. Rien en effet n'échappe moins au jugement des acteurs et des témoins directs de l'événement qu'un article de journal. Les livres d'histoire échappent au verdict populaire, mais autour d'un journal, le peuple est là qui surveille, et en connaissance de cause, car l'histoire qui se fait, il la vit au moment même où vous la commentez.

Parmi plus de 700 chroniques publiées depuis 1980 dans *La Presse* au rythme de trois fois par semaine, j'ai sélectionné celles qui pouvaient fournir au lecteur le meilleur aperçu de cette période de notre vie politique. Pour maintenir un fil conducteur d'une chronique à l'autre, j'ai éliminé les allusions à des incidents secondaires ou éphémères, mais exception faite de quelques modifications stylistiques, les textes ont été peu retouchés. Ainsi le lecteur pourra-t-il revivre, dans leur immédiateté, les événements qui l'ont intéressé ou affecté, voire, dans le cas des plus jeunes par exemple, s'informer sur des événements qu'il n'aurait pas suivi de près: la campagne référendaire, le rapatriement de la Constitution, les campagnes électorales, les courses au leadership... le tout allégé à l'occasion par des textes plus fantaisistes.

Le lecteur verra aussi — c'est ce qui, pour ma part, m'a le plus frappée en relisant ces textes — que tous ces événements s'enchaînent, et qu'il y a, dans la vie politique d'une société, une logique interne et un foisonnement d'interactions et de liens de cause à effet, sans que rien par ailleurs ne soit réductible à des lois générales. Il n'y a pas de déterminisme en politique, parce que la politique est une activité humaine. Malgré l'impact de l'informatique, des sondages, de la télévision et du marketing, la politique reste un lieu de passions où rien n'est parfaitement prévisible, où s'expriment les émotions, les volontés, les projets, le travail acharné d'hommes et de femmes possédés par le désir du pouvoir mais aussi, dans bien des cas, par le désir de servir, et qui sont à la fois ambitieux, altruistes, généreux et vulnérables. C'est ce qui fait de l'observation des milieux politiques un métier fascinant.

Ce livre est un regard sur une actualité riche et captivante. C'est aussi l'expression d'un plaisir quotidien. Mais comment dire le plaisir d'écrire, d'écrire pour d'autres et pour demain matin, de jeter ses mots dans la mêlée, comme des oiseaux de papier qui volent au vent?

Lysiane Gagnon

Montréal, octobre 1985.

LE TOURNANT

Où l'on voit le PQ louvoyer vers la défaite, Pierre Trudeau sauter dans l'arène, Lise Payette se heurter au mur des Yvettes, et Claude Ryan haranguer les vaincus du référendum.

LE PAYS
S'EN VENAIT

Ah oui, le pays s'en venait mercredi soir dernier, au Centre Paul-Sauvé! Au spectacle organisé par le «Méoui» (mouvement étudiant pour le «oui») sous le thème «Le pays s'en vient», ils étaient 7000 sûrement, l'aréna vibrait et revivait sous le souffle des enfants des cégeps, une foule de 16 à 22, 23 ans, tout en nerfs, tout en sourires, tout en rythme, une foule vivante.

Fleurdelisés, bière, vin, fumées diverses, ballons, macarons. Une belle fête.

Coincées entre la rampe et la patinoire grouillante de jeunes, ma copine Paule et moi on regardait en l'air, les gradins bondés, les ballons multicolores retenus au plafond...

— Paul-Sauvé, dit-elle, c'est le seul aréna chaud que je connaisse.

— Et il s'y est passé tant de choses...

— Tu parles! Tant d'émotions! Les murs en suent.

* *

*

Octobre 1970, la dernière assemblée publique de la crise d'octobre, juste avant la promulgation de la loi des mesures de guerre. La tension, le désarroi.

Avril 1970, octobre 1973, novembre 1976... Pour les péquistes et les indépendantistes, Paul-Sauvé fut le lieu de toutes les déceptions et de toutes les joies. À chaque soir d'élection, c'est ici que le parti accueillait ses troupes. Il y a eu deux soirées où les péquistes affluaient, las, les épaules basses, et s'étreignaient en pleurant sous le coup d'amères défaites. Et puis une autre soirée, un 15 novembre: la joie.

Le jeune homme du Méoui, en chemise à carreaux, ouvre le bal: «On est tous ici pour fêter le pays qui s'en vient...». Et puis c'est Claude Gauthier, 20 ans de chansons. Non, il ne chantera pas «Le grand six pieds», («Elle est trop vieille, celle-là!»), il en a d'autres, plus belles: «Je suis de marche et de poussière, je suis de dix enfants à table, je suis de janvier sous zéro, je suis de chômage et d'exil... Je suis d'Amérique et de France, je suis d'octobre et d'espérance, je suis l'énergie qui s'empile, d'Ungava à Manicouagan... Je suis notre libération! Je suis Québec, mort ou vivant!»

D'un seul mouvement les jeunes sont debout, ils applaudissent, ils aiment.

Marie-Claire Séguin. Ah, comme le Québec a de belles voix! Pour de mystérieuses raisons, c'est, comme l'Italie, un réservoir exceptionnel de voix. Des voix d'église, des voix d'aréna, des voix pour les hymnes, pour les luttes et pour l'amour.

Michel Rivard, l'humour, le talent. Les jeunes se lèvent, scandent les rythmes, se balancent. Un petit chien traverse tranquillement la scène.

Comme les chansonniers des années 70, Rivard ne s'inspire pas de thèmes nationalistes. «Hélas, dit-il, je n'ai pas une seule chanson où il y a le mot pays, et je suis plus rhino que péquiste, mais on est tous ici pour la même chose, je sens une solidarité que je n'avais pas vue depuis dix ans...»

Soudain, le choc. On annonce Leclerc, Félix. Et l'aréna croule, littéralement, sous l'ovation. Une minute, deux minutes, presque trois. Plus personne ne s'entend parler, les jeunes

sont tous juchés sur les chaises, ils crient: «FÉ-LIX, FÉ-LIX»...
Lui, sur scène, presque décontenancé, les larmes aux yeux, qui
récolte en son âge avancé l'hommage superbe de la jeunesse des
rues de Montréal.

Leclerc se contentera de lire un poème, simplement, sans
effets spéciaux. La pénombre se fait, les jeunes allument leurs
briquets Bic, l'aréna se remplit de petites flammes vacillantes.
C'est la tendre complicité du grand-père et des enfants, par-
dessus la tête des parents qui disent non.

Lueurs bleues, lueurs rouges, Richard Séguin. Encore
l'orchestre, encore le talent. Debout sur les chaises, les jeunes
marquent le rythme, frénétiquement cette fois. Séguin non plus
n'a pas de chanson sur le pays, alors il en emprunte une à
Vigneault.

Paul Piché, l'inspiration socialiste qui passe à travers une
musique bien nord-américaine: «Tant qu'on sera seuls dans nos
maisons, on s'ra pas maîtres...» Il fait un tout petit discours: «Il
faudrait dire oui, mais... Entre Québécois aussi il y en a de l'exploitation. L'indépendance, pour moi, c'est seulement une
étape!»

Et puis la gaieté, encore le rythme: «Heureux d'un printemps...» (Le printemps, dit-il, qui s'en vient au Québec). Les
jeunes lèvent les bras, à la fois pour danser et pour applaudir. Il
y a eu quelque alcool et quelques fumées, mais la salle est douce,
heureuse, pas agressive du tout.

Et les plus vieux sourient aux anges. On se retrouve
comme aux meetings d'il y a quelques années. Bien sûr, c'était
plus tranquille, plus cérébral, c'était la Révolution tranquille,
la découverte du pays, l'époque des chansons à texte et de la
guitare sèche. Il n'y avait pas de batterie, pas de guitare électrique, et nous, les jeunes des collèges classiques, on était trop bien
élevés pour danser comme ça debout sur des chaises...

Raoul Duguay, costume blanc orné d'un arc-en-ciel et
d'un sapin vert, sa voix de cathédrale, deux nouvelles chansons
sur le Québec, très nobles, très amples, finies à la trompette...

Et ça va se terminer en beauté, dans le délire, avec «La bite à Ti-Bi». Au dernier mot de la chanson, qui est «liberté!», les ballons nichés au plafond sont lâchés sur la foule, il y en a des centaines, des très gros, des plus petits, des jaunes, des rouges, des bleus, des verts, et l'on reçoit aussi une pluie très douce de petites plumes et de confettis.

Les jeunes se renvoient les ballons de l'un à l'autre, les ballons flottent, intacts, gentiment lancés et relancés, personne ne les crève, ils flottent… C'est beau.

5 avril 1980

NI LISETTE NI YVETTE

L'affaire des Yvettes a quelque chose d'infiniment désagréable: une fois de plus nous nageons dans les stéréotypes, et dans les pires: les Yvettes seraient autant d'incarnations de la «femme au foyer» docile, conformiste, etc. Les Lisettes seraient des «femmes au travail» et, à l'image de Mme Payette, des «féministes enragées» (puisqu'une autre idée reçue veut que toute féministe soit une personne enragée).

Une fois de plus les femmes sont étiquetées, utilisées, voire manipulées.

Quoiqu'en dise la comptabilité statistique des sondages qui les présentent comme un électorat conservateur, les femmes au foyer ne sont pas réductibles aux images simples et leur colère peut être, dans bien des cas, plus profonde que celle des femmes au travail. (Les témoignages les plus crus et les plus explosifs de la littérature féministe viennent d'ailleurs de ce milieu-là.)

L'autre soir, au Forum, parmi ces 15 000 Yvettes, il y en a une qui m'a raconté son histoire: «J'ai élevé cinq enfants, j'ai été épouse et mère pendant 30 ans et maintenant j'ai décidé d'être moi-même, quitte à en payer le prix. Mon mari ne le prend pas, la séparation s'en vient...». Cinquante ans environ, l'air bien ordinaire, la classe moyenne, une petite ville de province, la maturité, l'énergie: une Yvette de manuel scolaire? Allons donc! Elle est là, au Forum, parce qu'elle est libérale et fédéraliste. Je lui demande ce que ça veut dire, une Yvette: «Ça veut dire être soi-même.»

Avec la même inconscience et au mépris de la réalité, on tente de faire passer le Parti québécois pour un parti de féministes et de «femmes de carrière». On oublie allègrement que les femmes au travail sont également des femmes au foyer: la majorité ont des enfants et portent le fardeau de la double tâche. D'autre part, on oublie que les noyaux féministes, au sein du PQ, n'ont jamais eu la partie facile et n'ont pas pu faire passer le dixième de leurs revendications dans la législation.

Dans certains milieux libéraux, on va jusqu'à prétendre, histoire d'exploiter au maximum l'affaire des Yvettes, que le gouvernement Lévesque a heurté la sensibilité des femmes au foyer en légiférant dans une optique trop féministe.

Féministes, René Lévesque, Jacques Parizeau, Jacques-Yvan Morin?!... Dans le dossier de la condition féminine, ce gouvernement a été bien en-deçà de ce qu'en attendaient les groupements féministes les plus modérés comme la Fédération des femmes du Québec ou le Conseil du statut de la femme.

Par électoralisme sans doute mais surtout parce que les hommes qui le dirigent n'en ont guère vu la nécessité, le gouvernement Lévesque a mis la pédale douce sur toutes les réformes audacieuses qu'il aurait pu entreprendre au début de son mandat, avant que l'approche du référendum ne l'oblige à une prudence toute électorale. Ces beaux efforts ont été détruits par la gaffe de celle qui devait être la meilleure «vendeuse» de la souveraineté-association, mais surtout par les effets d'une stratégie inspirée d'une bien naïve théorie selon laquelle libération nationale irait de pair avec libération des femmes!

(Toutes les expériences historiques démentent cette prétention. Même dans les contextes révolutionnaires, les femmes ont lutté comme les hommes quand on en avait besoin mais toujours pour être ensuite renvoyées à leurs chaudrons et à leurs tchadors.)

*   *
*

Les barrières qu'on tente avec une ardeur suspecte de dresser entre les femmes du «oui» et celles du «non» à partir de leur vécu féminin, sont des barrières artificielles. Les femmes du Parti libéral, quoique moins militantes à ce chapitre que leurs plus jeunes consœurs du PQ, s'inscrivent dans le courant majoritaire du féminisme québécois. Comme d'ailleurs Mme Payette, qui est de la même génération et, au-delà des différences de style, de la même «école de pensée» que les oratrices libérales du Forum.

C'est une sympathisante libérale, Mme Laurette Robillard, qui présida à l'élaboration du fameux rapport du Conseil du statut de la femme. Sur la scène du Forum, lundi soir, qui voyait-on? Thérèse Casgrain, l'une des premières féministes au Canada français, Sheila Finestone, ex-présidente de la Fédération des femmes, Yvette Rousseau, ex-présidente du Conseil fédéral sur la situation de la femme, Monique Bégin, qui a travaillé pour la Commission Bird (sur le statut de la femme) …et combien d'autres, à la fois mères de famille, femmes au travail et maîtresses de maison, et qui ont eu pour la plupart cette dignité et cette solidarité naturelle de limiter au maximum, même dans un contexte aussi partisan, les attaques personnelles contre Mme Payette. Et qui ont d'ailleurs très peu insisté sur la problématique féminine en filigrane dans cette opération politique.

«Les femmes seront le fer de lance de notre campagne», disait ce soir-là, souriant aux anges sur la glace du Forum, l'organisateur du PLQ, M. Pierre Bibeau.

En effet, une fois de plus, les femmes sont venues au secours de leurs hommes. Après avoir fait durant des années au sein du PLQ les tâches les plus humbles et les plus nécessaires, le porte-à-porte, le pointage, le téléphone, le collage de timbres, le travail du poll, elles ont eu l'idée politiquement géniale de tirer profit de la gaffe de Mme Payette, et cela à un moment où le parti, encore traumatisé par la piètre performance de ses dirigeants lors du débat parlementaire, était à court d'idées. Ces femmes, les connaissez-vous? Lucienne Saillant, le roc sur lequel s'appuyait la puissante organisation de Raymond Garneau dans Jean-Talon, Monique Lehoux, vice-présidente du parti, Louise Robic, qui a récupéré à Montréal cette idée née à Québec...

Elles retourneront bientôt dans l'ombre où se tiennent, toujours prêtes à servir, les femmes des partis politiques. Le lendemain de ce gros succès du Forum, le «Regroupement des Québécois pour le non» présentait à la presse son comité exécutif: 13 hommes et deux femmes au bout de la table. Comme d'habitude. La base des partis politiques repose sur le travail bénévole des femmes mais les postes-clés vont aux hommes.

10 avril 1980

COMMENT
VENDRE LE «NON»?

Vendre le «non»... Pas facile comme défi. C'est pourquoi les fédéralistes ont tant de mal à élaborer leur stratégie de communication.

Premier problème: contrairement au camp du «oui», dont la campagne est toute axée autour d'un seul parti, d'un chef unique et d'une organisation centralisée dont les grandes stratégies ont été arrêtées il y a plusieurs mois, le camp du «non» est multiple, hétérogène, et regroupe des gens qui n'ont pas la même perception de la question nationale: libéraux fédéraux, unionistes, anglophones, francophones, libéraux provinciaux...

Au sommet de la pyramide, les porte-parole de tous ces groupes ont longtemps gaspillé en rapports de forces internes le temps que les péquistes ont consacré à raffiner la forme et le contenu de leur message.

Deuxième problème: le chef. Contrairement à René Lévesque, Claude Ryan est, disent les sondages, moins populaire que son parti. Et contrairement aux péquistes qui sont experts en communications, M. Ryan n'aime pas que la politique soit élaborée en fonction des médias, de l'image, d'un message à communiquer en un éclair.

«On dirait qu'il ne vit pas au 20e siècle, s'exclame un communicateur professionnel, il s'imagine que si l'on explique les choses en long et en large et en détail, les gens vont comprendre et suivre!» Démarche d'éditorialiste, très intellectuelle, abstraite et désincarnée, à l'image du Livre beige, qui correspond à l'idée que M. Ryan se fait du Canada... mais qui fut, de l'avis de bien des stratèges libéraux, la première erreur de la campagne préréférendaire.

(M. Ryan comptait sur l'appui des premiers ministres provinciaux. Il ne l'a pas eu et n'a réussi qu'à s'aliéner la fraction nationaliste des fédéralistes francophones comme Léon Dion. Sa seconde erreur fut de sous-estimer l'importance politique du référendum et de croire que ce ne serait, entre les victoires aux partielles et les prochaines élections provinciales, qu'un incident de parcours.)

Troisième problème: Trudeau. Que fera-t-il?... Au Parti libéral du Québec, on espère que le premier ministre canadien saura répondre à l'un des arguments les plus convaincants des souverainistes, soit l'idée qu'un «oui» au référendum ne constitue qu'un bon outil de négociation avec Ottawa. Au PLQ, on ne cache pas que c'est là que le bât blesse, car c'est cet argument du «on n'a rien à perdre et tout à gagner» qui attire dans le camp du «oui» nombre d'électeurs fédéralistes et même libéraux.

Autre problème enfin: à quelle sorte d'émotion recourir pour «vendre» le Canada aux francophones, alors que tous les sondages montrent qu'on s'identifie d'abord au Québec?... À l'instar de Solange Chaput-Rolland, ce sont les femmes de l'opération Yvettes qui ont instinctivement trouvé pour ce faire les mots qu'un Claude Ryan est incapable de formuler: l'une après l'autre, lundi dernier au Forum, elles jouaient avec aplomb et simplicité sur des thèmes chauds, concrets: léguer le pays intact à nos enfants, ne pas dilapider le patrimoine canadien qui est leur héritage...

Parler du Canada, mais aussi du Québec, comme l'indique cet autre thème développé au PLQ: «Le Québec est notre patrie, le Canada est notre pays»... Dans la même veine, le camp du «non» tente de récupérer le fleurdelisé «confisqué» par le PQ. Dans ses posters et ses documents, le fleurdelisé apparaît (mais en rouge) et le drapeau flotte, au-dessus du slogan «Mon non est québécois».

Mais ce dosage Québec-Canada est délicat. Sous le parapluie fédéraliste, il y a déjà des tensions entre francophones et anglophones. Ces derniers, qui croyaient que Ryan les menait tout droit à la victoire, ont été durement affectés par la mauvaise performance de leur parti lors du débat sur la question à l'Assemblée nationale. De plus en plus, dans ces milieux, on s'interroge sur les talents de leadership et sur le sens politique de Claude Ryan. Et les libéraux anglophones, dès lors, sont moins portés aux compromis. Ainsi, un petit journal de propagande qui doit être distribué dans deux millions de foyers — et dont le contenu, pour un francophone, semble vraiment aller de soi — a été mal reçu par l'association libérale de Westmount, qui le trouve trop axé sur le Québec et hésite à le distribuer dans le comté.

Bien sûr, cette clientèle votera «non», mais certains pourraient aussi, par amertume ou par défaitisme, s'abstenir… et c'est là un risque à éviter pour le PLQ, qui a besoin de chacun des votes de la communauté anglophone.

C'est là un autre défi, pour chaque camp d'ailleurs, de ce référendum: lors d'une élection ordinaire, l'organisateur sûr de faire élire son candidat dans un comté peut dormir tranquille. Peu importe que le candidat passe avec 10 000 ou seulement 9 600 voix de majorité. Mais cette fois, chaque vote compte, dans le grand «pot» d'où émergera une seule et unique majorité à l'échelle de la province.

En ce sens, les comtés sont des structures factices, qu'on conserve de chaque côté parce que les organisations politiques correspondent aux contours des comtés… mais ce référendum vient chambarder les mentalités politiciennes traditionnelles.

Les «bleus» et les «rouges», ennemis jurés depuis des générations, devront travailler ensemble, de même que les libéraux fédéraux et provinciaux, qui sont loin de toujours s'aimer d'amour tendre. Sur ce plan encore, les femmes de l'opération Yvettes ont eu l'instinct juste. Elles se sont facilement regroupées, en dehors des démarcations fédérales-provinciales, et elles ont su parler d'idées et de sentiments, alors que la réaction instinctive de l'organisateur professionnel est de vanter les mérites d'un candidat, et d'évaluer ses chances à l'intérieur de la circonscription. Cette fois, il n'y a pas de candidats, il y a seulement une idée, et quelques sentiments, et les calculs des politiciens traditionnels ne servent plus à rien.

Les femmes, qui avaient toujours été exclues des *inner circles* de la stratégie politicienne, n'avaient pas été formées dans ce vieux moule, et c'est pourquoi, quelle qu'en soit l'issue, ce référendum sera leur revanche.

12 avril 1980

LA REMONTÉE
DE LISE PAYETTE

Angle Villeray et Saint-Hubert, un sous-sol d'église dans le comté de Dorion. Sept, huit cents personnes attendent leur député.

Elle, robe noire, collier de perles, avec encore quelque trace de désarroi dans les yeux, très droite mais nerveuse, elle jauge l'auditoire du fond de la salle et remonte bravement l'allée centrale vers la tribune; elle remonte l'allée comme on remonte une côte.

Sur son passage, les gens applaudissent mais quand on connaît les salles péquistes on se dit que l'accueil n'est pas aussi chaleureux que d'habitude. Il y a dans l'air comme une froideur, ou une inquiétude: que fera-t-elle, Lise Payette, après la gaffe qui a provoqué l'opération Yvettes et tant de remous alarmés au sein même de son parti?

«C'est pas facile pour elle», murmure une de ses collaboratrices en la suivant du regard. C'est de Floride qu'elle a appris le happening politique des Yvettes au Forum, de Floride où elle vient de passer une semaine avec quatre de ses collaboratrices. Au Holiday Inn de West Palm Beach. Rien de bien extraordinaire. Juste un voyage décidé un soir au café du parlement, sous le coup de la fatigue. Elle est revenue dimanche bien bronzée, et la voici, ce mardi soir, inaugurant la campagne du «oui» dans son comté... C'est sa première apparition publique après deux semaines de méchantes caricatures, de ragots divers et d'abominables prédictions.

Elle en a vu d'autres, pourtant. Elle a 49 ans, elle a été mariée, elle a eu deux enfants, elle a travaillé pendant 20 ans dans la presse régionale d'abord, puis à la radio, puis à la télévision, trois métiers différents qu'elle a chaque fois dû apprendre et maîtriser. Et enfin ce nouveau métier, le plus difficile: ministre et, pire, femme-ministre.

La troisième seulement dans l'histoire du Québec, après Claire Kirkland-Casgrain et Lise Bacon, à affronter au plus haut échelon l'obligation du «double standard»: être deux fois plus compétente, deux fois plus sérieuse, faire ses preuves encore et toujours... Faire ses preuves, et puis surtout, surtout, ne jamais dévier; ne jamais se tromper, ne jamais parler à travers son chapeau, ne jamais gaffer. Un homme politique peut faire une gaffe, mais une femme...

(Dans son discours d'ailleurs, elle y fera allusion, parlant d'un Québec qui, une fois souverain, serait un pays «normal»: «J'espère que le peuple du Québec aura le droit de ne pas être parfait et de se tromper... (et, en riant) qu'il ne sera pas comme moi!»)

Durant ces trois premières années passées à Québec, au ministère des Consommateurs, Coopératives et Institutions financières, elle hérita, à la suite d'ailleurs de Mme Bacon, du dossier le plus technique, le plus périlleux, celui de l'assurance-automobile. Elle eut à subir toutes les pressions des compagnies d'assurances, du Barreau, des courtiers et aurait pu y laisser sa tête. Ensuite, la loi de la protection des consommateurs. Encore un dossier dangereux, encore des pressions. Et puis bien sûr, cet autre dossier délicat de la condition féminine, qu'elle allait piloter dans une relative solitude, à coup d'efforts et de diplomatie.

Il y eut bien des jours, au parlement, où l'on vit l'ancienne vedette de la télé, la mise en plis défraîchie, sans même une touche de mascara ou d'ombre à paupière: quand on travaille fort, on n'a pas toujours le temps de se maquiller... et, faut-il dire, les caméras, elle en avait tant vues, que ça ne l'impressionnait plus.

Ce qui, selon bien des observateurs, la différencia de nombre de ses collègues, c'est ceci: contrairement à beaucoup d'hommes de pouvoir qui s'entourent de gens plus faibles qu'eux pour être bien sûrs de dominer et d'échapper à la critique, Mme Payette forma l'un des meilleurs cabinets du gouvernement Lévesque, comme si elle avait le don d'aller chercher pour la conseiller, et au besoin la contester, des gens très compétents: Jacques Desmarais, Léa Cousineau, Pauline Marois, Christine Tourigny, plusieurs autres...

* *
*

Sur la tribune, dans son comté de Dorion, elle attend son tour de parler. Dans la salle, c'est le beau public grouillant, vif, prompt à la réplique et au sarcasme, de l'est de Montréal. Un public du canal Dix, qui a connu le courrier du cœur de Mimi d'Estée, et qui forme le fan-club de Dominique Michel. Un public de salle de loisirs aussi, à l'image du président du comté, M. Claude Perreault, trésorier du Patro Le Prévost. Ce sont eux qui, avec tendresse, présenteront Mme Payette à l'auditoire. Mais l'auditoire hésite encore, comme s'il n'arrivait pas à retrouver sa chaleur normale.

Ensuite, tout, c'est-à-dire la reconquête, se passera très vite. Émue par la présentation de «la p'tite Sylvestre», comme elle appelle Dodo, elle débute les larmes aux yeux, et puis en quelques phrases règle l'affaire des Yvettes: tant mieux si les femmes étaient nombreuses au Forum, tant mieux si elles s'occupent de politique même si c'est pour le non...

— Tant mieux si elles se réveillent!, crie une voix dans la salle.

«Il n'y aura pas de crêpage de chignons, et après on se retrouvera toutes, libérales comme péquistes, autour des dossiers de la condition féminine.»

Lise Payette a retrouvé ses sourires, son aplomb et tout son allant. La salle, regagnée, reconquise, se délecte, et entre l'oratrice et l'auditoire, la connivence est revenue: une fois l'affaire des femmes réglée ou plutôt mise entre parenthèses, pour après le référendum, elle se livre à un discours plus strictement politique, simple, imagé, drôle. Elle devait être, dans la stratégie péquiste, la meilleure «vendeuse» de la souveraineté-association… Elle l'est toujours et, dirait-on, encore plus, comme si tout cela l'avait revigorée!

* *

*

Du haut de cette côte brillamment remontée, Lise Payette regarde son monde de Dorion qui l'ovationne, debout.

Est-ce la fin des Yvettes? Il semble que oui. Les péquistes ont judicieusement évité de répliquer sur le même terrain et n'ont pas écouté ceux qui leur suggéraient d'organiser à leur tour un gros rally des «femmes pour le oui». On organisera plutôt, comme c'était d'ailleurs prévu, une célébration très informelle pour le 40ᵉ anniversaire de l'obtention du droit de vote: ce sera le 26 avril, à la place Desjardins, et les hommes aussi y sont conviés.

Du côté du Parti libéral, on a mis la pédale douce sur l'opération Yvettes, sans doute par crainte de «l'effet boomerang». Et aussi parce que quelques femmes qui comptent dans le parti n'avaient guère le goût d'exploiter ce filon.

17 avril 1980

LE PEUPLE ÉQUIVOQUE

Le chauffeur de taxi — Montréalais, la trentaine — est comme le professeur Léon Dion: il va voter oui au référendum parce que, dit-il… mais dans un style plus imagé que M. Dion: «Ça va être pour dire aux Anglais: assis-toi pis négocie.»

À la hauteur de la rue Beaubien: «De toute façon, le référendum qui s'en vient, c'est pas le vrai. C'est l'autre, le deuxième, qui va être sérieux.

— Et alors, comment voteriez-vous?

— Ah ben là... (il se gratte la tête). Je suis pas pour la séparation, moi. Pas du tout.»

À l'approche de la rue Laurier, cependant, il y a une autre hypothèse qui flotte dans la voiture. «Si jamais les Anglais refusent de négocier, dit-il, alors là...

— Vous voulez dire si le PQ gagne le premier référendum et que le Canada refuse ensuite de négocier?

— Ben évidemment que ça va être oui au premier référendum. Ça c'est sûr.

— Ah bon. Alors si donc c'est oui et que les Anglais refusent de négocier...?

— Là, c'est une autre affaire. S'«ils» me choquent, si je me retrouve en maudit, je... (il hoche la tête, pensif).

— Vous pourriez voter oui à un second référendum sur la souveraineté?

— Ben, si les Anglais me choquent, je ne dis pas... Je ne dis pas que je voterais contre.»

Rendu au carré Saint-Louis, le chauffeur de taxi est en guerre contre l'Ontario: «Tu vas à l'épicerie, toutes les conserves sont cannées en Ontario. Et les autos, hein, les autos?»

Angle Saint-Denis et Sainte-Catherine, jugement définitif: «Ça fait assez longtemps qu'on se fait piler sur la tête.»

Ensuite, nous deviserons de choses et d'autres.

— Les Yvettes, qu'est-ce que vous en pensez?

— C'est des stupidités. (Il hausse les épaules). Mais ç'a du bon parce que ça *shake* le monde dans les cuisines.

Sur la société: «Depuis que les Églises sont disparues, c'est le *free for all*. Les jeunes ne veulent plus travailler, les fonctionnaires se prennent pour d'autres, ils ne sont pas au service du public. Il faut mettre de l'ordre là-dedans.

— Est-ce que le PQ a fait ce qu'il faut, d'après vous?

— C'est pas fort fort.

— Alors Claude Ryan, ce serait mieux?

— Ryan? Ah non. Il me fait penser à mon père, le genre

borné avec des idées fixes. Faut pas retourner en 1940.»

Nous sommes arrivés au journal. Je reviens sur le second référendum: «Alors comme ça, vous voteriez pour la souveraineté si…»

Il m'interrompt. Sa main trace un grand cercle dans l'air. «Toute cette affaire-là, de toute façon, ça va finir avec les États-Unis.

— Comment ça, les États-Unis?

— On va s'intégrer aux États-Unis.

— Est-ce que vous verriez ça d'un bon œil?

— Oui. Il y a un slogan: si tu peux pas les battre… *If you can't beat them, join them.*»

*   *

*

Je tiens ce chauffeur de taxi pour un Québécois absolument typique. Il est contre la souveraineté. Mais il en veut plus pour le Québec. Quoi au juste? C'est imprécis. Peut-être le respect des autres, puisqu'il a le sentiment qu'«on s'est fait piler sur la tête». Le respect passe par la négociation d'égal à égal. Si le Canada anglais refuse de négocier, alors la dignité exigerait qu'on se sépare. Mais… même dans l'intimité de sa voiture, il ne prononcera jamais le mot oui à propos du second référendum, celui qui l'acculerait vraiment au pied du mur. Le Québec séparé est une idée qui lui fait peur et il a recours, alors, à une autre solution, l'intégration aux USA: Le Québec se séparerait du Canada mais ne serait pas seul!

*   *

*

Nous sommes tous ce mélange confus de colère, de peur, d'aspirations, d'hésitations. En ce sens, la question du référendum, qui joue sur plusieurs tableaux et prêtera après le 20 mai à mille interprétations, cette question donc épouse très exactement les contours de notre peuple ambivalent.

On peut envisager les choses autrement et dire que cette question est confuse et démagogique, inspirée par l'unique souci d'éviter un échec. Mais on peut aussi prendre les choses à un autre niveau, au niveau trouble où se bousculent des sentiments contradictoires, et dire que cette question ressemble au peuple auquel elle s'adresse. Elle est louvoyante, habile, rouée, remplie d'hésitations mais aussi de calculs, elle repose sur la vieille sagesse populaire de nos ancêtres qui étaient Normands et paysans: un tiens vaut mieux que deux tu l'auras, qui va à la chasse perd sa place, en avril ne te découvre pas d'un fil...

Bien sûr, cette stratégie ne pourra jamais instaurer un vrai rapport de forces. Mon chauffeur de taxi, par exemple, est ce que les sondages définiraient comme un «partisan du fédéralisme renouvelé» et pourtant il va voter oui le 20 mai. Des votes comme celui-là constituent le seul espoir du gouvernement Lévesque... Mais c'est aussi ce qui constituera sa plus grande faiblesse lorsqu'il s'agira d'entreprendre des négociations avec on ne sait trop qui au Canada: Le PQ ne pourra jamais prétendre que ce oui durement gagné est un appui à la thèse de la souveraineté-association.

La preuve a été faite publiquement par des dizaines de témoignages comme ceux du professeur Dion et d'ex-députés unionistes ou libéraux, sans oublier mon chauffeur de taxi, que bien des fédéralistes répondront oui pour accroître la force de négociation du Québec... mais cela, ironiquement, risque au contraire de la réduire face à l'interlocuteur éventuel. Quand on joue au poker, on cache ses cartes, et le bluff doit se faire en secret! N'importe. Cette question nous ressemble, qu'on aime ou non l'image offerte par le miroir... Et l'on a, somme toute, les stratèges qu'on mérite.

27 avril 1980

LE PQ ET
LES MINORITÉS

Au téléphone, une sociologue, Québécoise d'origine haïtienne qui vit ici depuis 20 ans: Mme Edith Grenier déplore que le Parti québécois s'occupe si peu des groupes ethniques, où plusieurs, dit-elle, sont des partisans du «oui»... et à plus forte raison bien sûr au sein des communautés francophones. «On dirait, dit-elle, que le PQ tient pour acquis que les Néo-Québécois sont tous du bord du «non».

Deux heures après, même témoignage, venant cette fois d'un professeur à l'Université de Montréal qui est d'origine «pied-noir»: «Il y a quelques personnes, comme le Dr Fortas (qui accusait cette semaine le PQ d'être raciste), qui se font passer pour les porte-parole des groupes ethniques, et dont les journaux publient constamment les propos en tribune libre... Les opinions au sein de nos communautés sont pourtant beaucoup plus nuancées. Pensez par exemple aux Juifs francophones qui viennent d'Afrique du Nord, c'est un milieu où le PQ pourrait sûrement trouver des sympathies et pourtant on n'a pas l'impression qu'il en tient compte.»

Renseignements pris, il existe effectivement un comité chargé spécifiquement des relations avec les groupes ethniques, dirigé par M. Mimmo Forte, et l'on prépare pour le 30 avril un regroupement inter-ethnique de partisans du «oui». Il y a, nous dit-on, des pétitions qui circulent, des regroupements qui s'organisent... Hier, le premier ministre Lévesque s'adressait à la communauté juive de Montréal et il y a, de temps à autre, quelques percées hors du milieu francophone.

Mais cela n'empêche pas que nos deux interlocuteurs ont raison de se plaindre de ce qu'ils perçoivent comme un manque de sensibilité, de la part du PQ, envers les minorités culturelles.

Qu'on ne cherche pas là des signes d'une mentalité raciste, ni même des traces sérieuses de xénophobie.

De telles accusations sont injustes, et il faut d'ailleurs signaler qu'un grand nombre de libéraux et de fédéralistes, qu'ils soient Québécois d'origine ou non, s'en dissocient. Un exemple entre plusieurs autres: une militante libérale de Québec, qui fait actuellement du porte-à-porte en faveur du «non», et qui nous téléphone pour dire qu'elle en a assez d'entendre certains porte-parole de son camp jouer sur ces thèmes-là.

Mais si le PQ ne mérite pas qu'on l'insulte de la sorte, il n'est pas, quand même, sans tort à l'endroit des minorités culturelles.

Envers les anglophones, il a fait preuve d'une certaine insensibilité, en allant chercher, pour assumer des fonctions de liaison délicates et stratégiques, des gens sans doute compétents, mais qui ne représentaient pas du tout la communauté anglo-montréalaise.

* *

*

Envers la communauté juive, qu'on connaît fort mal au Parti québécois, même difficulté de jeter des ponts, de créer des liens, de multiplier les occasions de rencontre et d'échange.

Le PQ a eu le tort de croire au départ que les Juifs montréalais lui étaient en bloc hostiles parce que fédéralistes. Ils le sont certainement en majorité, et puis après? Des souverainistes et des fédéralistes peuvent très bien — et devraient, d'ailleurs — se parler, se comprendre, se respecter mutuellement et collaborer dans divers domaines.

Le PQ, en tant que parti, n'a pas d'histoire commune avec les minorités culturelles, puisque toutes ses racines ne plongent qu'en milieu francophone. Le fait, en outre, que le siège du gouvernement soit à Québec, en milieu totalement homogène, n'aide pas non plus: c'est à Montréal seulement qu'on a quelque notion de cette diversité considérable et précieuse qui fait

31

les villes cosmopolites. Mais la politique n'est pas seulement l'art du compromis... c'est aussi l'art de relever des défis.

26 avril 1980

LA TOLÉRANCE ET LA DIGNITÉ

Dans le hall d'entrée de l'hôpital Notre-Dame-de-la-Merci, le ministre Jacques Parizeau est accueilli par un jeune homme en chaise roulante, qui porte sur son pullover le bouton doré du «oui». Tout près, comme pour exprimer une protestation silencieuse mais amicale, une dame, en chaise roulante elle aussi, sourit aux invités, arborant le macaron du «non».

Le jeune homme qui accueille Parizeau et qui le guidera ensuite tout au long de cet hôpital pour malades chroniques, est un militant de longue date, l'un de ces indépendantistes patients qui ont accepté que les choses se transforment peu à peu, graduellement, «une marche après l'autre» comme dit Parizeau lorsqu'il compare l'étapisme du PQ à la lente montée d'un escalier.

Dans les années 60, Jean-Pierre Bayard était membre du Rassemblement pour l'indépendance nationale. Il se préparait à faire des études en photographie. En 1969, un accident le laisse handicapé. Il vit ici, à Notre-Dame-de-la-Merci, depuis 11 ans.

En 1970, il fait campagne, dans l'hôpital, pour le candidat péquiste du comté de l'Acadie — Jacques Parizeau — qui sera finalement élu, en 1976, dans le comté de l'Assomption... Et voici aujourd'hui Parizeau de retour, porteur du même message, et voici Jean-Pierre Bayard, dix ans après, lui aussi porteur du même message dans cet hôpital qui est devenu sa maison.

32

M. Bayard croit que le «oui» va l'emporter. «Mais si nous faisons autour de 50 p. cent — même 45 p. cent — ce sera quand même un pas important», dit-il avec la gravité sereine de ceux qui prennent le temps de réfléchir et qui savent que rien n'est donné et que tout se conquiert.

C'est lui qui a organisé, avec l'aide d'autres malades sympathisants du «oui», cette tournée du ministre à l'hôpital. Et il fait aussi de la photo, grâce à un système que son père a fabriqué pour l'aider à manipuler les appareils.

Ici, nous dit-on, la majorité du personnel est en faveur du «oui», et la majorité des patients, en faveur du «non». Mais le débat se fait en douceur, dans le respect mutuel et la dignité: «J'en parle seulement avec ceux qui le veulent, dit M. Bayard, je ne force personne à la discussion. Il y a de l'insécurité à propos du référendum, et c'est normal, car il y a une insécurité fondamentale reliée à la maladie.»

La maladie, qui brise les jeunes, et la vieillesse qui pèse sur d'autres... Quelques-uns, parmi ces grands malades, vivent dans d'autres univers que l'arène terre-à-terre où se déroulent nos querelles politiques, certains se sont réfugiés dans la mémoire lumineuse de leurs bonheurs passés ou dans l'attente d'une justice qui ne viendra jamais des hommes... et Dieu fasse qu'elle leur soit rendue un jour, une nuit, quelque part ou ailleurs.

Midi. À la cafétéria, Parizeau rencontre le personnel — infirmiers, cuisiniers, employés de soutien. Un jeune homme se lance dans l'argumentation marxiste classique, poliment mais avec insistance. Parizeau lui répond avec l'élégante bienveillance du professeur répliquant à l'étudiant brillant mais égaré.

Les autres membres du personnel laissent leur jeune camarade parler, avec tolérance, et comme par habitude. Ils ont tout vu, tout entendu, eux qui travaillent dans la souffrance comme d'autres travaillent en usine ou au bureau, et qui exercent des métiers où l'on ne persévère que si l'on éprouve, excusez ces mots désuets, de l'amour pour son prochain.

13 heures: dans la salle des loisirs, une cinquantaine de malades sont au rendez-vous. Ce sera une belle assemblée politique, et de haut calibre, exception faite d'une brève sortie d'un farouche partisan du «non» venu visiter son père, que la seule vue du ministre Parizeau rend furieux et qui ira finir dans le couloir une colère inexpliquée.

Le ministre se concentre sur les questions économiques, explique, clarifie.

À la période des questions, un retraité qui est hospitalisé ici, M. Marcel Blais, se lève, très digne: il a des choses à dire. Il monte sur la tribune à côté du ministre qui lui tend le micro, et pendant dix bonnes minutes se livre à un plaidoyer très articulé en faveur du fédéralisme. L'homme est bien renseigné, il suit l'actualité de près, il parle avec beaucoup d'assurance et se concentre lui aussi sur les questions économiques. Et le ministre, réjoui de rencontrer un adversaire à sa mesure — car Parizeau, ce grand seigneur, n'aime que les débats d'égal à égal —, réplique à son tour, non sans avoir félicité M. Blais pour avoir abordé des problèmes qui vont au cœur du sujet.

Dans l'auditoire, il y a de l'attention, de l'intérêt, et un intérêt qui repose, dans plusieurs cas, sur beaucoup d'informations. Dans les hôpitaux, on lit, on écoute la radio, la télé… Un patient dans la trentaine intervient: il trouve que la définition que donne Parizeau de la souveraineté-association entre en contradiction avec le Livre blanc. Un autre malade, beaucoup plus âgé celui-là, interrompt tout à coup l'exposé de M. Blais, qui affirme que le Canada anglais ne voudra pas négocier: «Voyons donc, si on vote oui, Davis (de l'Ontario) va se mettre à genoux pour négocier!»… Et quand M. Blais parle de péréquation, notre auditeur de lancer: «Et les F-18!»

— Vous poserez votre question à votre tour, réplique M. Blais.

— Je n'ai pas de questions, rétorque l'intervenant, j'ai les réponses!

Et plus tard, alors que le visiteur colérique reproche au

ministre Parizeau de «trop parler», le même vieux monsieur, de sa chaise roulante, prend la défense du ministre: «Il y a une différence entre parler et dire quelque chose!»

Mais tout cela, dans le calme et la dignité. Une belle leçon de sérénité pour ceux qui, hors des murs de Notre-Dame-de-la-Merci, glissent ces temps-ci dans l'intolérance et l'agressivité.

29 avril 1980

LA LOGIQUE À L'ŒUVRE

Tout le monde — du côté des «oui» comme du côté des «non» — l'attendait. Tout le monde se demandait comment, dans quel style, à quel niveau, avec quelles armes exactement, il engagerait le combat. Il est arrivé, marquant en même temps le vrai début de la campagne référendaire.

Rendons à César ce qui est à César: Pierre Elliott Trudeau hier midi, c'était l'intelligence à l'œuvre.

Même parmi les partisans du «oui», il s'en trouvait plusieurs hier pour sourire d'aise après une telle performance: tous les Québécois, à peu près sans exception, sont amateurs de politique et savent reconnaître leurs meilleurs joueurs.

Autre chose aussi transparaissait, et c'est ce vieux réflexe si profondément québécois, ce réflexe presque tribal que Trudeau méprise mais auquel il doit toutes ses victoires: la fierté de se voir si bien représenté et à Québec et à Ottawa, et de voir s'affronter des adversaires d'une telle qualité.

Et le fait est que les cinq millions de Québécois francophones, ce petit peuple si souvent humilié, ont produit des hommes politiques d'une classe absolument inégalée sur ce continent. Trudeau en est un, et il y en a deux autres dans cette catégorie,

René Lévesque et Jacques Parizeau. Et c'est sans compter les autres, si nombreux, de Claude Charron à Claude Ryan, qui à un titre ou à un autre sont de remarquables penseurs politiques, de fins stratèges ou d'extraordinaires orateurs, et c'est sans compter tous ceux qui, dans notre histoire, ont remué, debout sur tant de tribunes, tant d'idées et tant d'émotions politiques...

Pourquoi une telle concentration de talents dans le domaine politique? Pour le cinéaste Denys Arcand, l'auteur de la fameuse série sur Duplessis à Radio-Canada, c'est essentiellement parce que la politique a traditionnellement été notre seul grand moyen de défense, à nous qui avions été exclus des sphères économiques.

Comparez avec ce qui se passe aux États-Unis par exemple: 250 millions de gens, un grand peuple, qui se retrouve avec de si piètres candidats à la présidence parce que la politique, justement, n'attire pas les meilleurs d'entre eux et que les hommes d'élite ont bien d'autres champs où se faire valoir.

* *
*

Trudeau, donc. La salle, comble comme jamais dans l'histoire de la Chambre de commerce, est acquise d'avance, mais ça n'a pas d'importance. Cet homme-là, à ce moment-là, prend toute la place, alors qu'il se livre avec un calme suprême, sans texte écrit, dans une langue qui paraît s'être étrangement améliorée, épurée des anglicismes qui l'affectaient depuis qu'il est à Ottawa, et comme stimulé par le défi, à une démonstration d'une logique éblouissante.

Dommage qu'il se soit abaissé à évoquer, à propos de l'indépendance, des pays qui rappellent des images sanglantes (l'Irlande, l'Algérie, le Zimbabwe) ou sans commune mesure avec le Québec (La Grenade, les îles Fidji). Dommage qu'il ait inventé, à propos de l'association économique, une comparaison ridicule et grossièrement perfide avec deux régimes totalitaires (Cuba et Haïti). Trudeau avait en mains des argument, assez forts pour n'avoir pas à emprunter à son tour les outils démagogiques du terrorisme psychologique.

Depuis que le discours souverainiste s'est embourbé entre deux eaux, dans la mare un peu vaseuse où barbottent les tacticiens de la souveraineté-association et ceux du fédéralisme renouvelé, on avait oublié qu'il n'y a au fond que deux seules options claires et logiques: le fédéralisme, qui, pour rester tel, ne peut s'accommoder que de retouches relativement mineures, et l'indépendance, qui ne s'accommode pas de trait d'union; puisque, si n'importe quelle association économique se négocie, la souveraineté, elle, ne se négocie pas.

En situant le débat sur ce terrain, Trudeau a touché au cœur du problème. Et il a alors la partie belle, car entre le fédéralisme et l'indépendance, toute solution intermédiaire, aussi légitime soit-elle, est de l'ordre du calcul, du compromis, bref de la politique et non de la logique pure.

Le PQ, dit-il, manque du sens de l'honneur et du courage qui caractérisaient les premières aspirations indépendantistes: par sa démarche «ambiguë», il pousse les Québécois à dire oui à une option qui sera rejetée par le Canada, ne serait-ce que parce que le bon sens politique élémentaire indiquera qu'«en refusant l'association, on empêchera le Québec de faire l'indépendance et de briser le pays». Et alors, après?... Après, dit Trudeau, ce sera l'humiliation d'avoir à voter non à un second référendum, qui porterait cette fois sur la souveraineté. (Après, calculent les stratèges du PQ, c'est au contraire la colère qui s'exprimerait, par suite d'un refus de négocier de la part du Canada anglais, et qui pourrait alors pousser les Québécois à s'engager plus avant vers la souveraineté.)

L'indépendance, dit Trudeau, reprenant ainsi l'argumentation classique des indépendantistes, est une chose qui ne se négocie pas. C'est une démarche de fierté, et ensuite tant mieux si l'on peut conclure des ententes avec d'autres pays. Mais la souveraineté-association avec un trait d'union, c'est «remettre son destin dans les mains des autres, puisqu'il suffira que l'association soit refusée pour que les Québécois ne puissent faire ce qu'ils prétendaient vouloir faire.»

Sur le plan de la logique, l'argument est inattaquable, en plus d'être, cela va de soi, éminemment rentable politiquement, puisqu'on sait bien que la majorité des Québécois rejettent la notion de l'indépendance.

L'argumentation des libéraux a toujours été d'associer le PQ au «séparatisme». Hier, Trudeau a repris ce même thème, mais avec une suprême habileté. Il ne se contente pas de dire qu'au-delà de cette question «conditionnelle et ambiguë», c'est la souveraineté pure et simple que vise le PQ. Il décortique la stratégie «étapiste» d'une façon telle qu'il se trouve à passer pour le défenseur de la fierté québécoise, cette fierté qui constitue précisément le thème dominant de la campagne du «oui».

3 mai 1980

LES PERROQUETS
DU «OUI» ET DU «NON»

Un comité local du «oui» dans la partie ouvrière d'Outre-mont. Un petit garçon de 10 ans environ, d'origine grecque, se présente et demande une affiche. «C'est 50 cents, dit la jeune femme préposée à l'accueil.

— 50 cents? lance l'enfant, alors laissez faire... Si je voulais une affiche c'était seulement pour vous la déchirer en pleine face.»

À dix ans, on est encore un perroquet: on répète ce qu'on entend à l'école, dans la rue ou à la maison.

Il y a des gens qui restent des perroquets toute leur vie. Ce sont les partisans inconditionnels des partis politiques, les parti-

sans sourds et aveugles à tout ce qui ne correspond pas exactement à leurs idées — disons plutôt à leurs croyances.

Il y en a du côté des «non»: ceux qui voient en tout péquiste
le germe d'un bureaucrate totalitaire, et en tout partisan du
«oui» un «séparatiste» rêveur et casse-cou.

Il y en a du côté des «oui»: ceux qui sont incapables d'admettre qu'une personne normalement honnête et intelligente
puisse être fédéraliste, par principe ou conviction, et non dans
l'intention sordide de préserver quelque intérêt bassement personnel. Ceux qui, par exemple, traitent le chef du «non», M.
Claude Ryan, de «Lord Durham» et lancent à ses partisans des
épithètes analogues — traître, Judas, etc. — n'ont pas plus de
maturité intellectuelle que le petit garçon dont nous parlions
plus haut.

*   *

*

Cette inflation verbale me rappelle les années 60, l'époque
des grosses manifestations où la jeunesse indépendantiste s'affirmait avec une fierté très saine et une arrogance un peu théâ-
trale dans les rues de Montréal; il s'en trouvait toujours
quelques-uns pour lancer «Gestapo!» à l'adresse des policiers
municipaux. L'insulte fusait, avant même que les policiers
n'aient levé le petit doigt. Moi ça me hérissait: ces policiers-là,
c'est sûr, ils avaient la matraque alerte, je ne les portais pas dans
mon cœur, on ne leur avait pas encore appris à maîtriser les foules, et s'ils se fâchaient, la seule chose à faire c'était de prendre
ses jambes à son cou, mais enfin, tout de même, la Gestapo... la
Gestapo, c'était autre chose, non? Les mots ont un sens. Qu'on
le respecte.

Plus subtile, l'attaque morale: ainsi ces péquistes du comté
d'Outremont qui ont formé «le regroupement des voisins de
Claude Ryan» dans le quadrilatère même où habite le chef du
«non». C'est un détail, mais un détail bien déplaisant: M. Ryan

et sa famille ont droit à la paix au moins chez eux et s'il y a une chose que les adversaires politiques devraient respecter c'est bien le foyer des hommes publics.

Je préfère la truculence de cet autre regroupement pour le «oui», qui s'appelle «les pas peureux de Saint-Ubald». Ça, c'est parfait, personne n'est heurté, il y a là-dedans de l'humour véritable et ça vous a un petit quelque chose de pas piqué des vers, de vif et de mordant comme une belle pomme verte.

*   *

*

Plutôt que de recourir à l'insulte, certains esprits plus sophistiqués ont inventé le principe éminemment commode de l'union sacrée: seuls les «pro-oui» seraient de «vrais» Québécois, et la victoire de leur camp au référendum, loin d'être la victoire d'un parti politique et d'une option constitutionnelle, constituerait plutôt un objectif auquel tous devraient souscrire au nom d'un idéal qui est au-dessus de la politique!... Ce principe est dangereux parce qu'il ampute la campagne référendaire de sa dimension politique et électorale pour en faire une entreprise mythique, et qu'il engendre une mentalité sectaire. (Il y en a, du côté du «non», qui voient là — encore l'inflation verbale — des germes de «fascisme». Je crois, moi, qu'il s'agit plutôt de l'expression primaire d'un engagement politique qui en est encore à un stade infantile et qui reste marqué par une longue tradition de catholicisme autoritaire.)

Les excès de cette sorte sont somme toute assez rares dans la campagne, signe que nos traditions démocratiques sont fort solides. Mais hélas, la polarisation — absolument inévitable en période référendaire — fait disparaître l'espace critique dont toute société a besoin pour respirer

*   *

*

Il n'y a plus d'intellectuels ces temps-ci, ils sont tous engagés sous quelque bannière. Ainsi le dernier colloque de la revue *Critère* — l'un des rares points de ralliement des intellectuels hors des églises idéologiques — a pris l'allure d'un «regroupement des intellectuels pour le oui», où l'on n'essayait même plus de prendre ses distances avec les représentants du gouvernement, devenus pour l'occasion maîtres à penser!

Autre exemple, l'arrivée inopinée de René Lévesque à la Nuit de la Poésie, le mois dernier. M. Lévesque, qui a l'instinct démocratique, s'est contenté d'un petit discours référendaire bref et réservé, et il semblait mal à l'aise — avec raison — dans ce lieu qui aurait dû être totalement consacré à la création libre.

Quand le référendum sera passé, il y a une question entre autres qu'il faudra se poser: quelle sorte de nationalisme voulons-nous?

Le nationalisme démocratique de ceux qui ont assez de maturité et des convictions personnelles assez profondes pour supporter la contradiction sans se sentir menacés? Ou le nationalisme des perroquets?... Choisir en somme entre l'idéologie de Félix Leclerc et celle de Gilles Vigneault, entre le Leclerc chauvin et réactionnaire des dernières années qui en appelle, dans ses derniers textes — hélas diffusés par le camp du «oui» — à la révolte contre «les étrangers avec leurs gros doigts dans nos papiers de famille» et à l'élimination des «présences anglaises» , et le Vigneault ouvert et progressiste qui n'a jamais parlé que de liberté, d'accueil et d'ouverture au monde... et qui saurait dire, lui, au petit garçon précocement fanatisé dont je parlais plus haut, que ce pays c'est l'hiver (ça, on n'y peut rien!) mais que c'est aussi «une maison ouverte à tous les peuples de la terre»?

8 mai 1980

BEAUCOUP DE BLEU
À L'EST, MAIS...

Montréal, de Saint-Denis angle Sherbrooke au centre Paul-Sauvé. Montréal, traversée vers l'est en diagonale: beaucoup de bleu, beaucoup de «oui» aux balcons et aux fenêtres... Mais pour ce camp, rien n'est gagné: les partisans du «oui» s'affichent plus que les autres, ça c'est connu. Et plusieurs observateurs ont en outre l'impression qu'il y a moins de pancartes pour le «oui» dans l'est montréalais qu'il n'y avait d'affiches du Parti québécois aux dernières élections provinciales.

Est-ce parce que la machine électorale du PQ, fer de lance de l'organisation du «oui» dans la région montréalaise, se serait assoupie à l'ombre du Pouvoir, ces trois dernières années? C'est l'opinion d'un des responsables de la stratégie référendaire du PQ: «Le parti n'est pas en aussi bon état qu'auparavant. Trop de militants sont devenus fonctionnaires...»

Mais peut-être les choses sont-elles, sur ce plan au moins, égales. Car l'un des stratèges du Parti libéral nous dit, de son côté: «Si l'on gagne, ce ne sera pas d'abord à cause de la machine. Certains partisans de Garneau, défaits au congrès de leadership, sont moins actifs qu'avant. Ryan a mis ses hommes en place, mais une machine avec un moteur neuf, ça a besoin de rodage, tu ne fais pas rouler ça du premier coup à 90 milles à l'heure.»

*   *

*

Saint-Denis-Sherbrooke, le square Saint-Louis: du «oui» partout.

Vendredi soir dernier, la pluie a gâché l'inoffensif petit party qu'avait préparé le «regroupement des habitués de la rue Saint-Denis pour le oui».

Réfugiés dans un bar, quelques militants péquistes de Montréal, fatigués, usés par une lutte trop longue qu'ils préféreraient, quant à eux, plus directe et plus audacieuse, jonglaient avec des chiffres, toujours les mêmes, inéluctables: avec, disons, un 15 p. cent de «non» assurés du côté anglophone, tel un déficit impossible à réduire, il faut convaincre les deux tiers des francophones... Défi presque impossible, compte tenu aussi du fait qu'il y a des risques sérieux à trop jouer sur le thème de la solidarité ethnique.

Seul espoir à court terme: qu'une forte majorité de francophones se convainquent qu'un «oui» n'engagera à rien de plus qu'à un mandat pour «débloquer» les négociations avec le Canada anglais.

Telle est, de toute évidence, l'intention des auteurs du tract que le Regroupement pour le «oui» va distribuer de porte en porte cette semaine. Sur près de cent lignes de texte, pas une fois, pas une seule fois il n'est fait mention de la souveraineté-association. On n'y fait même pas allusion. Le message est entièrement axé sur la négociation: «La question dit clairement qu'on va voter pour donner au gouvernement un mandat de négocier. Un point c'est tout.» Cela évoque la «carte de rappel» que le PQ avait distribuée vers la fin de la campagne électorale de 1973, où l'on affirmait, à l'encontre du programme officiel du parti, qu'un vote en faveur du PQ n'entraînerait pas l'indépendance.

Mais si les tenants du «non» réussissaient à convaincre l'électorat indécis qu'un «oui» équivaut au contraire à la «séparation»? Le camp du «oui», alors, se sera bien mal défendu, en s'abstenant de faire valoir les avantages de l'option indépendantiste.

Le dernier sondage CROP-Radio-Canada montre en effet qu'une proportion assez forte de répondants ignore le contenu du projet gouvernemental: 48 p. cent ignorent que dans un contexte de souveraineté-association, le Québec aurait une union monétaire avec le Canada, 41 p. cent ignorent que le Québec n'élirait plus de députés à Ottawa, 59 p. cent ignorent qu'il y aurait une union douanière. Et enfin, le comble, 28 p. cent ignorent que dans ce contexte le gouvernement québécois aurait le pouvoir exclusif de légiférer!

Rien, dans la stratégie publicitaire du Regroupement pour le «oui», axée essentiellement sur le concept de négociation et la notion d'«égalité», n'a renseigné les électeurs sur le contenu du projet souverainiste. Rien donc ne prévient les attaques des porte-parole du «non», qui ne parlent que de brisure, de rupture et de faillite économique.

*　　*

*

Samedi, à l'autre bout de la ville, au nord-est... Devant le Centre Paul-Sauvé, un infime groupe de jeunes agite mollement des drapeaux canadiens, tandis que, de l'autre côté de la rue, un autre groupuscule brandit la banderole du «oui». Un seul policier surveille la scène, débonnaire: «Chacun son trottoir, dit-il, comme ça tout le monde est content.»

À l'intérieur, quelque 9 000 personnes, dont des groupes de gens âgés amenés là par autobus attendent, dociles, passifs, d'être harangués par les orateurs du «non», qui cette fois misent sur le thème des-bâtisseurs-qui-on-construit-le-Canada-que-l'ont-veut-détruire.

L'orgue électrique. Un Roger Doucet sorti pour l'occasion de l'hôpital et remplacé au micro par sa femme. Le colonel Sévigny extirpé d'on ne sait où. Et le clou, la passation des drapeaux remis par un ex-ministre unioniste à deux jeunes gens... Le tout lourdement appuyé par de gros accords plaqués sur l'orgue électrique. Dans la salle où ils paradent, la mine absente, les jeunes ont l'air d'avoir été enrégimentés pour quelque séance d'école. Les plus vieux ont l'air de figurants. Après avoir tant vécu, tant travaillé, méritaient-ils d'être exploités ainsi?

13 mai 1980

LE RÊVE
QUI SE DÉROBE

Ils étaient là, quelque 9 000 partisans du «oui» au Centre Paul-Sauvé, venus, comme le dit Claude Charron, «chercher de l'énergie», puiser à même un fond commun d'enthousiasme et de détermination de quoi terminer une campagne référendaire à l'issue incertaine.

Pour mardi soir prochain, l'organisation du «oui» a retenu la même salle... Quelle en sera l'atmosphère à ce moment? Y verra-t-on les militants déçus, amèrement, comme aux soirs des élections de 1970 et de 1973? Ou les verra-t-on en liesse comme le 15 novembre 1976?

Dans la foule qui se presse autour des grilles qui entourent l'espace réservé aux journalistes, un homme prend des photos, des photos partout, encore et toujours. Il est sur le parquet, avec la foule, plutôt que du côté des journalistes... du côté du «oui» plutôt qu'en terrain neutre: Antoine Désilets, Antoine, notre ex-collègue à *La Presse*, grand artiste dont les livres sur la photo se vendent depuis longtemps comme des petits pains chauds.

Depuis 20 ans, Antoine photographie le rêve qui passe sans jamais prendre forme: l'indépendance du Québec. Il photographie ce rêve sous toutes ses facettes: à travers les événements mais surtout à travers les visages. Il a des photos tristes, des photos gaies, il a toute notre histoire dans ses archives. Ces choses-là, seul un vieil indépendantiste comme lui peut les photographier comme ça.

Et l'autre soir, le voilà de nouveau, une fois de plus, là où il se passe quelque chose... Mais un peu inquiet: «Si on perd le référendum, dit-il, je m'en vais dans le bois me cacher pour six mois. Quelle humiliation ce serait, avec une question pareille!»

L'humiliation. Perdre avec une vraie question directe qui va droit au but, ce ne serait pas humiliant, ç'aurait même pu être non seulement une victoire morale mais un énorme atout de négociation face au Canada anglais. Exemple, une question qui aurait dit: «Êtes-vous pour la souveraineté (assortie éventuellement d'une association économique)?... Cette question-là, c'est sûr, elle aurait été battue si l'on s'en tient à l'optique légaliste traditionnelle qui veut qu'une victoire doive reposer sur la moitié des voix plus une.

Mais ce référendum n'est pas une élection et n'a pas de valeur juridique: il n'a qu'une portée morale et politique.

Une question directe, donc, sur la souveraineté, aurait pu récolter, avec une bonne campagne bien menée, un bon 30, 35 p. cent des voix. Tout le monde aurait dit: voici que le tiers des Québécois est prêt à s'engager sans détour et résolument sur la voie de la souveraineté. Dans notre contexte, le tiers des voix en faveur d'une pareille option aurait eu l'effet d'un choc au moins aux yeux de ceux qui ont quelque culture politique. Ç'aurait été plus fort, comme résultat, qu'un 51 p. cent arraché de justesse avec une question qui n'engage à rien. (À un point tel d'ailleurs que les journalistes étrangers de passage ici, qui ne comprennent pas nos multiples louvoiements politiques, y perdent leur latin quand on leur dit que le «non» a des chances de l'emporter même chez les francophones).

*   *

*

Mais l'autre soir à Paul-Sauvé, l'atmosphère était à l'optimisme, et le téléphone arabe faisait courir le bruit que de nouveaux sondages indiquent une remontée du «oui».

Les Montréalais pour le «oui» charriaient à travers leurs multiples regroupements spontanés tout l'humour de notre peuple: il y avait, écoutez ça, le Regroupement des habitués du dépanneur Dugas, le Regroupement des assoiffés de la taverne «La p'tite patrie», le Regroupement des anciens «non» pour le «oui»... Il y avait une femme qui brandissait une pancarte: «Ouivette». Il y avait Sol, la magie de la langue: «Ne restons pas plantés comme un petit peuplier sans histoire, à regarder passer les joueurs de saxon et ceux qui ont la grosse caisse...»

Le Regroupement le plus applaudi, et de beaucoup — sa mention fut saluée par une très longue ovation — ce fut celui des «Québécois d'origine haïtienne pour le oui». Bienvenue dans la famille, semblait-on dire, faites comme chez vous, tirez-vous une chaise...

C'était une grosse partie de nous tous qui s'exprimait là, ce soir-là: l'humour et les railleries dans les discours, le «oui» scandé et re-scandé qui, prononcé par ces milliers de Montréalais, sonnait comme «ouais», la formidable vigueur de nos chansons avec Claude Gauthier et Gilles Vigneault, le goût que nous avons tous pour la musique et qui faisait qu'en sortant, des centaines de gens continuaient à chanter, à fredonner même sans musique d'accompagnement... Notre humour, nos chants, et même notre quétainerie — un groupe de majorettes défilant à l'ouverture, initiative locale du comté...

Il n'y avait pas grand chose de neuf dans les discours. On pouvait s'offrir le plaisir de noter ce qu'on préférait, ce qui vous touchait... Payette: «Nous sommes des rêveurs et nous ne cesserons pas de rêver.» Parizeau: «Ils nous répètent: Vous êtes des pas capables, vous êtes des pas bons... Le plus beau slogan jamais trouvé au Québec, c'est celui du RIN en 1966: On est capable!»

Avant, il y avait eu Charron, le fils chéri des Montréalais de l'est, qui est aussi devenu, après de premières confrontations orageuses, le fils préféré de René Lévesque. (Au début du parti et jusqu'en 1977, Charron c'était l'enfant terrible, le mouton noir, celui qui avait osé suggérer après la défaite de 1973 que Lévesque avait fait son temps... Tout cela est passé: Lévesque a été conquis par ses extraordinaires talents de parlementaire, et son dernier gros succès ce fut l'organisation du débat parlementaire sur la question, en mars dernier...) Charron, donc, au micro, s'adressant particulièrement aux jeunes: «Pour moi, cette campagne référendaire a marqué la fin de ce qu'était ma jeunesse…» Lui aussi, après tant d'autres, il a usé sa jeunesse sur la question nationale. Combien de temps cela va-t-il durer?

15 mai 1980

LE COMBAT DES CHEFS

Pour le camp du «oui», les choses ont commencé en beauté, avec le grand débat parlementaire télévisé où les fédéralistes ont été totalement pris de court. Nombreux furent ceux qui donnèrent alors le «oui» gagnant. Mais à partir de l'affaire des Yvettes, dont le succès allait remonter le moral des partisans du «non», ce dernier camp allait recommencer à marquer des points.

Leur chef, M. Claude Ryan, s'est livré à une étrange campagne, largement improvisée, presque artisanale, certainement exténuante: assemblées interminables, ralliements hétéroclites d'orateurs, poignées de main ad *nauseam*…

Il manquait quelque chose: une certaine passion, un style, et une réplique à l'argument-massue du camp du «oui», qui misait sur le désir de déblocage constitutionnel de maints fédéralistes. Ces munitions, ce fut Trudeau qui les apporta, dans trois interventions magistrales.

Une logique implacable, qui lui a permis de décortiquer et de ridiculiser la stratégie référendaire du PQ. Une passion dont la portée allait être d'autant plus grande que son expression reste sobre, qui lui a permis de récupérer au profit du fédéralisme les thèmes de la fierté et de l'amour du pays dont on croyait qu'ils étaient l'apanage du camp du «oui». Et enfin, la réplique au «oui tactique», que seul un représentant du fédéral pouvait donner: le premier ministre canadien ne négociera pas avec les détenteurs d'«un mandat ambigu», et une victoire du «non» ne fermera pas la porte au changement constitutionnel. (Nous sommes en politique, là où personne ne devrait dire «fontaine je ne boirai pas de ton eau»… mais n'importe; même s'ils sont d'ordre stratégique, ces arguments ont sans doute influencé la partie mouvante de l'électorat ou au moins redoré le blason du «non» associé au statu quo).

Si ce camp-là l'emporte mardi, ce sera très largement le triomphe personnel de Pierre Elliott Trudeau, de la même façon d'ailleurs qu'une victoire du «oui» devra être essentiellement créditée à René Lévesque, qui a été l'unique vedette de la campagne du «oui».

Nul doute qu'il y aura mardi plusieurs sortes de «oui»: le «oui» souverainiste, le «oui tactique» des fédéralistes impatients, le «oui critique» de la gauche… Les «non», eux aussi, s'inspireront de plusieurs facteurs: la peur de perdre le peu qu'on a (chez bien des gens âgés et chez les plus défavorisés), la peur de perdre l'acquis, synonyme de sécurité pour les uns et de privilèges pour les autres, de même que le sentiment que, somme toute, «on n'est pas si à plaindre».

Un autre facteur, que les intellectuels avaient sous-estimé, est celui-ci: l'attachement au Canada est une valeur qui reste forte même en milieu francophone. Parce que le nationalisme messianique est chose du passé, parce que le Québec s'est affirmé si puissamment depuis 1960 et que tout le monde se dit québécois plutôt que canadien-français, parce que tous les sondages montrent que les francophones s'identifient à leur province davantage qu'au Canada, on avait cru que le sentiment national s'était entièrement déplacé du côté québécois et que ce n'était que par «raison», pour des motifs d'ordre matériel et économique, que des francophones restaient fédéralistes. Cela n'a pas paru s'avérer durant la campagne référendaire et tout s'est plutôt passé comme si beaucoup de francophones refusaient qu'on les force à choisir… état d'esprit que les libéraux ont exprimé par un excellent slogan: le Québec ma patrie, le Canada mon pays.

Du côté du «non», il y a eu plusieurs coups bas: ainsi le déferlement de la publicité fédérale sur les ondes, l'envoi du dépliant «non merci» (à l'alcool!) avec les chèques d'allocations familiales, l'envoi prématuré de chèques de pensions de vieillesse «négociables en mai 1980», la démission suspecte de Kierans de la Caisse de dépôt... mais surtout la diffusion de calomnies visant à associer le camp du «oui» à l'intolérance, voire au racisme, et la souveraineté-association à une rupture brutale et dangereuse.

Cette propagande sur le thème des libertés — prétendument menacées dans un Québec laissé à lui-même — n'a sans doute pas eu grand effet sur la population francophone dont le Parti Québécois est issu. Mais elle a sûrement contribué à renforcer, chez les Néo-Québécois et à l'étranger, l'ignorance, la méfiance et les préjugés déjà existants.

En ce sens il s'agit d'une propagande non seulement injurieuse à l'égard des Québécois francophones mais impardonnable parce que les dommages ainsi faits resteront incrustés dans la mentalité de nos concitoyens et continueront de ternir notre réputation à l'étranger.

*   *

*

La campagne du «oui» quant à elle, était plus centralisée, mieux planifiée, plus audio-visuelle. Mais peut-être a-t-elle souffert d'un excès d'habileté. La préoccupation tactique était trop apparente dans la formulation de la question et dans la promesse d'un second référendum, et le PQ paraît avoir sous-estimé la perspicacité de l'électorat. Il a ouvert la porte à des accusations d'hypocrisie... qui se sont multipliées la semaine dernière, lorsque l'organisation a commencé à distribuer à plus d'un million d'exemplaires un dépliant où, sur cent lignes de texte, il n'est jamais fait mention de la souveraineté-association, et où l'on ne parle que de «négociation» sans même en évoquer l'objectif, lequel est pourtant inscrit dans le libellé de la question!

Une carence qui a frappé bien des observateurs: alors que la plupart des indécis s'inquiètent de choses bien concrètes (le pétrole, les emplois, le niveau de vie, etc., autant de thèmes systématiquement exploités par ses adversaires), le camp du «oui» s'est abstenu d'aborder de front la question économique et n'a pas non plus expliqué en détail et résolument le contenu du projet politique proposé à l'électorat. Peut-être toutefois, l'idée — au moins dans ses grandes lignes, soit le principe des deux nations et la négociation d'égal à égal — a-t-elle pu progresser dans l'électorat, sourdement et malgré la confusion, à la faveur du gros «brassage» de perceptions et d'opinions qu'a provoqué l'organisation des multiples «regroupement pour le oui» sur les lieux de travail et dans les quartiers.

Autre carence, inévitable celle-là, de la campagne du «oui»: l'absence du thème extrêmement mobilisateur de l'humiliation linguistique et culturelle, dont le PQ pouvait bénéficier lorsqu'il était dans l'opposition. Avec la loi 101, que le PQ ne pouvait pas ne pas promulguer dès son arrivée au pouvoir, bien des inquiétudes et bien des colères ont été apaisées.

Il reste que même avec un message que sa propre stratégie a rendu ambigu, et même devant quelques coups bas — ceux précisément qu'on ne peut prévenir sans s'abaisser au même niveau —, le camp du «oui» a mené une campagne propre, et que René Lévesque, qui en portait presque seul le poids, s'est montré à la hauteur de l'estime que l'électorat lui porte.

Lévesque… et Trudeau. Lévesque avait toujours été immensément populaire, même chez les partisans du «non», et il avait toujours été évident que Trudeau éclipserait Ryan.

Restaient, face à face, deux très grand hommes, deux premiers ministres, deux Canadiens français ou deux Québécois francophones, comme vous voudrez… De ce que vous voudrez mardi, messieurs-dames, dépendra que nous serons un peu plus Canadiens ou un peu plus Québécois, mais nous savons aujourd'hui que ce petit peuple de Tremblay et de Gagnon issu de générations d'Yvettes qui l'ont porté dans leurs ventres lorsque nous n'avions que cela, faire des enfants, pour nous défendre et nous affirmer, que ce petit peuple donc a produit, pour incarner les deux nationalismes qui continuent de s'affronter parmi nous, des leaders de grande qualité, et que le 20 mai ne marquera pas la fin du combat des chefs.

17 mai 1980

LA VICTOIRE MESQUINE

Montréal, le 21 mai. Jour de gros soleil lourd, jour de grande tristesse pour bien du monde, jour de lendemain de la veille.

Un chauffeur de taxi, la cinquantaine, très calme... Il a voté oui mais il avait parié que le «non» l'emporterait. «J'ai perdu mon vote, dit-il, mais j'ai gagné 75$...». Il ne sourit pas, il aurait préféré, dit-il, gagner son vote et perdre 75$.

Un professeur d'université, qui appelle au journal à un autre propos, glisse dans la conversation: «J'ai voté non, je ne sais pas si j'ai bien fait... Je devrais me réjouir et pourtant...»

C'est pour des raisons de cet ordre que mardi soir, le Centre Paul-Sauvé était plein, même pour marquer la défaite, et le centre sportif de Verdun à moitié vide, même si c'est une victoire qu'on devait y fêter. Les anglophones, plus discrets par culture, se contentaient pour la plupart de célébrer en famille, dans l'intimité de leur salon. Et les francophones qui avaient voté non, eux, peut-être n'avaient-ils pas le goût de le proclamer trop fort ni même de s'en réjouir, car sans doute étaient-ils nombreux à savoir qu'une partie de leur âme se trouvait mardi soir au Centre Paul-Sauvé, là où les militants du «oui» s'étreignaient en pleurant. N'oublions jamais ceci, que nous sommes un peuple ambivalent, et que des milliers de Québécois parmi ceux qui ont voté non portent en eux, comme un vieil instinct, une petite voix qui dit oui.

L'instinct, on peut le réprimer. Mais il reste toujours, au fond. Le nationalisme québécois est de l'ordre de l'instinct, c'est un ancien courant profond, profond, profond, qui trouve ses racines en Nouvelle-France. Ce n'est pas le Parti québécois qui l'a inventé, ce n'est pas la victoire du camp du «non» qui le fera disparaître.

Cela mérite un certain respect. Un respect dont le vainqueur de mardi, M. Claude Ryan, n'a pas compris l'extrême importance.

Mon chauffeur de taxi, lui, il ne l'a pas aimé le discours de M. Ryan: «On aurait dit qu'il commençait déjà sa campagne électorale... Je n'aime pas ça. On matraque quand c'est le temps. Mais quand c'est fini, c'est fini.»

Toujours le lendemain de la veille. Je rencontre deux femmes de ma connaissance, qui sont dans la soixantaine et ont voté oui. Je leur demande comment elles ont trouvé les discours des chefs. La réponse fuse: «Trudeau avait de la dignité, il s'est bien gardé de pavoiser. Mais Ryan... Ce discours insolent, cette harangue... Il avait gagné et il continuait à nous écraser. Ce discours-là, il m'est resté sur le cœur.»

Je suis d'accord avec ce chauffeur de taxi et avec ces deux femmes. Quand on gagne, et surtout avec une telle marge, on doit avoir la victoire généreuse. C'est une question de perspicacité électorale et de sensibilité politique, et c'est aussi une question de sensibilité tout court.

Mais ce n'est pas d'hier que M. Ryan a la victoire mesquine. Lorsqu'il fut élu au congrès de leadership du Parti libéral, en mars 1977, il n'eut pas un mot, pas un geste, pour son adversaire écrasé, Raymond Garneau. (En 1970, lorsque Robert Bourassa fut élu à la tête du même parti, la première chose qu'il fit dès le lendemain, ce fut de se rendre au domicile de ses deux adversaires défaits, pour reprendre contact. C'est un geste d'autant plus nécessaire qu'un congrès de leadership déchire les partis politiques avec autant d'intensité qu'une querelle de famille, et que le simple souci d'efficacité politique pousse les vainqueurs à panser les plaies au plus vite.)

M. Ryan au contraire, malgré une victoire éclatante, bouda ouvertement et pendant des mois son rival défait, jusqu'à ce que ce dernier démissionne de son poste de député. Il ne rata en outre jamais une occasion de couvrir de mépris celui qui l'avait précédé à la tête de son propre parti et qui se trouvait sous le coup d'une humiliante défaite électorale, M. Bourassa — à qui Ryan alla jusqu'à suggérer publiquement de s'éloigner de la scène politique pendant au moins une dizaine d'années! Plus récemment, M. Ryan n'était pas sitôt élu dans Argenteuil, qu'il n'avait rien de plus pressé que de se lancer dans une charge contre les journalistes coupables de n'avoir pas prévu l'ampleur de sa victoire!

Même chose le 20 mai, mais en plus pénible: c'est avec une hargne surprenante que M. Ryan a continué, même vainqueur, de s'en prendre au camp dont le chef avait pourtant dignement concédé la partie!

Cette attitude tranche avec celle de tous nos chefs politiques depuis 1959, lesquels ont presque toujours su s'incliner avec «fair-play» devant la défaite ou au contraire, les soirs de victoire, rendre hommage à l'adversaire d'une façon ou d'une autre.

Mais emporté par on ne sait quelle fureur que même une victoire aussi forte ne semblait pas pouvoir apaiser, le chef provincial du «non» oubliait l'avertissement que lui avait donné, dans la *Gazette* de lundi dernier, le chroniqueur Ian MacDonald: «...C'est demain soir qu'on pourra vraiment mesurer la générosité d'esprit de Ryan qui, si son camp l'emporte, devra commencer à panser les plaies. Lévesque a déjà été perdant. Ce fut généralement un bon perdant, capable chaque fois de trouver les mots apaisants... Ryan n'a pas toujours été le gagnant le plus élégant au monde, mais s'il est victorieux demain, le public pourra juger de ses qualités d'homme d'État. Avec une élection provinciale qui s'en vient, c'est une chose à laquelle il devrait penser.»

Homme d'État, peut-être est-ce un métier qui ne s'apprend pas, peut-être est-ce plutôt une attitude qui s'exprime naturellement à certains moments-clés d'une vie politique. Voyez le contraste entre Ryan s'acharnant mesquinement sur la moitié ou presque de l'électorat francophone, et Trudeau, le même soir, dans son message officiel à la télé, qui lisait un texte, les yeux baissés. Il venait de remporter le combat ultime de sa carrière politique, ce pour quoi peut-être il avait tant tenu à retourner à Ottawa en février dernier. Mais il avait le triomphe modeste, et le souci, visiblement, de respecter la fierté de l'adversaire vaincu.

22 mai 1980

UNE IDÉE
À RENOUVELER

Depuis le 20 mai au soir, l'idée d'indépendance se retrouve là où, au fond, elle avait toujours été, là où elle doit retourner au moins pour un certain temps: dans l'opposition. C'est une idée qui de toute façon s'accordait mal avec le pouvoir, et les faits le prouvent.

Depuis que ses porte-parole sont au pouvoir, l'idée d'indépendance n'a pas évolué sur le plan intellectuel, elle n'a pas réussi à intégrer les courants de pensée nouveaux, et elle n'a suscité aucune œuvre créatrice.

Même sur un plan strictement politique, l'idée d'indépendance n'a pas évolué non plus, et les minces progrès qu'elle a pu faire dans certaines régions rurales ne tiennent peut-être qu'au fait que ces régions rattrapent avec quelques années de retard un courant de pensée qui stagne, maintenant, dans les zones qui étaient à l'avant-garde du mouvement indépendantiste (Montréal et les villes du Saguenay et de la Côte-Nord).

Un journaliste de longue expérience, qui a suivi depuis plus de 20 ans toutes les facettes de notre vie politique, commente ainsi ce phénomène: «La politique, c'est là où viennent mourir les idées»... Peut-être est-ce là une vision excessive et cynique, mais il est vrai que le pouvoir n'est jamais fécond et que c'est dans l'opposition que les idées naissent, se nourrissent et se répandent.

Il est arrivé, le 20 mai, ce qui était prévisible à partir du moment où le Parti québécois a dissocié son sort électoral de son objectif premier, qui était la souveraineté. Il a gagné ses élections et perdu son référendum... même si, en 1970 et en 1973, avec l'indépendance à son programme électoral, et avec infiniment moins de ressources financières, il avait remporté 24 p. cent et ensuite 31 p. cent des voix!

*   *

*

Ironiquement, le simple fait d'être au pouvoir lui a nui dans sa démarche référendaire: ce gouvernement tenait un discours nationaliste, légiférait sur la langue, occupait tout le champ possible (dans l'immigration par exemple), et ainsi apaisait les rancœurs, les frustrations, les colères et l'insécurité culturelle, tous les sentiments auxquels s'abreuve, au moins au départ, l'idée d'indépendance.

Enfermé dans son pari de former «un bon gouvernement», le PQ retardait l'échéance du référendum, passait des lois populaires, mais plus il réglait de problèmes, plus il s'enlevait des armes pour le référendum: cela prouvait, somme toute, que même en régime fédéral, les choses n'allaient pas si mal!... La stratégie du «bon gouvernement» sous-estimait l'électorat, qui n'est pas assez bête pour confondre un gouvernement (dont il est d'ailleurs très satisfait) et une option constitutionnelle.

Quant à la pensée elle-même, on a vu durant la campagne référendaire que les porte-parole du «oui» répétaient les mêmes vieux discours un peu usés, et que les créateurs, les chansonniers par exemple, devaient puiser à même le répertoire des années 60, tandis que Michèle Lalonde ressortait son «Speak White» qui date de 1970 et de bien avant la loi 101.

L'idée d'indépendance n'avait pas été régénérée, elle n'inspirait plus les créateurs, elle avait l'air de charrier plus de généalogie que de défis contemporains, et au surplus, elle avait été non seulement diluée mais aussi mise en veilleuse par trois ans et demi d'exercice du pouvoir, et par un parti décapité de ses cadres (devenus fonctionnaires), qui était rapidement devenu un gros appareil inerte, privé de sens critique et totalement asservi au gouvernement.

* *

*

Le centre du pouvoir péquiste s'étant déplacé à Québec, au bureau du premier ministre, le parti ne pouvait même plus prendre l'initiative de faire circuler l'idée souverainiste, puisque tout — le *timing* du référendum, la formulation de la question, l'approche stratégique, la définition des thèmes, etc. — se décidait au sein de l'appareil gouvernemental. La campagne référendaire elle aussi allait se dérouler sous tutelle gouvernementale, avec des organisateurs sortis pour l'occasion du confort douillet des cabinets de ministres, et qu'on avait déménagés, armes et bagages, de la colline parlementaire au Comité du Oui, angle Saint-Denis et Sainte-Catherine, au cœur d'une ville que quelques-uns ne connaissaient même pas et que la plupart avaient oubliée.

Restait la machine. Elle a réussi à fonctionner, mais privée de leadership naturel, elle n'a pas fonctionné comme elle aurait dû, compte tenu de l'ardeur généreuse et de l'énergie sans limite de ses militants. Dans bien des endroits, le PQ n'a même pas fait sortir son vote au complet.

* *

*

Des boucs émissaires? Il ne peut y en avoir, car c'est l'ensemble du parti qui a entériné, dans des congrès successifs, la démarche étapiste proposée par Claude Morin avec l'accord absolu du chef incontesté du PQ, René Lévesque. L'influence de M. Morin sur M. Lévesque reste relative, car ce dernier décide toujours seul des enjeux importants.

Les principales influences qui ont pu s'exercer sur M. Lévesque, quant à la démarche référendaire, sont celles d'hommes qui ont toujours été, de toute façon, sur la même longueur d'ondes que lui, soit les ministres Marc-André Bédard et Claude Morin, son chef de cabinet Jean-Roch Boivin, son adjoint Michel Carpentier et le secrétaire général du Conseil exécutif, Louis Bernard, qui a joué un rôle clé dans la préparation de la question.

Même l'aile gauche du parti s'est rangée du côté des stratèges qui promettaient une victoire facile, et parmi tous les ministres, seul Jacques Parizeau s'est opposé à la formulation de la question, en lançant même une menace de démision.

Dans ce contexte, les boucs émissaires seraient bien difficiles à trouver!

Reste le choix déchirant auquel les militants se trouvent acculés: soit renoncer à piloter l'option souverainiste, ce qui revient à l'enterrer pour des années, soit retourner à la démarche originelle du parti, et réinscrire la souveraineté au programme de la prochaine élection... ce qui entraînerait presque automatiquement l'échec électoral et la remise du pouvoir, sur un plateau d'argent, aux libéraux de Claude Ryan... sans parler de tous les dossiers sociaux qui se trouveraient alors à jamais compromis.

Cette dernière hypothèse, même si plusieurs militants l'évoquent, est invraisemblable: a-t-on déjà vu un parti politique se radicaliser alors qu'il est au pouvoir? Et se réorienter, au surplus, à la veille d'élections qu'il n'est pas sûr de gagner?

La première hypothèse n'est pas réaliste non plus: en rayant la souveraineté de son programme, le PQ perdrait toute crédibilité, et en plus il perdrait ses travailleurs d'élection les plus militants, qui travaillent par idéal plus que par ambition.

On peut donc prévoir que le parti trouvera à se loger entre ces deux options extrêmes. Le PQ gardera à son programme l'idée de souveraineté-association, pour l'avenir, en réserve, au cas où... et misera sur la probabilité que les négociations en vue d'un fédéralisme renouvelé échouent.

Et ainsi, l'idée d'indépendance, même en restant au programme d'un parti au pouvoir, retournera, par des détours qu'on ne connaît pas encore, dans l'opposition, hors de la colline parlementaire, chez le vrai monde et dans la vraie vie, où elle ira puiser de l'invention, de la vigueur, de nouvelles ressources et peut-être de quoi bâtir l'avenir.

24 mai 1980

LE «NON» DES MINORITÉS

Les femmes, les gens âgés, les malades, les très jeunes, les groupes ethniques, les défavorisés... Autant de minorités qui dans une large mesure ont fait pencher la balance du côté du «non», alors que le «oui» a recruté davantage chez les hommes qui sont dans la force de l'âge et qui sont des producteurs — ouvriers syndiqués, cols blancs, «professionnels», etc.

En ce sens, c'est le groupe dominant, celui que forment tous ces hommes qui sont à la fois producteurs et pourvoyeurs, qui a le plus massivement adhéré au «oui».

Pourquoi? Une première réponse, la plus facile, vient à l'esprit: les hommes de 20 à 50 ans sont les citoyens les plus actifs, les mieux informés, les moins sensibles aux arguments qui misent sur l'insécurité économique et la peur de l'avenir. Mais chaque phénomène a toujours plus qu'une explication, et l'on peut aussi suggérer d'autres réponses.

Celle-ci par exemple: l'idée d'un Québec souverain doté de tous les pouvoirs exerce davantage de séduction chez ceux qui sont déjà engagés — serait-ce sur une échelle modeste — dans la course au pouvoir. Mais les groupes qui sont, de toute façon, souveraineté ou non, exclus du pouvoir — les femmes, les vieux, les pauvres, les grands malades — ne peuvent pas s'intéresser beaucoup à ce qui, en un sens, ne représenterait qu'un transfert de pouvoir, d'un groupe d'hommes à Ottawa à un autre groupe d'hommes à Québec.

C'est une querelle qui se déroule au-dessus de leurs têtes, ailleurs que sur le terrain difficile où survivent, jour après jour et dans une toute petite lutte très quotidienne et sans éclat, ceux et celles qui n'ont jamais eu, qui n'ont pas encore ou qui n'ont plus de pouvoir entre leurs mains parce que le pouvoir est encore, dans notre société, une chasse-gardée.

*   *

*

Les organisateurs péquistes ont constaté que les jeunes, assez naturellement portés à voter oui, sont allés voter en moins grand nombre que d'autres groupes de citoyens.

Une anecdote entre autres: dans l'est de Montréal, un organisateur du camp du «oui» se félicitait de voir le bel enthousiasme avec lequel six jeunes gars du quartier travaillaient à la campagne. Ils distribuaient des tracts, posaient des affiches, ne rataient pas une assemblée... Deux jours avant le vote, l'organisateur leur dit à la blague: «J'espère que vous n'oublierez pas d'aller voter!»

Et c'est alors qu'il découvre — de même d'ailleurs que les jeunes eux-mêmes, qui n'avaient pas pensé à ce détail — qu'aucun parmi eux n'est inscrit sur la liste électorale. Ils n'étaient pas chez eux quand les énumérateurs sont passés, la période de révision s'était écoulée à leur insu... et quelques-uns pensaient qu'on pouvait s'inscrire le jour même du scrutin. L'organisateur est atterré, mais les jeunes ne s'en font pas: six votes, quelle importance? Ils étaient sûrs que le «oui» l'emporterait haut la main!...

Les jeunes: une minorité non pas exclue du pouvoir mais qui n'en est pas encore investie... Quant aux très jeunes, de 18 à 20 ans, il auraient été, disent les sondages, moins portés à voter oui — sans doute à la fois parce qu'ils sont encore soumis aux influences familiales et que beaucoup d'entre eux sont hantés par le spectre du chômage.

* *
*

L'épouvantable exploitation que l'on fait des vieillards et des malades, durant les campagnes électorales, doit être enrayée. Une société civilisée ne devrait pas accepter que les personnes qui vivent dans des centres d'accueil ou des hôpitaux soient soumises aux pressions et au chantage. Il y a des moyens pour faire cesser ces abus, celui notamment qu'a pris le Dr Lavigne de Lachute. Ce médecin était partisan du «oui», mais il était aussi responsable d'un centre d'accueil pour malades chroniques. Il a interdit aux deux camps, au sien comme à l'autre, de faire de la propagande dans l'institution et il a interdit aux employés de porter des macarons.

Des directives analogues pourraient très bien être émises dans d'autres institutions à cette nuance près qu'il faut préserver le droit qu'ont les pensionnaires âgés et les malades de recevoir — mais seulement s'ils le désirent — de l'information politique. Ainsi en était-il de l'hôpital Notre-Dame-de-la-Merci, où il était entendu que toute assemblée politique ne pouvait être organisée qu'à l'initiative des malades.

Dans le domaine politique, le droit de réunion et d'affichage devrait être réservé aux malades. Les droits politiques des soignants peuvent être exercés dans les locaux spécifiquement à leur disposition (comme la cafétéria). Il serait normal que l'on exige, dans toutes les institutions à caractère hospitalier, que les soignants (médecins, infirmiers, auxiliaires, etc.) s'abstiennent de porter des macarons et de faire état de leurs opinions politiques, afin de respecter le droit des malades et des vieillards à la sécurité psychologique et à la paix. De la même façon, il devrait être entendu que les malades dont le jugement est altéré ne peuvent être traînés dans les bureaux de vote que s'ils en expriment eux-mêmes le désir.

*   *

*

Les femmes: une majorité démographique qu'il faut analyser en tant que minorité exclue du pouvoir. Au sein du Parti québécois, où les comités de la condition féminine constituaient depuis trois ans le seul élément autonome et critique dans un parti dominé par son aile gouvernementale, la défaite référendaire risque d'entraîner un recul. Comme le dit un militant montréalais, «les femmes du parti ont perdu le peu d'assurance qu'elles avaient gagnée, à force de se faire dire que l'affaire des Yvettes est l'une des causes de la défaite.»

À la faveur de la gaffe de Mme Payette, bien des rancœurs jusque là dissimulées sont ressorties à l'égard des féministes du parti, et la ministre de la Condition féminine, qui n'avait guère

62

d'appuis, même avant le référendum, dans ce gouvernement si totalement masculin, risque de voir sa force diminuée au sein du cabinet.

*   *
*

C'est presque l'été: bonne période pour la réflexion. Cela serait un exercice plus utile que de continuer, comme le font trop de partisans du «oui» que la défaite a rendus amers, à «culpabiliser» les groupes qui ont voté non. Car tous ces groupes, exception faite des minorités de privilégiés, sont exclus des lieux où se déroulent les luttes de pouvoir.

29 mai 1980

LES BOUCS ÉMISSAIRES
D'UNE DÉFAITE AMÈRE

Référendum, suite… Dans le camp des vaincus, le postmortem se poursuit. Mais il a pris une tournure désagréable.

Toutes sortes d'idées absolument gratuites sont en voie de diffusion. Un exemple: un reporter écrit, comme si c'était de l'ordre de l'évidence: «ce sont les votes des femmes, des personnes âgées et des anglophones qui ont faussé le sens du scrutin…»

Comment ça, «fausser» le sens du scrutin? Y aurait-il des votes légitimes et d'autres non légitimes, des votes «corrects» et des votes faux?

Autre exemple: dans le but très évidemment politique de prouver que le «oui» a été victorieux dans la population francophone, de brillants statisticiens fabriquent de périlleuses constructions mathématiques à partir des données fragmentaires dont ils disposent (les résultats de 1976, quelques tendances vérifiées par des sondages successifs, etc.). Le vote est secret, mais tout se passe comme s'il était devenu transparent: il y a d'un côté «les forces vives» et de l'autre, le reste, pour ainsi dire les restants.

Premières coupables, bien sûr, les femmes. Apparemment, elles auraient été plus nombreuses à voter en faveur du «non». C'est sans doute vrai, comme il est exact de dire que dans l'ensemble, le camp du «non» a davantage recruté chez les gens âgés et chez les anglophones et les Néo-Québécois.

Mais de là à étiqueter les électeurs, il y a tout de même une limite. D'autant plus que ces groupes sociaux sont exclus du pouvoir que s'arrachent les deux groupes d'hommes dans la force de l'âge qui forment dans les deux camps le leadership et qui détiennent les privilèges.

Que l'essentiel des pouvoirs politiques soit transféré à Québec ou non, quelle importance cela peut-il bien avoir dans la vie quotidienne d'une ménagère, d'un retraité, d'un chômeur, d'une ouvrière grecque, d'une femme soutien de famille? Sans compter que beaucoup, parmi ces électeurs, ont mille raisons d'en vouloir à «ceux qui mènent», et sans compter l'attachement réel que beaucoup de Québécois éprouvent envers le Canada.

Ce sentiment-là existe, et plus fortement que les intellectuels ne l'avaient cru: c'était visible durant la campagne référendaire. Comme l'autre nationalisme qui s'est toujours manifesté dans notre histoire, et qui consiste en une identification de plus en plus grande au seul territoire québécois, le nationalisme «pancanadien» s'inscrit dans une longue tradition historique. La forme qu'il prend aujourd'hui consiste en un sentiment double de possession et de sécurité.

La possession: le Canada, disent ces fédéralistes, nous appartient à nous aussi puisque nous aussi l'avons bâti. La sécurité: un tiens vaut mieux que deux tu l'auras, on connaît le système actuel dont somme toute on ne souffre pas tellement, tandis que l'autre option proposée, c'est un projet vague à l'issue incertaine.

Mais c'est une réalité que le Parti québécois refuse de considérer, préférant tout expliquer par le déferlement de la propagande fédérale sur les ondes... (Le ministre des Affaires culturelles, M. Vaugeois, a même fait faire une étude sur le sujet par ses fonctionnaires! Comme si le référendum n'avait pas suffisamment accaparé les énergies au sein de l'appareil gouvernemental! Comme s'il n'était pas temps, et plus que temps, de fermer au moins temporairement le dossier et de rattraper les retards occasionnés dans tant de domaines durant tous ces mois où les ministres et leurs entourages respectifs étaient hantés par l'échéance référendaire!)

*   *
*

En fait, il est peu probable que la propagande fédérale, aussi condamnable fût-elle sous l'angle de l'éthique politique, ait eu autant d'influence sur l'électorat que le gouvernement Lévesque veut le faire croire.

La présence de Trudeau et d'une équipe franco-québécoise à Ottawa a sûrement été infiniment plus déterminante, dans la mesure où le French Power, de par sa seule existence, alimente puissamment le sentiment d'appartenance au Canada.

La thèse selon laquelle de très larges couches de l'électorat auraient été «manipulées» par la propagande fédérale est une thèse dangereuse: elle repose sur l'apparente conviction qu'une majorité d'électeurs est formée de naïfs ignorants, aisément malléables et privés de libre arbitre, ce qui logiquement amène un désir analogue de manipulation de l'autre côté.

Les arguments vaguement terroristes autour des pensions de vieillesse n'ont probablement pas eu, non plus, autant d'impact qu'on veut le faire croire. Ce sont des arguments éculés qui ont perdu leur force de frappe tant ils ont été répétés au cours de chaque campagne électorale depuis que le PQ est sur la scène politique.

Au cours du référendum, les électeurs ont été moins influencés par l'aspect humain (puisqu'il n'y avait pas de candidat), et une bonne majorité a sûrement voté en connaissance de cause, dans la mesure où l'option du PQ leur a été expliquée. Or, le PQ lui-même s'est fort peu préoccupé d'expliquer son option, et c'est à ses propres failles en la matière qu'il doit s'en prendre s'il a l'impression que la population n'a pas été informée.

Autre aspect pernicieux de ce post-mortem auquel trop de péquistes se livrent: parmi les votes qui auraient «faussé» les résultats, il y a celui des non-francophones. Ce qu'on entend à ce sujet alimente la xénophobie latente dans toute société traditionnellement homogène (nous ne sommes pas plus xénophobes que d'autres... mais pas moins non plus). En outre, ce genre d'arguments risque non seulement de saper les valeurs morales les plus élémentaires (le respect des autres par exemple) mais aussi de nuire au développement de Montréal dont l'une des grandes richesses est précisément son caractère cosmopolite.

En réalité, ce sont des francophones qui ont battu l'option souverainiste (ou ce qui en tenait lieu dans le discours confus du PQ): au moins la moitié — disons, pour faire plaisir aux statisticiens péquistes, 49 p. cent — de la population de vieille souche française a voté non. En chiffres absolus, cela fait une masse bien plus grande que celle du 15 à 20 p. cent d'anglophones!

Au lieu de les déconsidérer du simple fait qu'ils ne font pas tous partie du Groupe Idéal d'Électeurs, le PQ devrait plutôt s'interroger sur les causes réelles de son échec et éventuellement rajuster son tir, rafraîchir son idéologie, voir les choses autrement que dans une optique de luttes de pouvoir technocratiques, trouver d'autres façons d'incarner le nationalisme québécois...

Mais a-t-on déjà vu un parti politique faire son autocritique à la veille, ou à quelques mois, d'une campagne électorale?

7 juin 1980

LA FIN
D'UNE ÉPOQUE

Avec l'année du référendum, s'achève toute une époque: 20 années qui furent marquées par l'émergence, le développement puis le déclin de l'idéologie indépendantiste.

Telle est en effet la conséquence la plus sérieuse du référendum: la démarche vers l'indépendance, amorcée au tournant des années 60 par des mouvements d'avant-garde puis reprise par le PQ de René Lévesque, qui allait lui donner de la respectabilité et des chances de réussite concrète tout en l'édulcorant toutefois considérablement, cette démarche donc a fait long feu le printemps dernier, et l'on peut presque dire que le référendum a marqué la fin du mouvement indépendantiste contemporain.

Rien ne prouve que ce mouvement ne renaîtra pas sous d'autres formes à partir d'aspirations renouvelées, mais rien non plus ne permet d'affirmer que les 40 p. cent de «oui» récoltés au référendum ne représenteraient qu'une étape dans une «marche irréversible» vers l'indépendance.

De ces «oui» en effet, à peine plus de la moitié visaient effectivement la souveraineté, si l'on en croit tous les sondages, les autres s'inspirant surtout d'un calcul d'ordre tactique dans les négociations avec Ottawa et les autres provinces. (Sans compter ceux qui ont voté «oui» parce que ce premier référendum n'engageait à rien.)

* *
*

67

D'autre part, s'il est vrai que le nombre de souverainistes ne peut aller qu'en augmentant, comment expliquer que la jeunesse paraisse si peu encline à se mobiliser autour des thèmes nationalistes? Que ces mêmes thèmes n'inspirent plus du tout les créateurs? Comment expliquer en outre cette démobilisation si rapide, si soudaine, si irrémédiable apparemment, qui a touché même les indépendantistes les plus militants?... On voit bien en effet que l'opération de résistance contre le «coup de force» constitutionnel du premier ministre Trudeau s'est organisée sans trop d'enthousiasme, et qu'elle ne rejoint guère les milieux naturellement portés à l'action politique.

Impossible de tout expliquer par l'amertume d'une défaite qui date maintenant de sept mois, par l'habileté machiavélique de M. Trudeau ou par la position d'extrême faiblesse du PQ.

On dirait plutôt que quelque chose — une volonté, une fibre, un ressort — s'est cassé. Cela se voit et se sent. Un mouvement vraiment fort se laisserait-il abattre par une défaite aux urnes? Les minorités actives savent pourtant, en général, se ressaisir. (En 1971, la crise d'octobre n'avait pas démoli le mouvement indépendantiste, et les péquistes ont su se relever des deux échecs électoraux de 1970 et de 1973.)

Faudrait-il croire que l'idéologie indépendantiste était déjà, avant le référendum, en perte de vitesse? Et que cette défaite n'a fait qu'accélérer une désaffection déjà installée chez les jeunes et dans les milieux plus progressistes, lesquels se trouvent aujourd'hui sollicités par d'autres idéaux — l'action communautaire, l'écologie, le mouvement féministe, les nouvelles sous-cultures, le tiers-mondisme — et qui, tout en étant en général plutôt d'accord avec le principe de l'indépendance du Québec, ne sont pas prêts à s'y consacrer de façon exclusive ni même prioritaire?

*   *

*

À quoi attribuer cette désaffection? Sans doute à plusieurs facteurs, dont la stratégie confuse du PQ, qui à toutes fins utiles, avait cessé de parler d'indépendance depuis 1974, et dont le discours était plus bureaucratique que mobilisateur. (La nouvelle définition péquiste de l'indépendance, c'était que rien ne changerait sauf qu'un seul gouvernement aurait le pouvoir exclusif de lever les impôts et de faire les lois... voilà une perspective qui n'a d'intérêt que pour les sous-ministres qu'ennuient les dédoublements et les chevauchements de juridictions!)

Mais il faut admettre par ailleurs que le discours indépendantiste classique, fondé sur l'idéologie de la décolonisation, a aujourd'hui quelque chose de désuet et ne colle plus aux réalités et aux aspirations contemporaines.

Ce discours avait pris forme dans les années 60, à une période d'expansion économique où l'on ne parlait ni d'inflation ni du problème de l'énergie, et où, à travers le monde, les mouvements de libération nationale paraissaient porter tous les espoirs.

Ironiquement, le simple fait, pour le PQ, d'être au pouvoir et d'avoir légiféré fortement en faveur des francophones a probablement nui à la cause qu'il défendait: qui, vraiment, se sentait opprimé et menacé d'extinction culturelle, en 1980, sous le régime de la loi 101, sous un gouvernement nationaliste?

Si Trudeau et son French Power ne s'étaient pas trouvés à Ottawa, peut-être en aurait-il été autrement... Mais le fait est que la majorité a refusé de choisir entre deux gouvernements qu'elle perçoit comme défendant, chacun sur son terrain, les intérêts des Québécois francophones.

Force est de conclure que cette année 1980 fut celle de Pierre Elliott Trudeau, qui a gagné sur toute la ligne sans avoir une seule fois dérogé de la ligne de pensée qui est sienne depuis toujours.

Faut-il pour autant en conclure que la génération qui, depuis 20 ans, a consacré l'essentiel de ses énergies à cette démarche vers l'indépendance, a travaillé en vain? Sûrement pas. On a vu constamment, durant ces deux décennies, que les aspirations nationales ont constitué un puissant levier d'action, un ferment de progrès social et d'épanouissement culturel. Cette démarche dont nous parlions s'arrête avant la conclusion qui aurait été logique et naturelle, mais les sentiments qui l'animaient continuent d'exister et qui sait si cette bifurcation ne saura pas générer d'autres projets, d'autres espoirs?

3 janvier 1981

LE BALANCIER

Où l'on voit Trudeau, stimulé par la victoire référendaire, amorcer le rapatriement de la constitution, et le PQ, encore sous le coup de la défaite, tituber vers une victoire surprise... qui marquera le début de la fin de la carrière politique de Claude Ryan, et montrera que les Québécois sont experts au jeu du balancier.

DRAME À BUCKINGHAM

Une petite pluie fine tombait sur le palais de Buckingham. Elisabeth II laissa tomber le vieil Agatha Christie qu'elle relisait pour la dixième fois quand la porte s'ouvrit sur la femme de chambre: «Majesté, c'est le premier ministre.»

Margaret Thatcher, très femme d'affaires, la poignée de main résolue et l'œil luisant comme son tailleur bleu acier, entra tout de suite dans le vif du sujet: «Majesté, je prends la liberté de vous entretenir d'un problème qui m'ennuie. C'est au sujet de votre ami Mister Trudeau.

— Qu'y a-t-il donc? N'est-ce pas un gentleman parfaitement séduisant? Son seul défaut à mes yeux c'est de ne rien connaître à l'équitation. Et ma foi, s'il était né d'un duc britannique plutôt que d'un petit-bourgeois montréalais, il aurait trouvé tout naturellement place dans ma Chambre haute...

— Peut-être, Majesté, mais là n'est pas le problème. Depuis quelque temps, mon personnel est aux prises avec deux Canadiens, MM. MacGuigan et Roberts, deux ministres je crois. Ils insistent. Ils veulent avoir leur BNA Act.

— Leur quoi?

— Le BNA Act. Une sorte de constitution. Je vous épar-

73

gne les détails, je m'y perds d'ailleurs. Ils disent qu'il leur faut absolument ce bout de papier, que leur patron y tient mordicus. Je ne sais pas où on l'a mis, depuis le temps! Ç'a d'ailleurs été ma première réaction. J'ai dit à mon secrétaire: s'ils s'imaginent, les Canadiens, qu'on va tout virer à l'envers, les coffres, les armoires, les tiroirs, les coffrets de sécurité, les greniers, les voûtes, tout ce trouble pour un bout de papier...

«Mais on me dit qu'il en traînerait peut-être une vieille photocopie dans la grosse penderie qui est près de l'antichambre de la Chambre haute, vous savez, Majesté, entre les toilettes des dames et les machines à thé...?

La Reine porta la main à sa bouche pour réprimer un léger bâillement: «Madame le premier ministre, abrégez, je vous prie; cette histoire est d'un ennui mortel.

— Bon, alors voilà. En principe c'est simple, on leur donne leur papier et fini, bonjour la visite. Mais en pratique... Au parlement on a d'autres chats à fouetter: les terroristes irlandais, les séparatistes écossais, les mineurs gallois, les dockers, les immigrants pakistanais, il y a une grève qui s'annonce chez les fabricants de plum-pudding et nous sommes à trois mois de Noël, et il y a l'énergie, Majesté. L'é-ner-gie. Ça c'est sérieux.

— Mais enfin, ma chère, dit la Reine, pourquoi ne pas vous rendre à la requête de Mister Trudeau? Donnez-la lui, sa constitution, et qu'on n'en parle plus...

— Facile à dire mais il y a de la rogne et de la grogne là-bas au Canada, les Français autochtones s'énervent...

— Ça n'a rien de nouveau, croyez-moi. Quand je leur ai rendu visite en 1964, ils m'ont reçue comme un chien dans un jeu de quilles, mais ils ne sont pas bien méchants, ils crient mais n'agissent pas, voyez leur référendum, Mister Trudeau les a fait taire en deux temps, trois mouvements.

— Il y a toutes sortes de mécontents, Majesté. Les Esquimaux, les femmes, les protestants des Prairies, les Indiens, les cowboys, les communistes, les doukhobors, les éditorialistes... Et au Québec même, en plus de leur premier ministre, vous savez, le petit homme toujours dépeigné et qui fume tout le temps, il y en a un autre qui s'énerve à ce propos, un monsieur Ryan...

— Pas étonnant, ces Irlandais ne sont jamais contents. Et quoi d'autre? Dites-moi, quelles seraient les réactions internationales si nous accédions à la requête de Mister Trudeau? Faisons le tour. La France d'abord.

— Giscard ne pense qu'à sa réélection et aux Arabes. Le pétrole, Majesté, toujours le pétrole.

— Et du côté des USA?

— Par rapport à cette question, ce serait le calme plat. Reagan ignore le nom de la capitale canadienne, il croit que le Québec est un État africain et il ne sait pas très bien ce que signifie le mot parlement.

— L'Iran?

— L'Ayatollah a déclaré récemment qu'il appuierait, dans ce conflit, celui des deux paliers de gouvernement qui proclamerait son adhésion à la loi coranique. Or, ni Ottawa ni Québec n'ont encore opté pour l'Islam.

— Et sur le front soviétique?

— Les Russes, mettez-vous à leur place! Ils ont un énorme réseau d'institutions psychiatriques à administrer, le plan quinquennal du Goulag à fignoler, les tanks à entretenir, l'Afghanistan à pacifier, les Polonais à surveiller...

— Tout me paraît clair, dit la Reine, ce transfert de constitution ne suscitera guère de remous, sauf peut-être au sein de notre Chambre basse, avec ces députés d'extraction douteuse qui s'énervent pour un rien et sont si sensibles aux moindres pressions...

Le visage de la Reine, tout à coup, s'illumina: «J'ai trouvé! Et si, au lieu de lui donner sa constitution, je proposais à Mister Trudeau, qui le mérite si bien d'ailleurs, un titre de Lord?

— Génial, Majesté! Ça lui ferait plaisir, on serait débarrassé de l'affaire, et puis... Lord Trudeau, ça sonne si bien!»

25 octobre 1980

LA POLITIQUE
DU DÉSESPOIR

Tant sur le plan de la pensée que sur le terrain électoral, le Parti québécois se trouve en mauvais état. Encore traumatisé par la grande débâcle référendaire, ébranlé par onze échecs aux partielles, appréhendant une défaite très possible aux prochaines élections générales, le PQ supporte maintenant presque seul le poids d'une lutte engagée sans enthousiasme contre le projet de rapatriement de la constitution.

Mais le pire, c'est l'incohérence idéologique à laquelle ce parti semble livré comme un esquif ballotté au gré de courants contradictoires.

D'un côté, il y a ceux qui s'inclinent démocratiquement devant les résultats très clairs du référendum et qui estiment que le parti doit, au moins à court terme, mettre son option souverainiste au rancart et insister sur ses objectifs sociaux-démocrates.

De l'autre, il y a les irréductibles, qui réagissent comme s'il n'y avait pas eu de référendum et sont en train de faire, inconsciemment sans aucun doute, un tort irréparable aux idées qu'ils veulent propager.

Passe encore que les militants du nord-est de Montréal (la région Ville-Marie) veuillent soumettre au conseil national du PQ qui s'ouvre ce matin à Montréal une résolution qui demande au parti de s'engager tout de suite à faire une élection sur le thème de la souveraineté-association advenant la réussite du projet Trudeau. C'est une résolution suicidaire politiquement mais qui a au moins le mérite d'être franche envers l'opinion publique et de s'inscrire dans une ligne d'action démocratique.

Mais avec cette autre résolution, d'abord lancée par l'avocat et ex-candidat péquiste Guy Bertrand et pilotée par l'association péquiste du comté de Jean-Talon, alors là on tombe en plein égarement — le mot «délire» ne serait pas trop fort.

L'avocat Bertrand suggère en effet rien de moins que ceci: que le gouvernement Lévesque proclame unilatéralement l'indépendance du Québec, en réponse au «coup de force» de M. Trudeau! Proposer l'imposition de l'indépendance dans le style d'un coup d'État, six mois après qu'une consultation populaire menée démocratiquement eût abouti à un «non» majoritaire, c'est une idée si folle qu'on pouvait croire qu'elle ne trouverait d'écho nulle part.

Or, voici qu'on apprend que cette résolution va recevoir l'appui, au conseil national, d'au moins 20 associations de comté! Bien sûr, on peut prévoir que cette résolution sera défaite par une majorité de délégués sous la pression des gros canons du parti, mais comment expliquer que tant de militants sensés, nourris de principes démocratiques, formés dans un parti qui n'a jamais agi que dans le cadre de la légalité, en soient rendus à ce niveau d'aberration?

Il n'y a peut-être au fond qu'une explication: cette démarche en est une de désespoir... Mais autant le désespoir, chez un individu, est un sentiment qui doit être respecté, autant il risque, quand il est le fait d'un parti politique, de miner à jamais une crédibilité pourtant durement acquise.

*   *

*

Autre signe inquiétant de la mauvaise santé du PQ: ce texte que signait récemment dans Le Soleil le député de Chauveau, M. Louis O'Neil, qui aime bien se faire le porte-parole de l'aile «pure et dure», et qui semble avoir regagné quelque audience dans le parti à la faveur de l'égarement général.

Voici l'extrait en cause: «Depuis la défaite référendaire, le front de la solidarité nationale est ébranlé, désorganisé. Des métèques de tout acabit franchissent les palissades et circulent librement à l'intérieur des murs...»

Même à la lecture du texte entier, on ne comprend guère ce que ce paragraphe veut dire exactement, mais là n'est pas la question. En français courant, «métèque» a un sens bien précis, c'est entre autres l'insulte raciste lancée par la droite française aux Nord-Africains. Une centaine de professeurs de Laval ont protesté dès le lendemain en lettre ouverte et M. O'Neil dans sa superbe leur a répondu qu'il avait utilisé le mot au figuré.(!)

Comment expliquer qu'en certains milieux péquistes, M. O'Neil passe pour un progressiste, alors qu'il tient exactement le discours de la vieille droite nationaliste? Tout y est: La xéno-phobie, le thème de la palissade… Comme si l'indépendance avait pour but de protéger la pureté de la race et d'élever un mur autour du Québec! C'est le contraire qu'ont voulu les indépen-dantistes progressistes: ouvrir le Québec au monde et en faire une société adulte et pluraliste.

*   *
*

Dans une tentative désespérée pour réconcilier le réalisme politique et la fidélité à l'option fondamentale du parti, le der-nier conseil national du PQ avait tracé une ligne d'action ambi-güe et contradictoire: mettre l'option en veilleuse mais conti-nuer à la défendre… À l'usage, on voit bien que ce discours double est impossible et exaspérant pour la population. D'un côté, le PQ copine avec Joe Clark ou Roch Lasalle en disant vouloir préserver l'essence d'un fédéralisme… auquel, dit-il d'autre part à ses militants, il ne croit pas.

On se demande comment le PQ peut sortir de cette impasse: ses intérêts électoraux les plus élémentaires (de même que le respect du verdict référendaire) lui commandent une démarche qui va directement à l'encontre des aspirations de ses militants les plus actifs.

C'est sans doute pourquoi la discussion interne, au PQ, semble ces jours-ci porter davantage sur les symboles que sur les faits. Ainsi cette sempiternelle résolution sur l'autodétermination qui une fois de plus flotte dans l'air. Le droit à l'autodétermination? Dans les faits nous l'avons, c'est d'ailleurs ce droit-là que les Québécois ont librement exercé le 20 mai dernier. La population attend autre chose de son parlement que la poursuite de ces débats stériles.

M. Lévesque a autre chose à faire que perdre son temps à parler d'autodétermination, par exemple la réforme du code civil et d'autres réformes pour lesquelles peut-être il ne reste guère de temps.

Quant à l'option constitutionnelle, peut-être les péquistes seront-ils incapables d'en venir d'eux-mêmes à un consensus... Mais un jour ou l'autre, la crise éclatera entre ceux qui choisiront la voie des réformes dans le régime fédéral et ceux qui préféreront poursuivre un idéal auquel la réalité ne leur permet pas de rêver à court terme.

6 décembre 1980

L'ERREUR POLITIQUE
DES LIBÉRAUX

Le régime linguistique du Québec subit deux assauts simultanés — l'un de la part du fédéral, l'autre de la part des libéraux provinciaux —, et cela, à l'heure où la province a perdu littéralement tous ses moyens de défense.

Le référendum a eu ceci de désastreux, entre autres effets, qu'il a ôté au Québec un puissant outil de négociation avec le Canada anglais, celui-là même dont s'étaient tant servis les gouvernements non souverainistes de Lesage, Johnson, Bertrand et même Bourassa: l'ambiguïté a été levée hors de tout doute, et le Canada tout entier sait maintenant que les Québé-

loi 101

cois n'entendent pas se séparer, et qu'ils ont même rejeté la formule velléitaire que tentait de leur vendre en douceur le gouvernement Lévesque.

Dans ce contexte, le seul acquis qui reste aux Québécois francophones, le seul bout de terrain où ils peuvent encore s'affirmer sous l'angle national et échapper à l'humiliation, c'est l'espace vital que leur a donné la loi 101, et plus particulièrement ceci: l'assurance que tous les futurs immigrants, tous sans exception, iront à l'école française, ce qui est bien la voie la plus naturelle de l'intégration à la majorité francophone, et aussi, à l'époque où l'immigration doit compenser la baisse de la natalité, une condition sine qua non d'épanouissement culturel, voire de simple survie.

Il faut vivre à Montréal pour sentir à quel point est fragile encore l'équilibre entre les deux grandes communautés linguistiques qui, sous la loi 101, avaient enfin commencé à s'interpénétrer. Ce début de rapprochement était dû, d'une part, au fait que la loi 101 «sécurisait» les francophones, et , d'autre part, aux nouveaux leaders anglophones, plus jeunes et plus ouverts, qui étaient en train de remplacer les establishments incapables de s'adapter.

Mais cet équilibre naissant vacille depuis que le fédéral d'une part et le PLQ d'autre part promettent de jeter à terre de grands pans de la loi 101, redonnant par le fait même du poil de la bête aux vieux establishments et permettant la résurgence des comportements traditionnels que la loi 101, avec le temps, aurait pu graduellement éliminer. Exemple révélateur que cette remarque d'une commerçante anglophone à une cliente qui tentait d'être servie en français: «*This period is over, now.*»... D'un côté, l'arrogance qui ressurgit, et de l'autre, le retour des vieilles rancœurs, ou alors, chez les francophones qui n'aiment pas la bataille, l'à-plat-ventrisme. En ce sens, la loi 101 doit être maintenue non seulement par calcul démographique mais pour des raisons de dignité et de paix sociale.

En voulant amender la loi, et ce au moment même où le

projet de charte fédérale fait planer une menace sérieuse sur l'équilibre linguistique au Québec, le PLQ fait une erreur politique grave, même si plusieurs des amendements qu'il propose sont théoriquement acceptables. Ainsi, ce ne serait pas un drame, pour les francophones, que les citoyens anglophones reçoivent en traduction les documents officiels de l'administration publique, ou que les professionnels immigrants disposent de plus de temps pour apprendre le français, et personne ne s'indignerait de voir quelques affiches unilingues anglaises à North Hatley ou à Hampstead…! Mais la plupart de ces changements pourraient se faire au niveau de l'administration de la loi, plutôt que par la voie plus risquée politiquement et plus nocive psychologiquement d'une réouverture — pour la cinquième fois en dix ans! — du processus législatif.

Au chapitre de la langue d'enseignement, le PLQ estime qu'il est illogique qu'un immigrant qui n'a jamais parlé d'autre langue que l'anglais ne puisse envoyer son enfant à l'école anglaise. C'est en effet illogique. C'est l'une des incongruités qui découlent de toute politique visant à limiter l'accès à un type d'école. Mais la solution proposée par le PLQ est pire à tous les points de vue.

Si le parti adopte le projet qui lui sera soumis à son congrès de mars, tous les immigrants qui sont de langue anglaise pour être nés ou avoir séjourné dans des pays où la langue d'usage est l'anglais, pourront s'acculturer définitivement, par l'école, à la minorité anglaise.

Or, une bonne partie de nos futurs immigrants viendront toujours de pays du Commonwealth, des Antilles anglaises, des USA, ou de pays où la langue seconde est l'anglais (Scandinavie, Allemagne, etc.). Il est illusoire de penser que le Québec pourrait limiter aux pays francophones ou latins ses bassins d'immigration, d'autant plus que la langue ne peut être le seul critère de sélection. (D'autres facteurs comptent davantage, comme l'emploi, la formation, l'âge, etc.)

Sous l'angle de la justice sociale, le projet libéral doit également être combattu, car il crée deux catégories d'immigrants. Ceux qui ne sont pas de langue anglaise... et qui sont souvent comme par hasard les plus pauvres — qu'on pense aux Siciliens, aux *boat people*, aux Haïtiens — ne jouiront pas de cette liberté de choix.

Toujours sous l'angle social, le projet libéral a aussi ceci de nocif qu'il n'incite pas les immigrants qui devront pourtant plus tard s'adapter à un marché du travail francisé, à s'y préparer par la voie la plus normale, celle de l'école française. Le PLQ dit en effet vouloir maintenir le régime de la loi 101 dans le domaine du travail... Mais alors il faut que les jeunes de diverses souches aient des chances égales d'accéder aux emplois. Cette langue du travail, c'est à l'école française qu'ils l'acquerront le plus facilement.

Le critère de la langue maternelle, enfin, ouvre la porte à des enquêtes odieuses (sur l'origine ethnique) ou alors au laxisme le plus complet. Le projet libéral reprend le mécanisme de la loi 101, estimant pouvoir vérifier, dans la plupart des cas, la langue maternelle à partir du dossier scolaire des parents. L'idée n'est pas mauvaise en soi mais elle annonce de joyeux empêtrements bureaucratiques lorsqu'il s'agira d'examiner des attestations d'études qu'il aura fallu faire venir non plus seulement du Québec comme c'est le cas aujourd'hui mais de partout au monde!

La loi 101 pourrait dans certains cas être administrée avec plus de souplesse. Il n'en tiendra qu'au PLQ, si jamais il forme le prochain gouvernement, de confier l'administration de la loi et les commissions d'appel à des personnes tolérantes. Inutile de tout chambarder.

Sous la loi 101, la minorité anglo-québécoise a droit à ses écoles, à ses services sociaux, à ses institutions culturelles. Ce que veulent les vieux establishments qui renaissent à la faveur des promesses du PLQ, c'est accroître leur communauté à même le bassin des immigrants. Objectif bien compréhensible mais qui va à l'encontre des intérêts des francophones. Pour les libéraux, c'est aussi une question d'intérêt électoral. Car si les comtés anglophones sont acquis d'avance au PLQ, on ne saurait en dire autant de tous les comtés francophones.

24 janvier 1981

LE BEAU GÂCHIS
DU FÉDÉRAL

En se mêlant de ce qui ne le regarde pas (l'éducation), le fédéral a fait un beau gâchis. Son projet de charte consacre l'intrusion du gouvernement central dans le domaine le plus vital de la juridiction provinciale, et va couler dans le béton d'une constitution inamovible des règles rigides, et ce dans un secteur mouvant et délicat où l'équilibre socio-linguistique est susceptible de changer avec les années et de requérir des modifications législatives.

L'opération a en plus été menée avec une incompétence et une maladresse à peine croyables, quand on pense aux ressources d'appoint dont dispose un gouvernement moderne et sophistiqué.

Lorsque le ministre Jean Chrétien, parrain du projet, effectua, il y a trois mois, sa première tournée d'«information» à Montréal, quelques journalistes constatèrent que le ministre ne semblait pas se rendre compte de l'ampleur des implications de son projet de charte sur la loi 101, qu'il n'était guère au courant du contenu de cette loi, non plus d'ailleurs que de ce qui concerne le domaine de l'enseignement.

Ainsi avouait-il alors — et il le répétait il y a deux semaines encore sur les ondes de CKVL — ne pas savoir, même approximativement, le nombre minimum d'élèves ordinairement requis pour former une école primaire, une école secondaire, etc. Il lançait au hasard le chiffre de 300 pour justifier l'ouverture d'un *high school*, ce qui est moins que le minimum habituellement requis pour une école primaire. Un ministre ne peut pas tout savoir, c'est évident, mais cette ignorance-là est grave quand on parraine un texte de loi dont l'un des articles-clés repose précisément sur cette notion de nombre minimum d'élèves! (Le projet de charte accorde aux minorités françaises le droit à l'instruction dans leur langue, là où elles sont «en nombre suffisant».)

Le premier ministre Trudeau affirmait en octobre que le but de la loi 101 était d'obliger les francophones à aller à l'école française(!), et le ministre Chrétien prétendait récemment, dans une interview à la radio, que le seul effet de ses amendements sur la loi 101 serait d'ouvrir l'école anglaise aux citoyens des autres provinces.

La vérité, c'est que le projet de charte fédérale aurait bien d'autres effets sur la loi 101, dont le principal serait d'abolir la disposition visant à intégrer à l'école française tous les enfants d'immigrants établis au Québec après l'entrée en vigueur de la loi 101, en août 1977.

La façon dont ont été élaborés les amendements apportés ce mois-ci au projet de charte est également fort éloquente. Comme le fédéral n'a jamais administré de système scolaire sauf dans les Territoires du Grand Nord, sa fonction publique est évidemment dénuée d'expertise en la matière.

Des gens de bonne volonté très certainement, comme le député Jean-Claude Malépart et le sénateur Pietro Rizzuto, ont tenté de concilier le projet de charte et la loi 101, et ils ont cru bien faire en suggérant deux articles qui reprennent (plus ou moins fidèlement) deux des dispositions de la loi 101: l'un portant sur le dossier scolaire des parents, l'autre sur les droits transmis par les aînés aux cadets.

Mais le résultat de l'opération, c'est que ces amendements apportés à la charte fédérale, empruntés à la loi 101 mais transposés hors contexte, ont concrètement pour effet d'empirer la situation (vue sous l'angle francophone) et d'élargir encore davantage l'accès à l'école anglaise au Québec, sans par ailleurs consentir le moindre avantage additionnel aux minorités françaises, à qui ce second critère ne servira pas.

Au fédéral, personne ne s'est apparemment rendu compte que la disposition touchant au dossier scolaire des parents, dans un contexte comme celui de la charte, où le premier critère d'accès à l'école minoritaire est la langue maternelle, devait être vue non pas comme second critère d'égale importance mais comme simple mécanisme subordonné au principe et ne devant servir qu'à vérifier qui est ou non de langue maternelle.

En fait, il aurait fallu, comme le souhaitait à l'origine M. Malépart, prévoir deux critères distincts adaptés à deux types de minorités qui n'ont rien en commun (les francophones hors Québec d'une part et les Anglo-Québécois d'autre part).

Les premiers, en effet, peuvent (théoriquement) profiter seulement du critère de la langue maternelle, puisqu'ils ne peuvent faire valoir d'études antérieures en français, ayant toujours été dépourvus de réseaux scolaires dans leur langue… Avantage qu'ont toujours eu par contre les Anglo-Québécois, pour qui un mode d'accès à l'école anglaise fondé sur le dossier scolaire n'est pas préjudiciable, et aurait pu (théoriquement toujours) se concilier avec la loi 101.

Mais c'était sans compter l'esprit qui sous-tend tout le projet fédéral, lequel repose sur une construction abstraite sans rapport avec le fait que les minorités françaises et les Anglo-Québécois sont dans des situations diamétralement opposées.

(Cette constitution, en outre, ne devait même pas laisser supposer qu'il pût y avoir des différences d'une province à l'autre, tout étant axé sur les droits d'individus évoluant avec aisance du Pacifique à l'Atlantique, égaux et semblables entre eux.)

Résultat: un beau gâchis, qui n'apporte rien aux minorités françaises, qui accroît les avantages dont jouit la minorité la plus privilégiée au Canada, et entrave le développement culturel de la seule province où les francophones peuvent vraiment s'affirmer politiquement.

Gâchis stupide en outre, car les amendements qu'on veut ainsi inclure dans la constitution sont de l'ordre de la réglementation et n'ont pas leur place dans une loi fondamentale qui devrait ne toucher qu'aux principes et non aux mécanismes. Ceux-ci, enchâssés dans une constitution, vont compliquer inextricablement l'administration ultérieure des systèmes scolaires.

Même à l'intérieur d'une province donnée, avec une majorité homogène, une minorité clairement circonscrite et toutes les données en main, il est difficile et périlleux de légiférer sur la langue. Le Québec en sait quelque chose, après que trois gouvernements successifs d'idéologies différentes s'y soient exercés depuis 1969 à partir du puissant réservoir d'expertise et d'informations que constituait le ministère de l'Éducation.

Légiférer sur la langue d'enseignement, en particulier, est une entreprise non seulement délicate et explosive mais aussi extrêmement complexe sur le plan technique. Le fédéral, démuni d'expérience en la matière, vient d'y plonger avec ses gros sabots et de s'y noyer en nous entraînant tous dans ce pitoyable enlisement.

27 janvier 1981

LA GRANDE
CRISE DE 1983

C'est après le référendum de 1983 que la Grande Crise — une vague de chômage sans précédent — s'abattit sur le Canada tout entier.

On se souvient de l'événement: le premier ministre Pierre Elliott Trudeau avait soumis au peuple un projet de constitution qui traînait depuis trois ans et demi sur les tablettes du parlement et dans les manchettes des journaux. «Accordez-vous, demandait-il, au gouvernement fédéral le mandat de négocier le rapatriement de la constitution et d'y inclure une charte des Droits?»

À cette question, 7.5 p. cent des électeurs avaient répondu «oui», et 14.2 p. cent avaient répondu «non» et, au grand désarroi des commentateurs, juristes et autres «constitutionomanes», une majorité de 78.3 p. cent avaient annulé leurs bulletins. Les uns avaient rayé la question d'un énergique trait rouge, les autres avaient inscrit en grosses lettres noires: «On s'en sacre», «*I couldn't care less*», «Allez vous faire cuire un œuf», «*Enough is enough*»... sans compter diverses autres inscriptions tout aussi impératives mais plus colorées, que la bienséance nous interdit de reproduire ici.

Stupéfait, Trudeau avait démissionné sur-le-champ et s'était réfugié sur une pente de ski autrichienne.

De Halifax à Vancouver, et plus particulièrement à Ottawa et à Québec, des milliers de gens se trouvèrent tout à coup jetés à la rue, privés de gagne-pain, et, pire encore, de leur raison d'être et de leur hobby favori. Le débat constitutionnel étant dorénavant interdit par le peuple excédé, qu'allaient devenir tous ces gens qui n'avaient vécu que pour, par et de la constitution? Et qui s'étaient si longtemps spécialisés dans le problème de la question nationale, des relations fédérales-provinciales, des relations inter-provinciales, des relations anglais-français, bref dans l'analyse, la gérance et la prolongation de ce problème exquis et subtil que constituait la crise canadienne?

*　　*

*

Il y eut, partout, de terribles scènes de désespoir.

À Vancouver, Keith Spicer et Laurier LaPierre faillirent se jeter en bas du Lion's Gate Bridge: «Que deviendrons-nous si

nous ne pouvons plus expliquer le Canada anglais aux francophones?», criaient-ils, ignorant qu'au même moment, sur le
campus de l'université Laval à Québec, les professeurs Dion et
Bergeron, en proie à une affliction analogue, se trouvaient
acculés au même choix déchirant: le suicide ou le recyclage.
Fort bien, sanglotaient-ils, mais le recyclage dans quoi? Qu'y
a-t-il de plus passionnant que de disserter sur les implications
du huitième alinéa, paragraphe «b», de l'article 123 de l'Acte de
l'Amérique du Nord?...

Pareille détresse se voyait dans la capitale fédérale, où le
professeur Beaudoin, cet autre éminent constitutionnaliste,
avait décidé de fonder une commune dans le JAL, avec le sénateur Arthur Tremblay et d'autres laissés-pour-compte de la
société post-constitutionnelle.

Les rangs politiques s'étaient trouvés tout aussi décimés.
Claude Ryan s'était retiré dans un monastère pour une période
indéfinie, et des badauds l'avaient aperçu un jour, se prome-
nant dans le potager des moines, absorbé — comme un curé par
son bréviaire — dans la lecture nostalgique d'un livre de couleur beige.

René Lévesque s'était exilé à Ogunquit, où il avait ouvert
un casino spécialisé dans les tournois de poker.

Solange Chaput-Rolland s'était jetée dans l'écriture, et
préparait une anthologie des extraits les plus croustillants du
rapport de la commission Pépin-Robarts.

Jean Chrétien avait ouvert un stand de hot-dogs où il
offrait en grand spécial 133 combinaisons différentes — *all-
dressed* ou non, avec ou sans chou, piment, ketchup, etc. — et,
toujours emporté par son élan biculturel, il avait fait faire une
belle grosse affiche bilingue: «Au Roi de la Patate», avec traduction littérale: «To The King Of The Potato».

Claude Morin se relevait plus mal encore de ce cruel verdict populaire. L'air égaré, il arpentait les rues de Sainte-Foy,
cherchant ici et là un litige où il pourrait jouer le rôle de négociateur. (De préférence, bien sûr, un litige qui traînerait en lon-

gueur: les conflits qui se règlent vite ne font pas vivre leur homme, et manquent d'intérêt tout autant que de panache.) Hélas, à Sainte-Foy rien ne se passait. Claude Morin disparut un jour à Mirabel. Aux dernières nouvelles, on l'a retracé à Bruxelles, en train d'offrir aux Flamands un plan stragégique détaillé en plusieurs étapes, susceptible de régler d'ici à 128 ans leurs ancestrales querelles linguistiques et constitutionnelles avec les Wallons. Pipe au bec, Claude Morin leur faisait valoir les avantages d'un référendum qui reposerait sur une question comme celle-ci: «Accepteriez-vous d'envisager la possibilité d'accorder éventuellement au gouvernement le mandat d'amorcer des négociations visant à une forme édulcorée de fédéralisme renouvelé, étant bien entendu qu'un second référendum aurait lieu advenant une entente de principe?».

Sur les journaux et les salles de nouvelles, une grande morosité s'abattit. «Mais de quoi qu'on va ben parler astheur?», pleurnichaient les journalistes de la presse parlée, qui en oubliaient leur beau langage. Dans les journaux on en fut réduit à remplir les colonnes libérées par l'absence de débat constitutionnel, avec des photos de bébés-phoques et de gogoboys. Les chroniqueurs politiques, tous spécialisés dans la question nationale et la constitution, se trouvèrent du jour au lendemain réduits au silence et donc au chômage. Ils décidèrent d'ouvrir une chaîne de dépanneurs, mais à la première réunion la chicane prit dès qu'on commença à élaborer les statuts et le projet de charte de la future coopérative.

*   *

*

Trois semaines après le référendum de 1983, le chômage avait déferlé sur des milliers de juristes, avocats, commentateurs, journalistes, politiciens, fonctionnaires, politicologues, sociologues, communicateurs, sondeurs, etc. Dans les universités, des départements entiers s'écroulèrent, 26 maisons de sondage, 32 firmes de consultants en communication et 86 bureaux d'avocats furent acculés à la faillite. Le Devoir fut obligé de se fusionner avec Écho-Vedettes, les sessions parlementaires furent réduites de 15 heures par semaine et la paix sociale fut mise en péril par les hauts cris d'un Front commun regroupant les 11 200 fonctionnaires québécois et les 13 500 fonctionnaires outaouais mis à pied par suite de l'abolition des conférences fédérales-provinciales et autres institutions connexes.

Comme tous ces nouveaux chômeurs avaient de hauts niveaux de revenus, la réaction en chaîne atteignit les commerces et les services: Air Canada et Bell Téléphone parlaient de fermeture, tout l'équilibre économique vacillait. Aucune nouvelle industrie, aucun nouvel apport de capitaux, ne pouvait combler le vacuum et remettre le bateau à flot.

C'est à ce moment critique de l'Histoire du Canada que la bombe à neutrons s'abattit sur Winnipeg, réglant ainsi définitivement et de manière expéditive la crise économique qu'avait engendrée la disparition de la crise constitutionnelle. Ainsi les citoyens canadiens avaient-ils été miraculeusement préservés de l'angoisse qui précède les déclarations de guerre et les explosion nucléaires: on les avait si bien entretenus de la constitution qu'ils étaient restés jusqu'à la fin dans l'ignorance bien heureuse de ce qui se passait dans le reste du monde.

28 février 1981

POUR LES JOURNALISTES,
UNE ÉLECTION, QUEL BONHEUR!

Il y a des signes qui ne trompent pas. On a su qu'il y aurait des élections quand le premier ministre Lévesque, vieux batailleur sentant l'odeur de la poudre, est redevenu de bonne humeur, quand l'index vengeur du chef de l'Opposition s'est mis à s'agiter plus frénétiquement, quand on a commencé à nous promettre des routes plutôt que des tempêtes de neige.

Et tout journaliste reconnaît qu'une campagne électorale a commencé à ceci qu'un bon matin, il se retrouve coincé — coincé plus «serré» que d'habitude — entre deux feux, entre deux camps adverses où les susceptibilités se sont haussées de plusieurs crans.

Un organisateur libéral dit que le journal favorise honteusement les péquistes. Un paragraphe concernant un candidat libéral a effectivement été coupé à la dernière minute à l'atelier, faute d'espace. Dix minutes après, c'est un péquiste qui téléphone. Le titre, en page deux, coiffant la réplique de Claude Ryan au budget Parizeau, est imprimé en caractères beaucoup trop gros, dit-il, ce qui prouve bien que les journalistes sont victimes de censure. «Ou d'autocensure», hasarde-t-il.

Signe entre tous que c'est bel et bien parti! Quand les libéraux croient que les journalistes de *La Presse* ont tous leur carte du PQ et que les péquistes croient que les mêmes journalistes reçoivent chaque matin leur petit briefing de M. Desmarais de Power Corp., qui leur transmet les directives du chef libéral, c'est que la campagne est commencée, et en grande!

*   *
*

En vérité, si vous voyiez comment ça se passe en réalité, cela vous inquiéterait encore bien davantage! ...Un début d'élection dans un journal quotidien, c'est le désordre et la pagaille, c'est tout le monde qui parle en même temps, c'est le mercure qui monte dans le thermomètre.

Les reporters qui partent pour un mois, embarqués dans le grand combat des chefs ou bien plongés au cœur des comtés de Montréal ou bien par monts et par vaux dans chacune des grandes régions du Québec, le rédacteur en chef en manches de chemise, le metteur en pages qui a trop de textes et pas assez d'espace, le téléphone qui grésille et les téléscripteurs qui s'emportent, les tonnes de communiqués de tous les partis et de tous les groupes qui s'amoncellent, l'heure de tombée comme une épée de Damoclès... Une campagne électorale dans une salle de rédaction, c'est le grand tintamarre, le chaos absolu, le plus beau désordre qui soit, au terme duquel chaque matin sort un miracle: le journal!

Comme si le journal, vieille machine bien rodée, presque centenaire, avait gardé ses habitudes: il fonctionne, il tourne, il roule. Il en a tant vu ce journal-là qu'une élection de plus ou de moins... Ainsi, peu importent nos cris et nos excitations de gens vivant dans l'instant présent, le journal garde la mémoire de toutes les élections d'avant, il se souvient de Wilfrid Laurier, d'Honoré Mercier, de Duplessis, de Jean Lesage, il en a vu d'autres et ne s'énerve pas, il se publie lui-même quoique nous fassions.

Ah! mais pour nous, qui sommes plus jeunes que le journal, une élection c'est la poussée d'adrénaline, c'est le suspense et la fébrilité, le désir d'aller voir, de sentir le vent, d'écrire vite et beaucoup, puisque ça va être très court — un mois seulement...

Entre deux articles ou deux interviews, les journalistes font exactement ce que font les Québécois en temps d'élection. On parle, on parle encore plus qu'à l'habitude, on parie, on suppute, on palabre, on se repose les mêmes questions (Et qui va gagner? Et où? Et l'Union nationale?), on dissèque les mêmes sondages, on s'anime, on hausse le ton, on gesticule... Une élection, quel bonheur! On adore ça! De la politique, on en mange à longueur d'année, et en temps d'élection l'appétit est décuplé!

Un vrai Québécois, paraît-il, c'est quelqu'un qui se passionne pour le hockey et pour la politique. Sous ce rapport je ne suis pas sans reproche. Sans doute suis-je l'unique personne au Québec à s'être un jour trouvée assise par hasard à côté de Guy

Lafleur sans s'en apercevoir. (Je me demandais qui pouvait bien être ce grand jeune homme d'allure sympathique que tout le monde saluait, que tout le monde avait l'air de connaître... Au bout d'un quart d'heure, quelqu'un a dit son nom au complet et j'ai mesuré alors l'effroyable profondeur de mon ignorance.)

Bon, d'accord, c'est épouvantable. J'entends d'ici, lecteur, vos cris scandalisés: «Elle ne reconnaît pas Guy Lafleur et elle écrit dans les journaux!»... Mais ce qui compense pour cette tare indéniable et me donne droit au titre de Vraie Québécoise, c'est que j'aime la politique, notre autre sport national, pour deux! (Et rassurez-vous, mes confrères sont presque tous aussi experts en matière de hockey que vous l'êtes vous-même, cher lecteur. Leur plus déchirant dilemme c'est d'avoir à choisir entre un bulletin de nouvelles et la fin d'une période au Forum.)

Tout ça c'était pour vous dire qu'en somme nous vous ressemblons, que les journaux vous reflètent et que l'on se pose les mêmes questions que vous, dans ces salles de rédaction où se répercutera pendant un mois le grand branle-bas du porte-à-porte, du coude-à-coude, du nez-à-nez et du coup-pour-coup.

11 mars 1981

LE DOGME
ET LA RÉALITÉ

Au Québec comme ailleurs, l'électorat n'a pas de cœur, il n'a que des intérêts. On vote pour améliorer son sort, jamais par gratitude. Aussi le Parti québécois ne peut-il se contenter de miser sur ses réalisations de «bon gouvernement», même si effectivement plusieurs d'entre elles sont populaires. Ce sont des choses que l'électeur considère comme acquises, songeant à ses problèmes quotidiens plutôt qu'aux anciens problèmes que telle loi ou telle mesure ont pu alléger.

Mais il n'est pas sûr que ce réflexe joue de la même façon à propos de la loi 101, thème sur lequel la publicité péquiste insiste fortement, même si les libéraux ont coupé l'herbe sous le pied de leurs adversaires en refusant, à l'encontre des vues de leur propre chef, d'envisager des modifications radicales à l'actuel régime linguistique.

Quand voit-on un parti d'opposition, à la veille d'une farouche lutte pour le pouvoir, aller jusqu'à faire l'éloge de la principale œuvre législative du gouvernement sortant? Il fallait que le PLQ soit convaincu de la popularité de la loi 101 dans l'électorat francophone pour aller jusqu'à écrire dans son programme officiel que cette loi «pourrait être grandement améliorée par des modifications simples qui, en fait, augmenteront son efficacité dans ce qu'elle a de juste et d'essentiel.»

Éloquente illustration de la nécessité de la loi 101: les libéraux ont senti qu'ils seraient menacés dans les comtés francophones s'ils la remettaient en question, et même leur chef, qui avait amorcé sa carrière politique en s'opposant violemment au gouvernement Lévesque sur ce sujet précisément (dans ses éditoriaux du *Devoir* au printemps 1977), a dû s'incliner devant la contestation qui se manifestait du haut en bas de son parti, venant à la fois des «back-benchers» comme Georges Lalande, de députés-vedettes comme Solange Chaput-Rolland ou de proches conseillers de M. Ryan lui-même — son organisateur Pierre Bibeau ou l'économiste Yvan Allaire, par exemple.

Car la loi 101 n'a pas que des visées culturelles, elle a des effets très concrets qui se font sentir dans la vie quotidienne de bien des francophones... libéraux comme péquistes: cette loi a ouvert aux francophones des emplois et des avenues de carrière dont ils étaient auparavant plus ou moins exclus. (C'est d'ailleurs sur cet aspect de la loi que le PQ insiste le plus dans sa publicité électorale.)

La démarche libérale, sur la question linguistique, montre

donc l'importance de ce pouvoir que les francophones ont toujours eu au Québec mais dont ils n'ont pas toujours mesuré la portée: c'est la majorité qui fait et défait les gouvernements. M. Ryan et certaines instances de son parti ont pu, un an avant les élections, être influencés ou séduits par le discours articulé des intellectuels anglophones du parti (car si le PQ regroupe la majorité des intellectuels francophones, c'est au PLQ qu'est concentrée l'intelligentsia anglophone)... mais une fois la campagne démarrée sur le plancher des vaches, c'est le flair et l'opinion des organisateurs et des militants de la base francophone qui l'emporte.

* *

*

Les mêmes événements ont aussi mis en relief le côté dogmatique du chef libéral, qui a longtemps défendu, sur la question linguistique, des positions dont tout le monde savait qu'elles risquaient de lui nuire dans l'électorat francophone et de l'aider exclusivement dans les comtés anglophones gagnés d'avance.

En attaquant systématiquement et en termes brutaux la loi 101, en s'en tenant obstinément au critère inapplicable de la langue maternelle, M. Ryan restait fidèle aux convictions qu'il exprimait dans *Le Devoir* il y a quatre ans, mais sa démarche était étonnamment anti-électorale et anti-politique. Qui en effet pouvait trouver utile de rouvrir le dossier brûlant de la langue, ce dossier piégé qui avait déjà accéléré la défaite de son prédécesseur? Quel intérêt pouvait donc avoir le PLQ de faire de la question linguistique l'un des enjeux de l'élection?

Mais M. Ryan en faisait une question de principe et s'y tenait rigidement. C'est ce trait de caractère qui en inquiète plusieurs ces temps-ci, même parmi ceux qui s'apprêtent à voter libéral. Ainsi dans certains milieux d'affaires, où l'on craint par-dessus tout le dogmatisme et la rigidité... et où plusieurs affirment que sur le strict plan de la personnalité, il est plus facile de traiter avec un homme comme René Lévesque parce qu'il est plus souple et plus pragmatique.

21 mars 1981

LE DÉFI DES
PÉQUISTES MONTRÉALAIS

Vous souvenez-vous du poster de René Lévesque aux élections de 1976? ...La tête levée, l'air confiant, un demi-sourire aux coins des lèvres, Lévesque était vêtu de gris pâle et photographié devant le parlement et sur fond de ciel pastel.

Cette année, le poster représentant le chef a tout autre allure. Lévesque, en complet foncé, photographié sur fond brun, a une mine d'enterrement. Le PQ veut ainsi, évidemment, transmettre une image de solide et sérieuse respectabilité. Mais il est frappant de constater à quel point ce parti, d'une élection à l'autre en passant par le référendum, accentue chaque fois davantage sa stratégie *low profile*, comme s'il voulait faire le moins de bruit possible, se faire élire en douceur, mine de rien...

Le fond de ce parti — ce qui forme sa base militante — est pourtant jeune et joyeux, et traversé par des courants de vitalité qui n'ont pas grand-chose à voir avec l'image terne et très gouvernementale qu'en donnent les concepteurs de sa publicité électorale.

Ainsi vendredi soir dernier dans le vieil auditorium du Plateau, en face du parc Lafontaine à Montréal, les péquistes montréalais s'étaient donné rendez-vous. Dans ce qui est l'un des rares comtés de l'île où le PQ est totalement assuré de la vic-

toire, le château fort de Saint-Jacques où Claude Charron solli-
cite un quatrième mandat, le Parti québécois a encore gardé ses
allures de l'ancien temps, de l'époque d'avant le pouvoir.

Cette foule montée du «bas de la ville» est jeune, grouillante, rieuse, fringante, un tout petit peu «bum» sur les bords...
Charron lui ressemble et l'incarne. Mais comment fouetter
l'ardeur de ces troupes-là, pour cette campagne électorale où le
PQ, parti de gouvernement, tient un discours presque conservateur d'où est exclue toute référence à la souveraineté? Pour
quelle raison cette fois les militants feront-ils du porte-à-porte?
Comment tirer, du fond de ce parti abîmé et anémié par quatre
années de pouvoir et la défaite référendaire, l'élan vital qui seul
peut faire mentir les calculs qui le donnent perdant?

Forcé donc de tenir à ses militants un discours indépendantiste sans par ailleurs y référer explicitement, puisque le PQ a
mis son option au rancart, Charron aura recours à la méta-
phore, parlant du printemps qui s'en vient et qui pourrait aboutir un jour à «l'été de notre souveraineté», au «plein soleil de
notre peuple», etc., etc.

L'envolée poétique boîte un peu, s'étire, traîne en longueur. Charron reste l'admirable orateur qu'il a toujours été
mais force est de constater que ce n'est pas là son meilleur discours. Ce qu'il y manque, c'est peut-être la conviction et la
clarté, seuls éléments qui nourrissent l'inspiration des vrais tribuns. Charron, qui en est un, n'est pas à son meilleur quand il
est forcé de jouer sur les mots, de marcher sur la corde raide et
de tenir un double discours.

On présente les candidats de l'île de Montréal. On ovationne encore plus chaleureusement les «minoritaires» — les six
femmes et les quatre hommes qui ne sont pas des Québécois
francophones de vieille souche. Cérémonie simple, gentille,
sans gadgets, sans mise en scène particulière. Seule fantaisie:
un trio de musiciens qui accueillent les gens à l'entrée comme
pour une fête foraine. René Lévesque arrive avec sa femme,
super-belle et super-mince, chignon gracieux, jeans en velours

côtelé noir. Lévesque revient ce soir-là prendre un bain de vigueur et d'énergie dans la mer vivante de son parti.

Que lui réserve le 13 avril?... Beaucoup de choses, dans les résultats, dépendront de ces militants.

L'un d'eux, qui travaille dans un comté du nord-est de l'île, nous confie qu'il est plus difficile cette année de recruter des militants pour faire le travail de base. «Ç'a été plus difficile au référendum qu'à l'élection de 76, et c'est pire cette fois-ci. Les gens sont encore prêts à donner de l'argent mais ils ont moins le goût de travailler. On a ramassé trois millions en deux, trois semaines, c'est extraordinaire... mais on en aurait ramassé encore davantage si on avait eu plus de militants pour aller chercher l'argent! Dans plusieurs comtés, ce sont les membres du personnel politique des députés et des ministres — secrétaires de comté, membres des cabinets, etc. — qui remplacent les militants qui ont lâché. Eux, ils ont une motivation supplémentaire, ils se battent pour garder leur «job».

La motivation. Voilà le problème. Si l'on en juge par ce qu'en disent certains militants et aussi par les réactions de la salle au discours de Lévesque, plusieurs seraient mus par «la haine de Ryan» davantage que par des motifs d'ordre positif.

Mais il y a d'autres sons de cloche. Ainsi, ce fonctionnaire politique qui revient de Québec, et qui a bon espoir de gagner l'étonnant pari qu'il se fait à lui-même: «Il se pourrait que cette fois les indécis votent de notre côté...»

Il dit que les gens, dans ces comtés de la région de Québec, ont appris à ne plus avoir peur du PQ, qui est au pouvoir après tout, et le ciel ne leur est pas tombé sur la tête. Les péquistes ne déclenchent plus d'agressivité, ils ne sentent plus le besoin de se défendre, tout le monde est plus *relax*.

«Tenez, dit-il, juste un exemple: dans le rang Sainte-Angélique, passé la municipalité de Saint-Basile, dans le comté de Portneuf, il y a maintenant deux péquistes en moyenne par foyer. Notre candidat, c'est le maire de Saint-Raymond...» Oui, fort bien, le PQ fait des gains réels que confirment plusieurs sondages dans l'est du Québec. Mais à Montréal? Que se passera-t-il à Montréal?

23 mars 1981

LE MEILLEUR ENNEMI DE RYAN

Dans son discours-fleuve qui annonçait lundi aux Communes la fin prochaine du débat sur la constitution, le premier ministre Trudeau s'est permis une remarque assez sarcastique à l'endroit de M. Claude Ryan.

Après avoir dit que l'accession prochaine de M. Ryan au poste de premier ministre du Québec était non seulement un espoir mais «une certitude», M. Trudeau allait bizarrement enchaîner ainsi: «Le 3 décembre, M. Ryan s'est déclaré partisan de l'incorporation d'une charte des droits à la constitution. Il fallait peut-être s'y attendre, puisqu'à la page 101 de son encyclique *Pacem in Terris*, le pape Jean XXIII disait ce qui suit: Dans l'organisation des États, le premier élément juridique nécessaire à notre époque est une charte des droits de la personne humaine...»

Cette allusion ironique à celui qu'on appelait naguère «le pape du Devoir» est d'autant plus déplacée que M. Trudeau se trouvait alors en position très officielle. La remarque n'était pas aussi blessante que celle qu'il avait déjà lancée à la veille des élections de 1976 à cet autre chef du Parti libéral du Québec qui s'appelait Robert Bourassa («Ti-Pit, lui, avec ses hot-dogs»), mais on ne peut manquer d'y voir un mélange de désinvolture, d'agacement et de léger sarcasme à l'endroit de M. Ryan.

L'incident lève un coin du voile sur un aspect de la campagne électorale qu'on a tendance à oublier tant paraît grande la polarisation entre Lévesque d'un côté et Ryan de l'autre: en dehors des périodes où l'union sacrée est de rigueur — comme lors du référendum —, libéraux féréraux et provinciaux sont loin de s'aimer d'amour tendre. Même si, dans plusieurs comtés, les militants de la base sont souvent les mêmes, dès qu'on monte le long de la structure des partis, le fossé s'agrandit.

Ainsi, plusieurs députés libéraux à Ottawa ne se cachent plus pour critiquer ou ridiculiser Claude Ryan, qu'ils voient comme un intellectuel sans racines en milieu libéral, à qui ils ne pourront pas se fier. Il se peut que cette agressivité tente de masquer le fait qu'il pourrait être plus difficile, pour Trudeau, de faire face à un fédéraliste comme Ryan qu'à un «séparatiste» comme Lévesque qu'on peut toujours accuser, même à tort, de vouloir «détruire le Canada» et de négocier de mauvaise foi.

L'une des grandes différences entre les libéraux fédéraux et leurs homologues provinciaux vient du fait que les seconds sont nécessairement plus axés sur le Québec, alors que les premiers, n'ayant jamais eu à combattre des adversaires plus nationalistes qu'eux, n'ayant jamais eu, en fait, à faire de vraie campagne électorale tant ils sont assurés chaque fois de la victoire, sont moins sensibles aux subtilités de la politique québécoise. C'est d'ailleurs l'un des motifs du complexe de supériorité des libéraux provinciaux à l'égard de leurs frères repus du fédéral, qui ont la victoire toute cuite dans le bec sans avoir à se battre. Et rien ne blesse davantage certains libéraux provinciaux que de se faire dire que l'intervention de Trudeau a été un facteur majeur dans la campagne référendaire. M. Ryan est quant à lui très susceptible sur cette question.

C'est un secret de polichinelle que Ryan et Trudeau ne s'aiment pas. Cette méfiance réciproque remonte à l'époque où Ryan, jeune chrétien conservateur et austère, d'origine modeste, plus à l'aise dans les milieux du coopératisme que dans les salons, militait au sein de l'Action catholique, alors que Trudeau, plus internationaliste déjà, promenait son charme, son panache et tous les avantages de sa naissance dans les cercles plus sophistiqués qui gravitaient autour d'une JEC influencée par les «personnalistes» français.

D'autres événements devaient les séparer par la suite: la crise d'octobre par exemple, alors que le directeur du *Devoir* s'était farouchement opposé aux mesures de guerre. Et nul n'ignore que Pierre Elliott Trudeau fut le seul, de tous les hommes politiques de l'époque, à refuser de passer par les bureaux du directeur du *Devoir,* qui aimait bien distribuer ses conseils aux politiciens qui lui rendaient visite ou lui téléphonaient régulièrement.

Plus le temps passe, plus le contentieux s'accroît. Les libéraux provinciaux n'ont pas avalé le fait que Trudeau se lance dans sa réforme constitutionnelle avant qu'ils aient une chance de reprendre le pouvoir à Québec. (Le député Reed Scowen a même parlé de «trahison».)

Depuis que son parti a adopté sur la question linguistique une position qui le rapproche de la loi 101, M. Ryan se trouve en position délicate. La première version du programme du PLQ, de même que le «livre beige», qui exprimaient la pensée personnelle de M. Ryan, pouvaient à peu près se concilier avec le projet de charte de Trudeau au chapitre des droits linguistiques, mais il n'en va plus de même aujourd'hui: si elle entrait en vigueur, la charte fédérale renverserait la politique linguistique que le PLQ se promet maintenant d'appliquer dans l'enseignement.

Jusqu'ici, M. Ryan s'est contenté de dénoncer le caractère unilatéral du projet Trudeau, davantage que son contenu. Qu'en dit-il maintenant?... Interrogé l'autre jour en conférence de presse, il a dit qu'il est «contre l'intrusion du fédéral dans le champ provincial de l'éducation», mais qu'il ne veut pas «discuter de clauses particulières», car cela pourrait laisser croire qu'il adhère au principe. «Mais, a-t-il ajouté, le monde ne cessera pas de tourner si le projet Trudeau passe, il y aura ensuite moyen de l'amender, ce ne sera pas irréversible.»

Cette réserve exprime-t-elle chez lui le désir d'en revenir

un jour au contenu linguistique du «livre beige»? Ou plutôt un malaise vis-à-vis des divisions qui existent par rapport au fédéral au sein même de son parti? Car en politique, rien n'est simple: il y a des libéraux provinciaux influents qui sont sur la même longueur d'ondes que M. Trudeau, comme on l'a vu au moment du débat parlementaire à Québec, alors que M. Ryan et ses députés les plus «nationalistes», qui étaient prêts à faire alliance avec le gouvernement Lévesque, se sont fait renverser par l'autre tendance. Et dans cette campagne-ci, le PLQ a intérêt à préserver cette encombrante alliance avec les fédéraux, pour faire ressortir la dimension souverainiste du PQ.

25 mars 1981

L'ARBITRE SUPRÊME
D'UNE CAMPAGNE TERNE

À Montréal, ce ne sont pas les bourgeons ni les petits oiseaux qui annoncent le printemps. On a bien les pigeons — des pigeons gras, repus, apprivoisés — mais ils sont là l'hiver aussi.

Il y a d'autres signes. L'ineffable douceur de l'air, les cafés-terrasses qui rouvrent, le vent qui devient souffle, la bise qui devient brise, les gens qui se promènent, manteau ouvert, tête levée, plus lents dirait-on, plus langoureux. Enfin le printemps, enfin la détente... Hier, rue Saint-Laurent, dans le bas de la ville déserté comme tous les dimanches, des déchets de papier, de carton, de journaux, échappés de quelques sacs à vidanges, voletaient en tout sens comme de gros papillons gris. À Montréal, le printemps est sale mais nous l'aimons: ce n'est pas tant la saison en soi que la fin de l'hiver.

Les gens ont l'air d'avoir la tête au printemps plus qu'à la politique.

À la maison Beaujeu, rue Notre-Dame, où quelques journalistes et autres communicateurs s'accrochent parfois les pieds, les seuls qui parlent de la campagne électorale sont... ceux qui la «couvrent». Mais un habitué nous dit qu'en 1976, le bar au complet vivait au rythme de la campagne électorale.

Au marché Lacombe, à Côte-des-Neiges, on parle du prix des tomates et de projets d'été. Mais il paraît qu'au printemps dernier, à l'époque du référendum, tout le magasin — vendeurs et clients mélangés — parlait de politique.

Cette fois, c'est le calme, le calme plat. Nous sommes très exactement à la mi-campagne — à deux semaines du scrutin — mais l'électorat semble fort peu agité... et, comme pour ne pas le brusquer, les partis politiques sont d'une discrétion inhabituelle.

Les automobilistes n'arborent plus comme auparavant leurs convictions politiques sur leur voiture. Durant ce dernier week-end, j'en ai vu un, exactement un seul: un collant bleu du PQ surmonté d'un petit fleurdelisé. Le long de la rue Saint-Denis, entre le Métropolitain et Sherbrooke — un secteur qui a toujours été l'un des hauts lieux de l'affichage politique à Montréal — j'ai compté moins de dix affiches.

Une touche de rouge, une touche de bleu par-ci par-là... et de temps à autre, l'œil patriarcal de René Lévesque ou de Claude Ryan qui nous contemple du haut de quelque grand poster, l'un parlant de force et l'autre de progrès.

Peut-être l'électorat, dans le fin fond de son vieil instinct qui le trompe rarement, a-t-il senti que malgré les clameurs apocalyptiques dont l'abreuvent les orateurs, il n'y a pas grand' chose en jeu, et que, quel que soit le résultat du 13 avril, le ciel ne nous tombera pas sur la tête. L'électorat sait que les gouvernements ne peuvent pas grand'chose dans l'actuelle conjoncture économique: un gouvernement peut tout au plus infléchir à gauche, infléchir à droite, accélérer un peu ou ralentir un tantinet, mais le char de l'État ira son petit bonhomme de chemin, sur la même route.

La preuve, c'est qu'en fin de compte, sur presque tous les sujets, les deux partis disent à peu près la même chose: les libéraux poursuivront les politiques péquistes, en les modifiant un peu mais pas tellement, et les péquistes poursuivront leurs propres politiques mais à un rythme plus lent.

Les orateurs libéraux disent que le gouvernement péquiste a mené le Québec au bord du gouffre, et les orateurs péquistes disent que les libéraux le ramèneraient à la grande noirceur. L'électeur moyen ne croit ni l'un ni l'autre et il a bien raison! Le Québec n'est pas au bord du gouffre et il n'y a pas de Pinochet — ni même de Reagan — à l'horizon. L'électeur québécois moyen tient très clairement à ce que son gouvernement soit autour du centre, les deux partis le savent et en tiennent compte.

31 mars 1981

QUI EFFRAIE
L'ÉLECTEUR?

O paradoxe... C'est le chef du parti le plus conservateur qui dérange, inquiète, effraie. Et c'est le chef du parti le plus novateur, qui traîne encore une réputation de radicalisme, qui inspire confiance et qui rassure!

Cela perce l'écran, transparaît sur chaque tribune électorale et se répercute dans chaque sondage. Si, comme on l'a déjà dit, l'enjeu profond de cette élection est la question de confiance envers un leader, René Lévesque est en train de faire gagner son parti, et Claude Ryan semble mener le sien à la défaite.

Quand on interroge les gens au sujet de M. Ryan, on a souvent le même type de réponse: l'homme serait trop rigide, trop radical dans ses options, et même ses bonnes intentions pourraient «amener du trouble»: ainsi ce commerçant qui s'oppose violemment au droit de grève dans les services publics, mais trouve les politiques de M. Ryan, à ce sujet, menaçantes. «Il va les (les syndicats) prendre de front, ça va être des batailles à n'en plus finir, ça va être encore pire.» En réalité, il se pourrait bien que les opinions de MM. Ryan et Lévesque, là-dessus comme sur bien d'autres choses, ne diffèrent pas tellement. Mais l'image est là: d'un coup de gouvernail sans appel, Ryan veut virer le bateau à droite et l'on craint la secousse.

Autre aspect qui déplaît: le côté moralisateur, amplifié évidemment par l'inévitable distorsion de la rumeur publique. «Un gars de l'ancien temps, dit ce chauffeur de taxi dans la bonne quarantaine, qui ne voulait même pas de candidats divorcés!...» Sans doute les Québécois aiment-ils l'ordre et les valeurs éprouvées, mais rares sont les familles qui ne comptent pas au moins un(e) divorcé(e), et qui ne tolèrent pas l'union libre chez leurs enfants ou chez leurs proches. M. Ryan à cet égard s'est lui-même bâti une image de censeur.

Même réflexe pour ce qui est d'Ottawa: dans une démarche typiquement abstraite et intellectuelle, M. Ryan dit aux Québécois d'être logiques avec leur vote du référendum. Mais c'est précisément ce que les Québécois, dans le fin fond de leur instinct, ne veulent pas. Ils n'ont jamais voulu mettre tous leurs œufs dans le même panier, ils ont toujours été réticents à voter «rouge à Québec et rouge à Ottawa», ils veulent rester dans le Canada mais que le Québec soit très fort et le plus autonome possible. (Exactement le thème sur lequel le PQ joue, avec une sensibilité bien accordée à la mentalité populaire.)

Devant M. Ryan qui leur dit, livre beige en mains: pensons à l'intérêt des autres provinces et du fédéral; refaisons le Canada comme ceci et comme cela; il est égoïste de ne penser qu'aux intérêts du Québec, etc., etc., bien des Québécois se sentent peut-être comme un groupe de syndiqués à qui leur chef viendrait dire à la veille d'une négociation: «Comprenons le point de vue du patron, pensons d'abord au bien de l'entreprise...» Le syndiqué ne veut pas faire de grève, il ne veut pas non plus que l'entreprise ferme. Il ne déteste pas son patron qui a des bons côtés... mais il veut que son chef syndical lui dise qu'il se vouera exclusivement à la défense de ses intérêts à lui. C'est ce que dit Lévesque.

(Dans son for intérieur, le syndiqué moyen, comme le Québécois moyen, sait bien qu'il y aura toujours moyen de négocier et de s'arranger pour ne pas casser la baraque. Ce sont des choses qu'on fait, mais qu'on ne clame pas sur les toits.)

*   *
*

Étrange comportement que celui de M. Ryan. Il lance au micro des remarques qu'un homme politique ne se permet normalement qu'en petit groupe privé — ainsi ces commentaires brutaux sur la démission de Lise Payette, l'incompétence de Louise Cuerrier, la «sous-information» de l'orgueilleuse région du Saguenay... Autant de gaffes qui n'ont fait que confirmer cette image de mesquinerie qu'il s'est lui-même bâtie depuis son entrée en politique.

Si M. Ryan perd ses élections, c'est cela précisément qui l'aura perdu: la mesquinerie qu'il projette devant des électeurs qui aiment au contraire les politiciens chaleureux, débonnaires et généreux, ou alors — comme pour Trudeau — ceux dont le panache exceptionnel les comble d'orgueil.

Les proches du chef libéral — et en particulier sa femme Madeleine et Mme Solange Chaput-Rolland — s'évertuent à répéter que M. Ryan est en réalité plus humain, plus détendu, moins autoritaire que son image... C'est vrai, mais comme l'écrivait Ian MacDonald dans *The Gazette*: «On ne peut demander au public de juger l'homme sous un angle qu'il ignore. En campagne électorale, tout ce qui compte, c'est ce qui paraît.»

Bizarre campagne, déréglée, cahoteuse, toute en volte-face, le chef libéral perdant ses auditeurs dans un discours trop nuancé ou alors inutilement violent, s'entêtant à défendre sa propre option linguistique même si son parti vient de la battre pour hausser ses chances en milieu francophone, disant qu'il est «pour le principe» mais «contre les modalités» de telle ou telle loi existante, perdant son temps au gré de ses impulsions à s'attarder chez des petits groupes de convaincus... Et faisant campagne à peu près seul sur la scène provinciale après avoir accaparé seul l'avant-scène chaque fois qu'il était question de l'économie, du budget, des finances ou de la constitution.

Si M. Ryan oublie de mettre ses candidats en valeur, ces derniers le lui rendent bien. Beaucoup de tracts libéraux, dans les comtés, portent sur le candidat exclusivement et certains — comme ceux de Reed Scowen, Daniel Johnson, Georges Lalande — ne contiennent même pas une allusion au chef, alors que les péquistes arborent partout la photo de Lévesque... lequel, malgré sa popularité déjà acquise, mène une campagne plus collégiale.

Autre manifestation d'une approche très intellectuelle de la politique: M. Ryan parle depuis quatre ans de ces fameuses «libertés civiles» qui seraient menacées. Mais de quoi parle-t-il? Pour qui parle-t-il? Qui, dans l'électorat, a l'impression que ses libertés individuelles sont menacées?

Voilà un thème qui ne peut intéresser que deux catégories — minoritaires — d'électeurs: les anglophones qui s'imaginent que la loi 101 a été le cataclysme du siècle, et les intellectuels très sophistiqués qui, tant chez les francophones que chez les anglophones, s'interrogent sur les rapports entre l'État, l'individu, le nationalisme... thèmes subtils et intéressants qu'on peut traiter dans des articles, des livres, mais pas sur des tribunes électorales parce que cela n'a rien à voir avec la vie quotidienne de la majorité de l'électorat.

4 avril 1981

RYAN, SEUL À
LA BARRE

C'est avec un entêtement presque incompréhensible que M. Ryan a systématiquement refusé l'aide empressée que lui avaient offerte les meilleurs spécialistes en communications du pays. Le chef libéral les a tous écartés, et a préféré déterminer lui-même la stratégie de communications de son parti, sans par ailleurs accorder la moindre importance à son image — laquelle constitue pourtant, comme le répètent tous les sondages depuis trois ans, le pire handicap de son parti, face à un premier ministre adoré par ses troupes, aimé du grand public et qui est lui-même un communicateur exceptionnel.

Au moins trois, parmi les conseillers en communications les plus prestigieux et les plus talentueux, ont vu leurs offres de services carrément rejetées par le leader libéral, ou se sont fait dire: «On vous convoquera...», et n'ont jamais reçu de nouvelles.

Toute la stratégie, concernant le déroulement de la campagne, s'est faite sous l'autorité unique et absolue de M. Ryan, qui s'est entouré de collaborateurs, intelligents certes, mais sans expertise dans le domaine des communications, et dont aucun ne se permet de le contredire.

(Il est tout aussi notoire que M. Lévesque s'est lui aussi entouré d'«inconditionnels» incapables de se mesurer avec lui. Mais en matière de communications, cet ancien animateur de la télévision qui compte maintenant 21 années d'expérience en politique active, n'avait guère besoin de conseillers.)

M. Ryan semble même avoir convaincu l'ensemble de ses collaborateurs que l'image était une affaire secondaire: «Des conseillers en communications, dit son attaché de presse Jacques Hudon, on n'en a pas besoin. M. Ryan n'est pas une boîte de savon.»

On a plutôt insisté sur le contact personnel. Ainsi les relations du parti avec les journalistes sont-elles plus harmonieuses que sous le régime Bourassa. Et M. Ryan gagne à entrer en contact direct avec les électeurs, qui découvrent alors chez lui un côté bonhomme et sympathique qu'ils ne soupçonnaient pas. Mais un chef politique en campagne électorale ne peut se contenter de serrer quelques milliers de mains. Il doit susciter une vague en sa faveur, exploiter ses atouts, atténuer ses handicaps. Car l'image d'un homme politique, ce n'est au fond que la réputation qu'il se bâtit sur une certaine période de temps — au moins deux ou trois ans, disent les professionnels de la communication.

Une sorte de franchise directe mais sans rapport avec la politique, combinée à ses vieilles habitudes d'éditorialiste préoccupé de l'«essentiel» et non du «superficiel» semble avoir ancré M. Ryan dans la conviction puritaine qu'il y a quelque chose d'immoral à améliorer son image pour plaire à l'électorat. (On ne parle pas ici de l'image physique, mais du style; des thèmes, des points forts à exploiter pour atténuer les aspects négatifs d'une personnalité. Autant d'habiletés que les pratiques modernes de communication ont développées considérablement... «Mais, dit l'un de ces professionnels, quand tu es un donneur de conseils, il te faut un receveur. Si tu as affaire à quelqu'un qui n'écoute personne, aussi bien tirer ta révérence.»)

Dans un effort maladroit pour adoucir son image, M. Ryan se laissait affubler, la semaine dernière, d'un chapeau de papier ridicule par un reporter de la télévision qui voulait fêter le 1er avril. La photo, diffusée partout, faisait dire à un vieil observateur de la politique québécoise: «Entre Bourassa qui traînait son coiffeur partout et Ryan qui se laisse photographier n'importe comment... n'y aurait-il pas place pour un juste milieu?»

...Juste milieu que M. Lévesque respecte, quant à lui, tout naturellement, laissant passer de la chaleur mais sans familiarité excessive, et apparaissant à mesure que la campagne avance, de plus en plus serein et sûr de lui, opposant à l'image du père autoritaire et censeur celle d'un père aimant et rassurant.

6 avril 1981

LA LOGIQUE
DU BALANCIER

Trudeau à Ottawa, Lévesque à Québec... D'un côté, la projection d'un vieux désir de conquête ou plutôt de reconquête: le Canadien français sillonnant fièrement le Canada, y faisant sa marque comme naguère Pierre de la Vérendrye, rachetant par son prestige une longue histoire d'échecs. Et de l'autre côté, l'homme de la vie quotidienne et de la réalité concrète, celui qui protège le foyer national, ce foyer qui est l'unique endroit du monde où cette éternelle minorité peut avoir le sentiment d'être majoritaire.

Le Québécois veut tout: le Canada pour le rêve et le pétrole, et le Québec pour port, abri, foyer, pour tremplin, pour patrie. Et que cette patrie soit forte.

Ils ont dit non à Lévesque quand il leur a demandé de le suivre sur une route qui s'écartait du Canada. Mais du même souffle, ils lui diront peut-être oui lundi. Ceux qui trouvent cette attitude illogique ne connaissent pas le Québec.

Équilibre idéal, protection «mur à mur», jeu parfait du balancier... Les vieux renards avaient donc raison de prédire dans leur barbe, à l'encontre de l'opinion publique, que le parti qui gagnerait le référendum perdrait ensuite les élections?

Ainsi s'expliquerait l'apparente contradiction de l'an dernier, alors que cette même majorité qui s'apprêtait à voter «non» déclarait envers le gouvernement un taux de satisfaction sans précédent.

*   *
*

L'autre soir au Centre Claude-Robillard à Montréal, Lévesque seul sur scène parlait à ses troupes. Contrairement aux derniers jours de la campagne référendaire, alors que la certitude de perdre l'avait rendu agressif et hargneux, Lévesque cette fois était la sérénité même, et ce visage marqué que les cheveux gris rendent, dirait-on, plus émouvant et plus humain, en disait plus long sur le Québec que son discours lui-même. N'a-t-on pas souvent dit que la raison de la popularité de Lévesque tenait au fait qu'il est l'incarnation du Québécois moyen, qui n'est ni beau ni grand, qui est à la fois gueulard et tendre, entreprenant et timide, agressif et généreux?

Cet homme déchiré et complexe, qui même à l'époque où il prêchait la souveraineté, restait ambivalent, et comme habité par les craintes répandues dans le peuple, cet homme-là sera semble-t-il reporté au pouvoir, parce qu'il inspire confiance.

Ainsi a-t-il tenu pour l'essentiel toutes ses promesses de 1976, ainsi s'est-il démocratiquement incliné devant les résultats du référendum, ainsi a-t-il, à des moments-clés de notre récent passé, toujours pris le parti de la tolérance et de l'humanisme.

Lévesque a toujours laissé une bonne marge de manœuvre à ses ministres, mais quand l'un d'eux voulut légiférer sur la presse écrite au risque d'en compromettre l'indépendance, Lévesque s'interposa tout net, sans appel.

Il a laissé Parizeau négocier avec les gros syndicats du secteur public, mais quand les hôpitaux et les centres d'accueil se trouvèrent paralysés par une grève générale, Lévesque, scandalisé, jeta tout son prestige et toute sa force de conviction dans la balance, et alla à la télévision demander aux grévistes de rentrer. Le lendemain matin, il y eut partout de larges mouvements de retour au travail. (Ce n'est d'ailleurs un secret pour personne que les leaders syndicaux les plus radicaux ne souhai-

111

tent pas la victoire du Parti québécois: Lévesque est un adversaire malcommode, trop populaire parmi leurs troupes, tandis qu'avec Ryan, croit-on, il sera plus facile de faire descendre les syndiqués dans la rue.)

Quand des militants, dans son propre parti, voulurent relancer la lutte contre le rapatriement de la constitution à partir d'une plate-forme indépendantiste, Lévesque encore une fois s'interposa: le scrutin du 20 mai avait été clair, il serait respecté.

*   *
*

L'enjeu de cette campagne aura sans doute été le degré de confiance qu'inspire chacun des deux leaders en lice.

Les programmes des deux partis en effet ne sont pas tellement différents, à ce détail près que les libéraux expriment un préjugé plus favorable envers l'initiative privée. Même les promesses que les deux partis ont cyniquement déversées sur nous en début de campagne se confondaient tant elles étaient de semblable inspiration!

Dans l'ensemble, les équipes en présence sont de qualité relativement comparable. Une Thérèse Lavoie-Roux, un René Dussault, une Lise Bacon, un Claude Forget, un Reed Scowen, une Solange Chaput-Rolland, un Julien Giasson, un Daniel Johnson ou un Richard D. French, par exemple, remplaceraient avantageusement bien des ministres sortants.

Même les clientèles des deux partis ont commencé à se ressembler: le PQ gagne du terrain dans les régions les plus conservatrices et même, disent certains, dans les institutions religieuses, où le vote libéral commencerait à s'effriter. Une fois l'option souverainiste écartée au profit d'une approche autonomiste qui s'inscrit dans la principale tradition politique du Québec, le PQ semble capable de pénétrer l'électorat non francophone. Par ailleurs, le renouveau amorcé par Claude Ryan au sein du Parti libéral y a amené des intellectuels et des jeunes qui le boudaient naguère, et ses nouveaux organisateurs ressemblent comme des frères à leurs homologues péquistes.

Quant aux positions des deux partis concernant les femmes, elles sont semblables, c'est-à-dire pas trop mal sur papier et invariablement moches dans la réalité.

Que reste-t-il? Il reste l'attitude face à Ottawa. Le PQ comme une muraille, négociateur exclusivement voué aux intérêts du Québec, et le PLQ pris au piège de son alliance référendaire avec le French Power d'Ottawa. Vieille prudence québécoise: ne pas mettre tous ses œufs dans le même panier... ni dans des vases communicants.

Et il reste la question du leadership. En régime parlementaire britannique, les pouvoirs du premier ministre sont énormes. Ils sont beaucoup plus grands, de fait, que ceux qu'ont en politique intérieure les présidents américains.

Aussi faut-il se demander lequel, de Ryan ou de Lévesque, fera de cet énorme pouvoir l'usage le plus judicieux, lequel sera, une fois investi de la responsabilité suprême, le plus modéré, le plus tolérant et le plus humain. L'humilité devant le pouvoir est en effet l'une des qualités qu'un peuple démocratique doit exiger de ceux qui veulent le gouverner.

11 avril 1981

LE VASE CLOS
QUI S'OUVRE

L'événement marquant de ces élections, c'est peut-être la percée que vient d'effectuer le Parti québécois en milieu non francophone.

Bien sûr, le vote allophone — et surtout anglophone — est massivement allé aux libéraux. Mais en ce domaine, les glissements, même s'ils sont minimes en termes de chiffres, sont capitaux.

Contre toute attente, Gérald Godin a gardé, grâce au vote grec, son comté de Mercier. Deux anglophones, David Payne (Vachon) et Robert Dean (Prévost) porteront à l'Assemblée nationale les couleurs du PQ. Parmi les candidats péquistes, on comptait trois citoyens de souche non québécoise et six anglophones.

Lors de la grosse assemblée péquiste au Centre Claude-Robillard, à la mi-campagne, le clou de la soirée avait été la présentation des candidats non francophones de l'île de Montréal. La candidate Nadia Assimopoulos (Laurier) avait reçu la plus grosse ovation de la soirée lorsqu'elle avait prédit au micro la fin de la concentration du vote allophone au Parti libéral. Surpris et ravis, des milliers de militants péquistes entendaient tout à coup, ce soir-là, parler de leur parti dans d'autres langues que le français: en italien, en grec, en anglais…

*   *

*

«Les autres, c'est nous autres», s'était écrié Don Waye, un ingénieur de 34 ans, candidat dans Jacques-Cartier, en désignant de la main les autres candidats non francophones. Cela allait, écrivait notre collègue Marc Laurendeau, «littéralement secouer cette énorme foule de 10 000 personnes. Non seulement Don Waye arrivait-il ainsi à désamorcer le caractère quelque peu xénophobe de l'expression «les autres» que René Lévesque avait accolée au PLQ en début de campagne, mais le discours de Don Waye fut l'un des meilleurs moments de cette réunion de masse…»

Le soir des élections, au Centre Paul-Sauvé, Don Waye allait encore se voir ovationné tout particulièrement — comme le symbole de l'ouverture du parti sur l'électorat anglophone. Et pour la première fois dans une assemblée de pareille dimension, René Lévesque allait ensuite dire quelques mots en anglais... et la foule d'applaudir.

Il va de soi que c'est en partie à cause de la levée de l'«hypothèque souverainiste» que le PQ a pu commencer à s'implanter chez les minorités. Certains militants péquistes trouveront peut-être que le prix à payer est trop lourd, mais force est de constater également que c'est sans doute cette mise en veilleuse de l'option souverainiste qui a permis au PQ de se maintenir au pouvoir et de hausser son vote en milieu francophone.

*   *

*

Chose certaine en tout cas, cette ouverture du parti comporte de profonds aspects positifs, et notamment, comme le dit Gérald Godin, «la fin de cette xénophobie rampante qu'on a parfois pu sentir dans les congrès du PQ.»

«Je ne voulais plus, jamais plus, entendre des propos comme on en a déjà entendu au conseil national, dit Godin. On a travaillé comme des chiens pour ouvrir le parti. Il fallait prouver qu'on a tout en commun avec les travailleurs d'autres langues, et qu'on peut gagner leur estime si l'on y met l'énergie, l'affection, la compréhension et le temps requis, et si l'on s'efforce au besoin d'apprendre une autre langue.»

Et presqu'au même moment, dans une émission de ligne ouverte, à CJAD, une auditrice anglophone qui avait manifestement voté libéral disait, la voix sereine: «Hé bien, cette fois les péquistes ont eu des votes ailleurs que chez les francophones... Ils seront sans doute plus sensibles à nos préoccupations.»

Cette dépolarisation du vote non francophone, qui annonce la fin du monopole absolu que le Parti libéral a toujours exercé sur les minorités culturelles, devrait entraîner d'inestimables bienfaits sociaux: il était extrêmement malsain, voire socialement dangereux, que le vote non francophone soit concentré dans un seul parti. Chaque confrontation électorale avait l'allure d'une «guerre ethnique». Les minorités se trouvaient privées de la possibilité de choix, forcées de mettre tous leurs œufs dans le même panier. Et pour les nationalistes francophones, il était grand temps de commencer à adhérer à des valeurs pluralistes et d'ouvrir les rangs pour y intégrer les Québécois d'autres souches. Le vase clos dans lequel vécurent trop longtemps les Franco-Québécois de vieille souche était chaud et «sécurisant», mais il commençait à devenir irrespirable.

15 avril 1981

LE QUÉBEC N'EST PAS UNE PROVINCE COMME LES AUTRES

Ainsi donc, Québec appuiera l'Alberta dans la bataille du pétrole. Question de principe, fait-on valoir dans l'entourage du ministre Claude Morin…

D'une part, le Québec tient au principe de la propriété provinciale des ressources naturelles. D'autre part, le gouvernement québécois pense que le prix du pétrole doit s'ajuster aux prix mondiaux.

Ce dernier argument échappera à l'entendement du citoyen, qui préfère payer moins cher son essence et son huile à chauffage, qui sait fort bien qu'en cas de hausse il n'aura aucun bénéfice fiscal en échange et que cela ne constituera en somme que des profits accrus pour des compagnies dont les gains sont déjà scandaleux.

Mais parlons plutôt du premier principe en jeu, celui qui a trait aux pouvoirs des provinces. Une idée reçue veut que tout nationaliste québécois doive être en faveur de la décentralisation à travers le Canada, et qu'il est bon en soi que les provinces, toutes les provinces indistinctement, rapatrient le plus de pouvoirs possibles du fédéral.

Cette idée a été largement propagée par les rapports Pépin-Robarts et le livre beige du Parti libéral provincial, mais il faut bien voir qu'il s'agit ici d'une philosophie provincialiste, ou régionaliste, plutôt que nationaliste.

Le provincialisme, c'est quand on prétend qu'il y a «plusieurs Canada(s)», presque autant que de provinces, et que ces dernières devraient se dégager de la «tutelle» centralisatrice du fédéral.

Mais la théorie du «Canada des régions» a pour effet de placer le Québec sur le même plan que n'importe quelle autre province.

Cette philosophie n'a rien à voir avec le nationalisme, qui repose au contraire sur la conviction que le Québec est une province «spéciale», qui requiert des pouvoirs particuliers essentiellement parce qu'elle est le seul véritable foyer d'une nation — la nation «canadienne-française», refoulée en territoire québécois par suite d'une assimilation à peu près consommée partout ailleurs qu'au Québec et au pourtour de ses «frontières».

Depuis 20 ans, le nationalisme québécois a toujours visé au moins un statut particulier pour le Québec, et des pouvoirs spéciaux non seulement en matière culturelle mais aussi dans le domaine économique, de façon à ce que la collectivité francophone ait les outils nécessaires à son développement.

Comme pour jouer à fond le jeu du fédéralisme — mais d'un fédéralisme décentralisateur et provincialiste — le gouvernement péquiste semble en train d'adopter la philosophie des libéraux provinciaux, et laisse s'accréditer la thèse que toutes les provinces devraient revendiquer des transferts de juridiction et la pleine autonomie dans les ressources naturelles.

Or, cette attitude a le triple désavantage d'être non conforme à la réalité canadienne, de faire le jeu des intérêts financiers et politiques reliés au pétrole et de nuire à ceux des consommateurs québécois.

La réalité: quiconque a un peu voyagé au Canada sait que les différences entre telle ou telle province anglaise sont infiniment moindres que celles qui existent entre n'importe laquelle d'entre elles et le Québec. À Vancouver par exemple, une bonne partie de la population vient des Prairies, ou de Toronto, voire de Halifax, mais personne n'a ressenti ce déplacement comme un exil. Oh, bien sûr, il y a des différences de climat, de mentalité, de rythme de vie, l'Est a plus de traditions historiques que l'Ouest, etc., mais dans l'ensemble un Canadien anglais peut passer sans rupture profonde d'une province à l'autre. Inutile de décrire ici à quel point cette mobilité est impossible — ou du moins difficile — aux Québécois francophones.

En confondant des différences simplement régionales avec celles qui existent entre deux nations, on fait le jeu de ce qu'il y a de plus réactionnaire au Canada. Au Québec, où il n'existe en somme qu'un seul parti fédéral (le parti libéral), on ignore que plus on va vers l'Ouest, plus l'écart est grand entre libéraux et conservateurs. Ces derniers sont comme leur nom l'indique: partisans de la peine de mort, du *big business*, de l'entreprise privée sans entrave étatique, et comme par hasard ils sont également très régionalistes... surtout depuis que les régions où ils sont électoralement forts (l'Alberta particulièrement) sont riches en gaz et en pétrole et susceptibles de bénéficier d'un transfert de juridiction!

Les libéraux par contre sont plus proches du NPD, et plus centralisateurs parce que davantage partisans, quoiqu'à des degrés différents, de la planification économique et de l'intervention étatique.

Ainsi, lorsque Joe Clark demande à Trudeau d'être plus «souple» avec Lougheed, ce n'est pas au nom d'une touchante solidarité avec le Québec. C'est parce que sa base est en Alberta, auprès des compagnies pétrolières qui ont tout intérêt à faire affaire avec un gouvernement provincial qui leur est plus favorable.

Hélas, l'optique exclusivement constitutionnelle de nos experts (les Chaput-Rolland, Bergeron, Dion et autres) accrédite un peu partout l'idée que Joe Clark (que M. Ryan aussi trouve bien sympathique) est plus «progressiste» que M. Trudeau parce qu'il céderait davantage aux revendications provinciales... Oui, certes, il céderait au Québec mais aux autres aussi, aux autres surtout.

Or, et c'est le troisième point, le gros avantage de ce régime fédéral choisi par une majorité d'électeurs le 20 mai, c'est d'avoir accès plus facilement et à prix inférieur si possible aux ressources d'un plus grand territoire. Or, le fait est qu'actuellement, les ressources les plus rares et les plus précieuses se trouvent ailleurs qu'au Québec — dans l'Ouest, le Grand Nord et au large des Maritimes.

La conjoncture économique, qui joue contre le centre-est du Canada, devrait nous porter à appuyer plutôt, en cette matière, le gouvernement fédéral dont tout le monde (sauf apparemment nos élites) sait bien qu'il représente surtout les intérêts de l'Ontario et du Québec, où se trouvent sa base électorale et ses appuis financiers.

Pour jouer gagnant au jeu du fédéralisme, il faut être louvoyant et pragmatique. Se dire par exemple que le Québec a tout intérêt à ce que l'Alberta ou Terre-Neuve partagent leurs ressources sous l'autorité du fédéral... d'autant plus qu'on sait bien par ailleurs qu'il serait politiquement impossible au fédéral d'accaparer, dans le domaine des ressources, des juridictions qui appartiennent de facto au Québec.

Pourquoi? Tout simplement parce que le Québec a une force de pression et de chantage dont aucune autre province ne dispose: la conscience nette d'être culturellement différente; la cohésion interne que provoquerait ici tout coup de force fédéral; la «menace séparatiste» jamais conjurée (qui n'a aucun équivalent au Canada anglais), et le principe du «foyer national» qu'on pourrait brandir comme un bouclier. C'est une question de rapports de forces.

Le fédéralisme comporte certains avantages économiques: la péréquation (surtout quand l'économie de l'Est périclite) et l'accès privilégié à des ressources énergétiques dont la pénurie hante le monde entier. (La souveraineté comporte ses propres avantages. Ils sont d'un autre ordre. Mais c'est à mettre entre parenthèses puisque la majorité s'y refuse.) Que gagnerions-nous par contre au jeu du «provincialisme»?

Tant qu'à rester en régime fédéral, pourquoi réclamer une décentralisation dirigée indistinctement vers toutes les provinces, laquelle, pratiquement, jouerait contre notre intérêt économique? Pourquoi ne pas revenir à la thèse si normale et si défendable du statut particulier, au lieu de faire comme si nous étions une province comme les autres?

2 août 1981

LA PARTIE
DE POKER

*Où l'on voit l'ombre de Robert Bourassa poindre à
l'horizon, et René Lévesque se faire rouler à Ottawa,
ce qui mènera au psychodrame du «renérendum», après
quoi la Reine en personne viendra remettre à Pierre
Trudeau la constitution enfin rapatriée.*

LE RETOUR
DE BOURASSA

17 novembre 1976: Robert Bourassa remet à René Léves-que les clés de la province. Le premier ministre sortant, terrassé par la débandade libérale et sa défaite personnelle dans Mercier, a les yeux rouges et les traits tirés. Il refuse de faire part à la presse de ses projets personnels. «C'est la journée de monsieur Lévesque», se contente-t-il de dire. On apprendra peu après que Bourassa abandonne la direction de son parti et qu'il s'en va étudier à Bruxelles l'économie et le fonctionnement du Marché commun européen. Nombreux alors sont ceux qui croient à jamais terminée la carrière politique de Robert Bourassa. Tous, sauf ceux qui le connaissent bien.

Cinq ans après être tombé au plus bas de sa popularité, après avoir été décrit partout — et, faut-il dire, injustement — comme un politicien corrompu, voici que Bourassa émerge de nouveau comme un possible aspirant au leadership du Parti libéral. C'est déjà, depuis son retour d'Europe qui a coïncidé avec la période préréférendaire, l'un des conférenciers les plus populaires au Québec. Dans les dîners-causeries, les panels télévisés ou les colloques, on se l'arrache!

Comment expliquer cette invraisemblable résurrection?

D'abord par le fait que la politique est l'unique, la grande passion de cet homme apparemment si flegmatique. «Bourassa ne pourra vivre sans faire de politique», prédisaient déjà ses amis, en 1976.

Même en exil à Bruxelles, il ne perdait jamais l'occasion de s'informer sur l'évolution politique du Québec, soit au téléphone, soit en causant longuement avec des observateurs de passage. Au moment de sa défaite, il n'avait que 42 ans. Jeune, très jeune encore... Il avait tout le temps devant lui.

Le reste allait être une affaire de tactique, de simple tactique... Un jeu d'enfants, pour un ancien premier ministre capable d'exploiter au maximum la naïveté des médias d'information et des partisans libéraux et de tirer profit des événements.

*   *

*

Tout au long de sa carrière, M. Bourassa avait reçu les insultes avec un flegme étrange, dénué de ressort et de dignité — ainsi, c'est sans colère apparente qu'il s'était laissé humilier par Trudeau qui l'avait appelé «Ti-Pit, avec ses hot-dogs»... Mais cette attitude allait finir par payer. Ainsi allait-il prouver son inconditionnelle loyauté au parti en acceptant sans broncher les rebuffades du nouveau chef libéral qui tenait à se dissocier de l'administration précédente, et en jouant un rôle discret mais constant au cours du référendum et de la dernière campagne électorale.

Au référendum en particulier, Bourassa allait être l'un des plaideurs les plus efficaces du camp du «non», car il se plaçait en terrain non partisan et se concentrait sur les questions énergétiques.

Il allait ensuite laisser s'orchestrer une sorte de campagne dont on ne sait pas exactement si elle fut planifiée ou non. Campagne efficace en tout cas, dont l'effet fut de maintenir son nom dans l'actualité et de le faire passer pour le grand homme en réserve de la République.

Le scénario, toujours pareil, fut facilité par la multiplicité des élections partielles. Un comté s'ouvrait, quelqu'un lançait l'hypothèse d'une candidature de Bourassa, idée que plusieurs militants locaux jugeaient excellente. Des journalistes téléphonaient à Bourassa pour connaître ses intentions. Toujours habile, Bourassa ne démentait jamais la rumeur mais s'arrangeait pour ne jamais l'accréditer, laissant entendre qu'il était disponible mais sans prendre lui-même l'initiative et sans jamais paraître vouloir heurter la volonté de Claude Ryan... lequel, à chaque fois, héritait de la pénible obligation d'avoir à dire aux journalistes — qui furent nombreux à le harceler là-dessus — qu'il était «prématuré» ou «inopportun» de laisser M. Bourassa briguer les suffrages dans tel ou tel comté.

En réalité, M. Ryan avait parfaitement raison, et s'il y a une injustice dont il fut victime, c'est bien celle qui a consisté à lui reprocher d'avoir écarté son prédécesseur. Il n'y a pas un seul chef politique au monde capable d'accepter dans son entourage son prédécesseur immédiat, à moins qu'il ne s'agisse d'un très vieux sage n'ayant plus rien à faire valoir.

Si M. Bourassa avait été élu dans un comté, et à supposer que le PLQ ait remporté les élections, dans quelle situation se serait trouvé M. Ryan? Il ne pouvait confier un ministère secondaire à un ancien premier ministre, encore moins le laisser sur les banquettes, il ne pouvait pas non plus partager le pouvoir avec lui en lui confiant, par exemple, les Finances. Pour les mêmes raisons, M. Bourassa n'avait pas le moindre intérêt à faire un retour en politique active.

Il va de soi que M. Bourassa en était parfaitement conscient. La seule attitude normale et digne dans les circonstances aurait été de déclarer, dès la première fois et une fois pour toutes, qu'il n'avait aucun intérêt à briguer les suffrages, et à mettre fin aux rumeurs.

Mais ces rumeurs le servaient, en le présentant dans l'opinion publique — et au sein même du PLQ — comme le sauveur prestigieux dont on s'arrachait les services. Sa réputation, qu'on avait crue irrémédiablement tachée en 1976, s'en trouvait réhabilitée, d'autant plus qu'il s'acquérait en même temps une réputation de compétence dans le domaine énergétique, après s'être spécialisé en Europe dans les questions de «souveraineté-association» en étudiant le Marché commun.

M. Bourassa se concentra ensuite sur l'énergie. Récemment il publiait un livre dont le titre ressemble à un slogan politique: *Deux fois la Baie James*, capitalisant habilement sur ce qui fut le grand exploit de son administration.

Les pièces étaient bien en place. Bourassa n'avait plus qu'une chose à attendre ou à espérer: l'échec de Claude Ryan. C'est fait. Et comme par hasard, dans toutes les conversations, dans tous les articles de journaux, son nom revient quand on évoque des successeurs possibles à M. Ryan. Lui, bien sûr, ne dira ni oui ni non. Il attend. S'il se produit un mouvement en sa faveur d'ici à deux ou trois ans au sein du PLQ, il sera là, comme par hasard...

21 avril 1981

UNE PIÈCE
BIEN RÉPÉTÉE

Allez dites-moi, bien franchement, entre quatre-z-yeux: avez-vous lu le jugement de la Cour suprême? Avez-vous tout suivi à la radio, à la télé? Tout, au grand complet, sans tricher? Avez-vous réagi en bon public et avec la passion qui convient?... Ou seriez-vous parmi ceux qui en ont jusque-là de ce débat, et qui ne peuvent plus en entendre parler sans devoir réprimer de profonds bâillements?

Pour moi comme pour bien d'autres dont toute la vie d'adulte s'est déroulée à l'ombre du même débat constitutionnel — à quelques variantes près selon les saisons —, cette affaire a fini par ressembler à un cauchemar récurrent. Aux heures de pessimisme, je me dis qu'«ils», les politiciens, vont finir par nous avoir à l'usure. Nous serons tous six pieds sous terre qu'ils en seront encore, eux ou leurs successeurs, à se chicaner autour de l'Acte de l'Amérique du Nord britannique.

* *

*

Lundi dernier, après un sympathique week-end dans des montagnes rougeoyantes où il ne fut question ni de constitution ni de pouvoirs résiduaires ni de conflits de juridictions, ni même, ô honte, de l'Avenir de la Patrie, j'ai donc repris le collier, c'est-à-dire que je suis revenue dans le chemin que doit suivre tout journaliste québécois, le plat chemin de la politique constitutionnelle.

Lundi donc, finies les folies, c'était l'heure du Jugement dernier. J'ai pris mon café du matin en compagnie de ces messieurs du Canal 12, qui étaient les premiers au poste; regardé sans l'entendre (et pour cause!) l'Honorable Boring — pardon, Bora Laskin; profité d'une pause pour mettre une soupe à chauffer; suis revenue à toute vitesse devant l'écran pour y voir Jean Chrétien, plus fringant que jamais, enfourcher son vieux cheval de bataille; me suis poli les ongles en écoutant la voix égale de Joe Clark; ai lu les journaux du matin au son du ronron confortable et familier d'une petite table ronde bien radio-canadienne; ai mangé ma soupe en regardant les interviews de l'Homme et de la Femme de la rue, après quoi on s'est tous transportés chez René Lévesque dans la chic salle 122-B du parlement québécois, et comme l'heure avançait et que le frigo était vide, j'ai sauté sur cet excellent prétexte pour m'échapper.

J'ai consacré la fin de l'après-midi à de basses occupations domestiques, moins nobles évidemment et d'un niveau plus terre-à-terre que ces débats élevés, et constaté une fois de plus

que la moindre commande d'épicerie coûte les yeux de la tête…
Mais bien sûr cela n'a pas d'importance, le rapatriement de la
constitution c'est autrement plus sérieux, n'est-ce pas, que ces
minables problèmes de gros sous, que ces médiocres histoires de
taux d'hypothèques inabordables, que la perspective prosaïque
de devoir payer plus cher notre électricité et que l'ennuyeuse
réalité qui est en train d'accroître, à la faveur des coupures budgétaires dans le secteur public et du rétrécissement du marché
de l'emploi, le chômage des jeunes.

De retour à la maison, en train de faire des boulettes de
bœuf haché au son de l'émission Présent, où il y avait une autre
table ronde sur — *what else?* — la constitution, j'en étais à me
demander si je devais les assaisonner au cari ou au thym lorsque
j'entendis soudain — coup de tonnerre dans la quiétude de ma
cuisine — un appel aux armes venant du commando du campus
de l'Université Laval: «Nous n'aurons d'autre choix, procla-
mait le professeur Léon Dion, que la désobéissance civile!»
Rien de moins! Envahie par la culpabilité, j'ai vite laissé mes
occupations superficielles pour retourner devant la télé faire
mon devoir de citoyenne et m'enquérir de l'état du pays.

À sept heures pile, le beau Pierre Elliott Trudeau, une rose
coréenne à la veste, consentait avec sa superbe habituelle à nous
laisser savoir qu'il irait de l'avant indépendamment de ce que
nous, simples mortels, pouvons en penser. (Pour qui nous
prenons-nous, d'ailleurs? Oser contester l'opinion du maître
des lieux?)… Le reste de la soirée, je l'ai passé à Radio-Canada,
devant une autre table ronde sur le même sujet, mais à cette
heure j'étais dans un état de morne stupeur dont je n'ai émergé
qu'en entendant l'avocat du fédéral, Me Robert, dire qu'il
pourrait y avoir négociation sur la charte des droits au chapitre
linguistique. (Fol espoir: sauver la loi 101, sauver les meubles
autrement dit, puis en finir et passer à autre chose…) Et depuis
lundi, ça continue sur le même thème… Et ce n'est qu'un
début, ils continuent tous le combat.

On les avait perdus de vue depuis un bout de temps, mais

cette semaine ils sont revenus en force, on ne voit plus qu'eux: Trudeau et sa stupéfiante obstination, Chrétien *who rides again*, Lévesque et les droits historiques, Morin et la tactique, Ryan traînant son parti comme un boulet, Joe Clark et sa mine de bon élève, le sénateur Arthur Tremblay dans le rôle du professeur, le grand Tandem (Trudeau-Lévesque) et la Bande des Huit, chacun bien dans son rôle car la pièce a été si longtemps répétée... sans compter les autres, constitutionnalistes et professionnels de la querelle constitutionnelle, ragaillardis par la reprise du débat, qui ont recommencé à s'épivarder, avec une délectation perverse, dans les arcanes du droit constitutionnel. Une histoire à suivre... hélas!

1er octobre 1981

L'URGENCE DE NÉGOCIER

Louis P. a 33 ans. Marié, quatre enfants, une petite maison en banlieue, hypothéquée évidemment. Seule source de revenu: son salaire à lui — un peu plus de $300 net par semaine. C'est bien plus que la moyenne mais il en arrache: les hypothèques, le coût de la vie. Sympathisant péquiste, Louis P. était un partisan enthousiaste du «oui» au référendum. Mais cette fois il en a assez: «Assez d'entendre parler du rapatriement de la constitution. Je ne suis pas pour, mais c'est le dernier de mes soucis. Moi, ce que j'attends, c'est la politique familiale que le PQ nous avait promise.»

Il fait partie de cette majorité de Québécois qui, selon un récent sondage de Sorecom, placent le débat constitutionnel au dernier rang de leurs préoccupations, loin derrière le coût de la vie, le chômage et la crise de l'énergie. C'est une priorité pour

seulement 12 p. cent des électeurs, et cela même chez les électeurs péquistes, qui sont à peine plus nombreux (14 p. cent) à lui
donner la première place.

* *

*

Il va de soi que MM. Trudeau et Chrétien profitent de
cette lassitude populaire, dans leur opération obstinée pour
imposer aux provinces une charte des droits qui, dans le cas du
Québec, aura des répercussions sérieuses et à long terme sur la
loi 101, dans un domaine de pure juridiction provinciale.

Au lieu de gaspiller les fonds publics en déversant sur la
population des slogans qui, à la longue, l'usure aidant, perdent
leur sens et leur impact et n'infléchiront sans doute ni dans un
sens ni dans l'autre l'humeur de la population, les deux gouvernements devraient négocier au plus tôt des amendements à ce
chapitre en particulier. Les autres provinces peuvent avoir,
elles, d'autres priorités; aussi le gouvernement Lévesque
aurait-il intérêt à négocier directement avec Ottawa, au moins
sur la question des droits linguistiques, d'autant plus que M.
Trudeau et l'avocat du fédéral ont déjà évoqué la possibilité
d'amendements sur cette question.

L'intrusion fédérale, en elle-même, est bien sûr inacceptable. Hélas, le gouvernement Lévesque n'a guère le choix des
armes, et ne peut qu'essayer de limiter les dégâts. Or, on sait
que MM. Trudeau et Chrétien tiennent mordicus à assurer la
mobilité des familles d'une province à l'autre. Dans leur optique, un francophone devrait pouvoir déménager si tel est son
intérêt économique, avec l'assurance que ses enfants pourront
aller dans une école française. Sans doute se disent-ils que cela
est dans l'intérêt des Québécois, puisqu'il y a actuellement plus
d'emplois dans l'Ouest que dans l'Est. Mais leur politique ne
tient pas debout pour deux raisons: les dispositions mêmes de la
charte rendront difficile l'accès de la majorité des Franco-

Canadiens à l'école française, et les francophones qui «émi-grent» dans une province anglaise — exception faite de certai-nes régions d'Ontario ou du Nouveau-Brunswick, où les mino-rités françaises ont encore un reste de vitalité — n'ont pas inté-rêt à envoyer leurs enfants dans une école française, non seule-ment parce que cela risque de les marginaliser, mais aussi parce que la culture «française» transmise dans un milieu aussi mino-ritaire et aussi éloigné de sa source ne peut être, hélas, qu'une culture rachitique.

10 octobre 1981

MACHIAVEL
N'EST PAS MORT

Tous les bons politiciens maîtrisent assez bien l'art de retourner une situation à leur avantage. Il faut bien convenir, toutefois, qu'en ce domaine Pierre Elliott Trudeau est un maî-tre inégalé. L'avez-vous vu samedi à Noir sur Blanc? Inter-viewé par une Denise Bombardier au meilleur de sa forme, il a quand même réussi à affirmer — faussement — que 80 p. cent des gens étaient en faveur du contenu de son projet de charte, que ledit projet reprend la proposition linguistique déjà faite à la conférence inter-provinciale de St. Andrews, et que c'est la faute du Québec si l'Ontario refuse d'être lié par l'article 133 et s'il y a des erreurs de rédaction dans le projet de charte!

Sa démarche irait, selon la Cour suprême, contre les con-ventions? Mais, réplique-t-il, le référendum de M. Lévesque aussi allait contre les pratiques habituelles: ce n'était pas con-ventionnel, mais c'était légal... Quelle habileté!

Cet argument peut fort bien être renversé par un raisonne-ment tout aussi logique, mais cela prend du temps, et ne peut se faire dans le cadre d'une interview télévisée. Comment s'étonner que cet homme soulève tant d'agressivité, et qu'il ait aux yeux de ses adversaires les plus fiévreux quelque chose de quasi démoniaque?

C'est, par journaliste interposée, à un grand numéro de séduction envers la population francophone que Trudeau allait se livrer samedi dernier. Le ton plus suave que d'habitude, tout en douceur à l'image de son complet gris perle, Trudeau faisait comme durant le référendum du printemps 80: il parlait aux gens directement, par-dessus la tête de Lévesque, de Ryan, protestant de sa bonne foi, fort de son charme et de sa popularité, jouant sur les émotions, allant jusqu'à appeler à trois reprises la journaliste par son prénom, au mépris de la réserve que tout homme politique s'impose dans ce genre d'interview (les anglophones s'appellent, à la télévision, par leur prénom; cela ne se fait pas en français, sauf dans les *talk-show*).

* *
*

Malgré tout ce que cette nouvelle démarche de Trudeau comporte de démagogie, on ne peut pas ignorer l'ouverture réelle qu'il a faite au Québec, lors de cette entrevue. C'est de propos délibéré d'ailleurs qu'il l'a faite, choisissant son heure et son décor, comme pour s'assurer que son message ne serait pas brouillé par le gouvernement provincial ou par des interprétations journalistiques. Il a dit notamment être prêt à réviser la rédaction de son projet de charte de façon à la faire coïncider avec la proposition de St. Andrews. Il a dit aussi être d'accord avec l'obligation faite aux immigrants qui viennent au Québec (directement de l'étranger) de fréquenter l'école française.

Ce sont deux ouvertures que le gouvernement québécois doit explorer sérieusement, s'il ne veut pas ensuite qu'on l'accuse de n'avoir pas fait tout son possible pour épargner à notre société les tensions linguistiques qui découleront inévitablement de l'article 23 tel que rédigé.

La sauvegarde des dispositions les plus fondamentales de la loi 101 doit constituer la priorité du gouvernement Lévesque. Autrement, ce serait la politique du pire qu'il poursuivrait — dans l'espoir de provoquer ainsi une montée du sentiment souverainiste dans la population. Mais cet espoir est, fort probablement, illusoire. Il est loin d'être sûr que le Québec, alors, n'aurait pas simplement troqué un acquis solide, essentiel à sa sécurité culturelle, pour un rêve inaccessible. Le contexte actuel en tout cas — et notamment l'indifférence de la population à ce débat constitutionnel — exige que le gouvernement Lévesque fasse les compromis nécessaires pour préserver nos droits acquis.

Chose certaine en tout cas, ce n'est pas en excluant toute négociation bilatérale avec Ottawa que le Québec saura se défendre efficacement.

Le front commun formé entre les huit provinces dissidentes est-il dans l'intérêt des Québécois? Les provinces sont loin d'avoir les mêmes priorités et rien n'est moins rassurant que le fait que le seul lien entre Québec et Ottawa, depuis la décision de la Cour suprême, ait été M. Bennett de la Colombie-Britannique; le Québec aurait tout intérêt à dépêcher à Ottawa des experts en la matière plutôt qu'à se fier, dans un domaine aussi délicat que celui-là, à un homme qui ignore tout du Québec et qui, dans sa propre province, ne passe pas pour avoir une envergure intellectuelle exceptionnelle. Car après tout, qui nous dit que M. Trudeau ne serait pas prêt à aller, dans la voie d'un compromis, plus loin qu'il ne l'affirme en public, pour obtenir l'appui ou au moins la neutralité du Québec dans sa démarche de rapatriement?

Évidemment, c'est dans un dilemme bien cruel que ce nouveau scénario trudeauesque enferme le gouvernement Lévesque. Ce dernier doit choisir entre une négociation de bonne foi qui risquerait de démontrer, au détriment de sa doctrine souverainiste, que le fédéralisme est perfectible, et une attitude plus intransigeante qui serait dans la ligne de son engagement souverainiste, mais qui aurait des conséquences néfastes pour la province. Mais s'il ne tente pas l'impossible pour préserver la souveraineté culturelle que garantit la loi 101, c'est lui qui portera une part du blâme qu'il faudra, autrement, adresser exclusivement à M. Trudeau.

20 octobre 1981

LE DINDON
DE LA FARCE

Pourquoi s'étonner de ce qui est arrivé cette semaine au «sommet» d'Ottawa? Le Québec se retrouve isolé et laissé pour compte... mais en réalité, ne l'a-t-il pas toujours été, en tant que seule province à majorité francophone?

Le front commun des huit provinces dissidentes avait pu laisser croire le contraire durant ces derniers mois, mais force est de constater, aujourd'hui, l'échec de toute stratégie fondée sur des alliances inter-provinciales où le Québec n'est qu'une province comme les autres, sans statut particulier, sans reconnaissance de son indéniable spécificité.

Cela, par le fait même, suscite des questions sur la façon dont le gouvernement Lévesque s'y est pris, face au «coup de force» de Trudeau, pour défendre les intérêts du Québec. Depuis son accession au pouvoir, ce gouvernement a toujours préféré n'importe quelle alliance avec n'importe quelle province à la moindre tentative d'entente avec le fédéral. Évidemment, cette stratégie s'inscrivait dans la logique de son option souverainiste, et dans le contexte de l'implacable rivalité qui l'oppose au premier ministre Trudeau et au French Power d'Ottawa.

Mais pourquoi le Québec a-t-il choisi, dès le départ, de

fonder toute sa stratégie sur un front commun dont n'importe quel observateur pouvait pressentir la fragilité, surtout après l'entente entre Ottawa et l'Alberta sur le prix du pétrole? Pourquoi cette alliance avec des provinces dont les intérêts sont si souvent irréductiblement opposés aux nôtres? (On a même vu, comble de l'absurde, le Québec appuyer l'Alberta dans ses premières revendications sur les ressources, oubliant les effets nocifs que cela aurait pu avoir sur les consommateurs de l'Est... dont nous sommes.)

* *
*

Pour maintenir un front commun voué à l'échec, le Québec a sacrifié deux gros atouts: il a accepté le rapatriement de la constitution avant un transfert de pouvoirs, et, pire, il a renoncé, pour ce qui est de la procédure d'amendement, à la formule de Victoria au profit de celle dite de Vancouver. Or, la première était cent fois plus favorable, car elle reconnaissait le statut très spécial du Québec et lui donnait un droit de véto sur d'éventuels transferts de pouvoir au fédéral, ce qui aurait pu constituer dans l'avenir une puissante arme de négociation tant envers les autres provinces qu'envers le fédéral. Avec la formule de Vancouver, le Québec se trouve maintenant réduit au rang de n'importe quelle autre province, sur le même pied, par exemple, qu'un gros village comme l'île du Prince-Édouard! Sur ce point au moins, le Québec aurait pu s'entendre avec Trudeau, qui lui aussi préférait la formule de Victoria.

Cette semaine, au point culminant de cette série de tractations, de marchandages, la délégation du Québec a projeté l'image humiliante d'un groupe de dupes perdues dans le trafic, victimes de leur angélisme, retranchées dans un hôtel de Hull à cinq milles des lieux où la partie se jouait, incapables de mener jusqu'au bout le jeu de la négociation, pour faire finalement apparaître le Québec comme le dindon de la farce.

Pourquoi, dès après le jugement de la Cour suprême, le Québec a-t-il laissé Bill Bennett de la Colombie-Britannique, qui ignore tout du Québec, agir comme seul et unique intermédiaire entre Ottawa et Québec? Pourquoi le Québec, à ce qu'on sache en tout cas, n'a-t-il jamais engagé, ne serait-ce que dans les coulisses, des négociations bilatérales avec Ottawa sur la charte des droits, en misant sur l'intérêt politique évident que Trudeau pouvait tirer de l'appui du Québec au rapatriement? Et mercredi, quand ce dernier a ouvert la porte à un compromis très acceptable pour le Québec, nos représentants ont-ils vraiment fait le maximum pour en explorer sur le champ toutes les possibilités? Quand le Québec s'est rendu compte que le texte écrit du fédéral ne correspondait pas à son offre verbale, a-t-il délégué illico des représentants pour tirer les choses au clair, comme tout bon négociateur s'empresse de le faire lorsqu'il y a apparence de malentendu? Ou le Québec a-t-il plutôt agi de telle sorte que le fédéral, cherchant à tout prix une majorité quelque part, et constatant un recul du côté québécois, a jugé plus prudent de déclencher tout de suite un autre scénario, visant cette fois une majorité de provinces anglaises?

Car n'est-ce pas faire un peu trop d'honneur à Trudeau que de lui imputer l'orchestration machiavélique de tout ce qui s'est passé ces derniers jours à Ottawa? N'y a-t-il pas eu, comme c'est généralement le cas dans les «derniers milles» d'une négocation, des moments-clés où autre chose aurait été possible?

La question hantera longtemps tous ceux que le dénouement de ce sommet aura consternés. Car on sait que le gouvernement Lévesque pouvait avoir un intérêt politique évident à se faire ainsi rejeter par le Canada anglais, et sans doute la perspective d'une entente avec Ottawa, mercredi, avait-elle jeté l'affolement au sein du PQ. Mais l'on sait aussi que la masse des Québécois, elle, aspirait à cette entente. C'est pour cela que la majorité avait voté pour Trudeau en mai 1980 et pour Lévesque en avril 1981: pour que les deux hommes assurent, chacun sur son fief mais ensemble, la défense de ce peuple isolé en Amérique.

7 novembre 1981

NAÏVETÉ OU MAUVAISE FOI?

Ainsi donc, le ministre Claude Morin s'étonne d'avoir été lâché par ses ex-alliés provinciaux. Curieuse réaction, de la part d'un homme qui se présente depuis 15 ans comme un maître-stratège et un as-tacticien en matière constitutionnelle! Si le Québec s'est fait berner sur toute la ligne sans que le ministre Morin et ses collègues aient prévu les coups, cela veut dire qu'ils ont été de bien piètres négociateurs.

Le premier ministre Lévesque, pour sa part, parlait hier dans son message inaugural de «fourberie» et de «trahison», comme s'il avait ignoré que la politique est faite non pas de sombres complots, mais de rapports de force et de jeux d'intérêts!

Comment croire que nos porte-parole québécois, qui sont parmi les politiciens les plus expérimentés au Canada, aient été assez naïfs pour s'imaginer que les provinces anglaises allaient sacrifier leurs propres intérêts à une alliance avec le Québec? Comment croire qu'ils ne se soient pas rendu compte qu'une fois réglée la question du pétrole, et encore davantage après le jugement de la Cour suprême, les autres provinces dissidentes risquaient de glisser dans le camp fédéral et qu'il était dangereux pour le Québec de céder à ce fragile front commun son atout fondamental — le droit de veto qui consacrait son statut spécial? Sur ce point au moins, et en échange par exemple de concessions majeures dans la charte des droits, le Québec aurait pu s'allier avec le fédéral qui, pour d'autres raisons, tenait lui aussi à la formule de Victoria, comme d'ailleurs l'Ontario que la formule favorisait également.

Mais au lieu de faire des alliances ponctuelles avec les uns et avec les autres en fonction de ses propres intérêts exclusivement, le Québec a préféré jouer le jeu de sept gouvernements avec lesquels il a fort peu d'intérêts communs. Après quoi ces derniers l'ont laissé tomber au moment qui leur a convenu. Est-ce du cynisme? Sans doute, mais c'est aussi de l'habileté politique. (Le gouvernement Lévesque est d'ailleurs fort peu convaincant dans son nouveau rôle de vierge offensée, lui qui dans d'autres domaines maîtrise si bien l'art de la politique.)

On dit qu'une négociation entre le fédéral et le Québec aurait été politiquement impossible. Est-ce si sûr? Les militants du Parti québécois auraient regimbé, c'est évident, mais le gouvernement Lévesque n'en était plus à un compromis près sur son option souverainiste, et il aurait pu faire comprendre à ses militants qu'il fallait tout faire — voire un pacte avec le diable — pour préserver les droits fondamentaux du Québec. Le rapatriement et la charte n'ayant rien d'une vraie réforme constitutionnelle, une entente là-dessus n'aurait rien changé.

Le gouvernement québécois a préféré se laisser rouler et s'est placé dans une situation où la défaite était inévitable. Au lieu de gagner sur quelques points majeurs, il a tout perdu et se retrouve plus faible encore que sous les gouvernements précédents, privé à jamais de son droit de veto et sans doute aussi de la perspective de nouveaux pouvoirs, sans garantie constitutionnelle de compensation fiscale en cas de retrait des programmes fédéraux, sans atout pour négocier sur la charte des droits, et il s'est lui-même réduit, par le jeu de cette stupide alliance avec les provinces de l'Ouest et Terre-Neuve qui a permis le triomphe de la formule de Vancouver, au rang de l'île du Prince-Édouard. Et tout cela, pourquoi? Pour rien. Car il faudrait être bien naïf pour s'imaginer que cet épisode va apporter de l'eau au moulin de la thèse de la souveraineté. Il n'y a pas 20 p. cent des électeurs qui soient prêts à envisager l'indépendance pure et simple, et le PQ ne pourra plus parler de souveraineté-association. Comment proposer une association avec ceux-là même qui, au dire du premier ministre, viennent de «trahir» le Québec?

D'ailleurs, l'impuissance était presque palpable dans ce message inaugural où M. Lévesque nous disait, à toutes fins utiles, qu'il n'y avait plus rien à faire sinon boycotter quelques comités fédéraux-provinciaux et soumettre à l'Assemblée nationale un projet de loi réaffirmant une quelconque position de principe.

Le premier ministre n'a même pas l'intention d'essayer au moins d'aller sauver les meubles, et de tenter, par exemple, d'arracher au fédéral la reformulation des articles concernant les droits linguistiques et la mobilité. Pour justifier ce refus de toute autre négociation, M. Lévesque a évoqué un compte rendu du *Globe and Mail* où M. Chrétien, avec son tact légendaire, se serait moqué du Québec… Mais un article de journal n'est-il pas une base un peu faible pour échafauder une nouvelle stratégie fondée, celle-là, non plus sur la naïveté mais sur la bouderie? Quelle importance peuvent bien avoir à ce moment-ci quelques propos cavaliers, alors qu'avec quelques efforts et l'appui de l'opinion publique, le gouvernement Lévesque pourrait aller négocier des reformulations acceptables, dont rien n'indique qu'elles seraient nécessairement rejetées? Serait-ce la politique du pire que poursuit actuellement le gouvernement québécois?

Un récent sondage indique que 55 p. cent des Québécois francophones souhaitent qu'il y ait d'autres négociations entre Québec et Ottawa. Dans la conjoncture actuelle, c'est à Ottawa de faire la première concession en reconnaissant le statut spécial du Québec et en rédigeant la «clause Canada», non pas sur le coin d'une table mais sous la dictée de gens qui s'y connaissent. Après quoi, peut-être le gouvernement québécois sera-t-il en mesure d'amorcer une négociation sur d'autres points où il faut également sauver les meubles.

10 novembre 1981

UNE SECONDE
HUMILIATION

Le pire effet de la dernière négociation constitutionnelle réside dans l'humiliation que ressentent beaucoup de Québécois francophones en voyant que le Québec a perdu sur tous les tableaux. D'une part en effet, le Québec se retrouve davantage encore qu'auparavant en position de faiblesse au sein de la fédération canadienne, tout en étant d'autre part incapable d'amorcer la moindre démarche sérieuse vers la souveraineté.

Même s'ils sont majoritaires dans leur province, les Québécois francophones gardent une sensibilité de peuple minoritaire, et un égo collectif fragile et vulnérable... qui s'est trouvé d'autant plus écorché, ces deux dernières semaines, que cette humiliation collective est la seconde en un an et demi!

Durant cette dernière année de négociations fédérales-provinciales, le gouvernement Lévesque n'a pas pu jouer à l'avantage de la province le jeu complexe du fédéralisme, qui passe nécessairement par des alliances ponctuelles, des ententes de coulisses et des rencontres bilatérales avec le fédéral. Ces derniers jours, il a préféré la politique du refus global à celle du pis-aller, qui aurait nécessité la reprise des pourparlers avec Ottawa, attitude sans doute bien défendable, mais dont on se demande où elle mène au juste.

Le Parti québécois a beau durcir ses positions et s'orienter, un peu trop tard peut-être, vers l'indépendantisme pur et dur, que pourra-t-il, à moyen terme au moins, contre la relative indifférence d'une proportion importante de l'électorat? Où tout cela nous mène-t-il, sinon à de coûteuses campagnes de publicité remplies de redites et qui, pour peu qu'elles soient financées par les deniers publics, seront de plus en plus mal vues dans le climat économique actuel?

La situation contient aussi des germes très dangereux. Il se pourrait, en effet, que ce sentiment d'impuissance et d'humiliation, conjugué à la rancœur contre le Canada anglais, mène à la tentation de se servir de la minorité anglo-montréalaise comme d'un bouc émissaire. On pourrait aussi assister à la résurgence des tensions inter-ethniques et des pénibles conflits linguistiques qui, une fois de plus, tourneront autour des petits immigrants des écoles primaires de Montréal.

La société serait alors trois fois perdante: à la place du mouvement indépendantiste libérateur et ouvert sur le monde, surgirait un nationalisme d'arrière-garde, revanchard et xénophobe. Chose certaine, c'est l'un des risques que le gouvernement devra garder en tête lorsqu'il s'agira de décider de l'attitude à prendre par rapport à la charte fédérale en matière linguistique. Car même si c'est Ottawa qui est le grand responsable de tout ce gâchis, c'est au gouvernement québécois qu'il appartient de maintenir un minimum de paix sociale à Montréal.

L'ironie, c'est que ce soit dans une conjoncture qui leur était pourtant exceptionnellement favorable, en théorie du moins, que les Québécois ont perdu sur tous les plans; ils avaient, au provincial, un gouvernement souverainiste, et, au fédéral, un gouvernement dominé par des francophones.

Après la défaite référendaire, le premier s'est trouvé plus ou moins réduit à l'impuissance, et le second a choisi, au détriment de sa province d'origine à qui pourtant il devait tout, y compris le fait d'être au pouvoir, la majorité réelle qui est au Canada anglais.

Bernés d'un côté comme de l'autre, écrasés par les taux d'intérêt, les hausses de taxe et l'inflation, et n'ayant guère les moyens de réagir avec dignité à ces récents affronts constitutionnels, les Québécois, humiliés une fois de plus, auraient été nombreux à préférer qu'une ultime négociation entre Québec et Ottawa, entre leurs deux chefs historiques bien-aimés, permette de sauver les meubles et de fermer le dossier.

L'aspiration correspondait d'ailleurs à la double allégeance historique des Québécois, qui votent nationaliste à Québec et libéral à Ottawa, à la fois pour Lévesque et pour Trudeau, dans l'espoir de se protéger des deux côtés. C'est un comportement caractéristique d'une minorité, ambivalent, illogique peut-être, mais qui reste très répandu.

C'est pour respecter cette indéniable réalité que l'éditorialiste-en-chef du *Soleil*, Marcel Pepin, suggérait il y a un an déjà au gouvernement Lévesque de profiter du fait que le fédéral était aux mains de Québécois francophones pour négocier, pour la province, le meilleur «contrat» possible à l'intérieur du Canada.

Mais la politique a ses propres lois, qui ne correspondent pas toujours aux aspirations des peuples...

21 novembre 1981

BATAILLE
DE COQS

Paradoxe: c'est avec M. Ryan que M. Trudeau se livre à des pourparlers sur le projet de charte fédérale, alors que M. Lévesque, seul habilité à parler au nom du Québec, discute, lui, avec M. Clark, lequel n'est pas habilité à négocier au nom du fédéral, pas davantage que M. Ryan sur le plan provincial!

Tant mieux si cet étrange ballet finit par donner quelque résultat. Mais cela n'illustre-t-il pas qu'entre MM. Trudeau et Lévesque, l'affrontement est devenu tel que les deux hommes sont incapables de se voir face à face?

L'un des phénomènes qui ressortent à ce stade-ci du débat constitutionnel — un phénomène qui, précisons-le, n'explique pas tout car il y a aussi en jeu des conflits nationaux et des rapports de force qui dépassent la dimension personnelle — c'est que MM. Trudeau et Lévesque, ces deux chefs entre lesquels une majorité de Québécois refuse obstinément de choisir, semblent voir l'affaire comme un combat à finir. Un combat personnel, investi d'une charge émotionnelle lourde de 20 ans d'incessantes rivalités.

Depuis le sommet d'Ottawa, tous deux, chacun à sa façon, se sont arrangés pour miner à l'avance le terrain de la négociation et pour placer l'adversaire dans une position où toute discussion allait être impossible à amorcer.

Et dans cette lutte que Gilles Lesage, du *Soleil*, qualifie de «bataille de coqs», le vocabulaire a en effet atteint le niveau de la basse-cour. M. Lévesque n'a pas cessé de parler de «draps sales», de «couche répugnante» et de «putains». M. Trudeau, lui, d'évoquer la «pluie de merde» qu'il souhaite voir s'abattre sur ses adversaires et, quand la grossièreté ne suffisait pas, il y ajoutait l'indécence intellectuelle, en déclarant que le gouvernement québécois, pourtant démocratiquement réélu en avril dernier, n'était pas un interlocuteur représentatif!

Il y a eu des fois où l'on avait envie de leur dire: «Allez donc finir ça dans la ruelle ou dans la cour en arrière!»

* *
*

Peut-être est-ce sur la même longueur d'ondes que celle du député démissionnaire Claude Forget que se sentent, en ces jours peu inspirants, bon nombre de Québécois. Fatigué de la politicaillerie et d'une chicane constitutionnelle qui masque d'autres problèmes et ne mène jamais nulle part, M. Forget «débarque».

Bien des jeunes l'ont fait avant lui. D'ici quelques années, le Québec, réservoir par excellence de grands plaideurs et de grands politiciens, deviendra le chef-lieu des *drop-out* de la politique.

Mais la démission de M. Forget ne s'explique pas que par ses humeurs personnelles. Nul doute qu'elle indique de graves malaises au sein du Parti libéral provincial. C'est, après l'économiste André Raynault, le deuxième homme d'envergure à déserter ce bateau dont le pilote a fait le vide autour de lui en écartant tout lieutenant susceptible de le contester ou de lui porter ombrage. De tous les députés qui l'avaient, il y a cinq ans, supplié de prendre le leadership du PLQ, il ne reste à toutes fins utiles que Mme Lavoie-Roux. Les femmes sont toujours plus patientes...

Ironiquement, c'est la question constitutionnelle — domaine dans lequel M. Ryan est particulièrement compétent — qui va précipiter l'effondrement de la carrière politique de ce dernier. Ses troupes ne lui pardonnent pas d'avoir réagi en éditorialiste plutôt qu'en politicien, et plus personne, dans son parti, ne se gêne pour dire à tout-venant que son règne a assez duré.

Autre paradoxe: venu au PLQ pour le sauver de la médiocrité où l'avait enlisé Robert Bourassa, M. Ryan se trouve aujourd'hui en train de lui paver la voie.

Habile manipulateur, M. Bourassa a bien mené son jeu auprès des libéraux et aussi auprès des mass media. M. Bourassa est toujours disponible pour commenter n'importe quoi et il retourne toujours vos appels. Vous êtes angoissé devant la page blanche à remplir? Appelez M. Bourassa, il vous donnera de la copie. Vous avez une chaise libre autour de telle table ronde télévisée? Appelez M. Bourassa, il saura se libérer pour vous agréer. Ainsi, depuis deux ans, son nom se trouve-t-il à tout instant dans l'actualité.

26 novembre 1981

LA FONCTION
FAIT L'HOMME

1985: Grande année de chambardement politique. Peter Lougheed venait d'emménager au 24 Sussex Drive, avec ses chemises en fortrel, ses deux livres et ses toiles représentant les Prairies au printemps et les Rocheuses en hiver. Le Parti conservateur, dont il assumait le leadership depuis un an, retrouvait fébrilement ce pouvoir trop éphémèrement savouré durant ces quelques mois de 1979.

Son prédécesseur Joe Clark occupait enfin les fonctions qui convenaient à ses talents: il était maire de High River, une sympathique petite localité albertaine, et l'on disait de lui que jamais High River n'avait eu de maire plus honnête, plus dévoué, plus consciencieux. Dans la même ville fleurissait l'école secondaire française que la population francophone devait à la charte des droits promulguée au début de la décennie. (Cette école française était un précieux symbole, car c'était la seule à l'ouest de l'Ontario. Mais patience, disaient les politiciens, il y en aura d'autres dès que le nombre — au moins 3000 élèves au km carré — le justifiera...)

Histoire de se souvenir du bon vieux temps, M. Clark entretenait une correspondance suivie avec Claude Ryan, qui se trouvait temporairement à Londres, en compagnie de Claude Morin et de Solange Chaput-Rolland. Peu après leur retraite de la politique active, nos trois compères avaient formé une petite compagnie de consultants spécialisés dans les conflits linguistiques.

Ils travaillaient actuellement sur le problème de l'Irlande du Nord. M. Morin suggérait d'y aller par étapes. Mme Chaput-Rolland tentait de réunir pour une petite soirée amicale, sous le thème de la bonne entente, le pasteur Paisley et quelques chefs de l'IRA. Quant à M. Ryan, il s'était accordé, entre sa démission du PLQ et son départ pour Londres, un petit week-end de vacances et en avait profité pour écrire un exposé de 328 pages intitulé: «De l'importance de la dualité culturelle et religieuse en Irlande du Nord».

Ce texte avait fait la «une» de tous les médias... sauf celle du *Devoir*, dont le nouveau directeur était nul autre que l'ex-premier ministre du Québec, René Lévesque. «Pas de place en manchette pour une épître de Ryan le jour où les Alouettes viennent de gagner la coupe Grey!», s'était exclamé, avec le ton dru qu'on lui connait, l'ancien chef du PQ.

Mais cet incident n'était que l'une des multiples batailles que livrait, aux divers pouvoirs, le vieux journaliste revenu à ses premières amours... (et dont la première réaction, en s'installant dans le chaleureux désordre de la rue Saint-Sacrement, avait été de marmonner tout en empruntant une cigarette au journaliste qui l'interviewait: «Ça change en maudit du bunker, ici au moins rien n'est coulé dans le béton!»)

M. Lévesque donc s'élevait systématiquement, dans les colonnes de son journal, contre cette tendance — «littéralement dégoûtante», insistait-il — qu'avaient les gouvernements à refuser la critique. «La démocratie, écrivait-il, exige que les médias exercent sur le pouvoir une vigilance sans relâche...» Mais celui à qui il réservait ses éditoriaux les plus enflammés était, le lecteur s'en doute, le premier ministre Pierre Elliott Trudeau.

Trudeau, premier ministre? s'étonne à cet instant précis notre lecteur bien-aimé. Mais premier ministre où? vu qu'à Ottawa la place est prise. À Québec, voyons! *Where else?*

Cet étonnant revirement des choses avait commencé un petit matin d'avril, alors que la rosée humectait l'herbe tendre qui borde les trottoirs de l'avenue des Pins. Refaisant pour la millième fois le parcours de son jogging quotidien, placé encore une fois devant l'ennuyeuse perspective d'une autre journée à vadrouiller dans sa grande maison «art deco», à ne rien faire d'autre qu'à s'occuper des enfants qui, avec l'âge, devenaient de plus en plus tannants, Trudeau s'était mis à rêver d'une autre carrière.

À Québec, le job était libre, depuis que Lévesque était parti en claquant la porte. Aussitôt dit aussitôt fait, et voici notre homme au bunker de la Grande-Allée. Tant qu'à l'avoir envoyé si longtemps à Ottawa, aussi bien s'en servir à Québec, s'était dit l'électorat, philosophe comme d'habitude.

C'est à propos de la 108e conférence des pays francophones, à Tombouctou, qu'eut lieu le premier affrontement. Trudeau avait déjà fait ses valises et, faisant d'une pierre deux coups — *business and pleasure* — réservé son billet pour un safari dans la brousse africaine, quand le téléphone sonna: «Pierre, c'est Peter.

— Ah, mon vieux Lougheed. Comment ça va?

— J'apprends que tu pars pour Tombouctou? Pas question. Les relations internationales, ça relève du fédéral.»

Trudeau, violet, faillit lancer le combiné par terre: «Mais êtes-vous tombé sur la tête à Ottawa? ...Et la personnalité internationale du Québec, qu'est-ce que vous en faites?

— Le Canada est un et indivisible, Pierre, et c'est mon homme qui va vous représenter à Tombouctou.

— Quelle farce! Ton ministre des Affaires extérieures, Jack Horner, je le connais lui et ses chapeaux de cowboy. Il ne parle pas un mot de français!

— Sa secrétaire comprend le français, elle lui fera la traduction.»

Outré, Trudeau lança son gant de chevreau en direction du téléphone: «À nous deux, Ottawa! Me refuser un voyage? À moi? Vouloir rétrécir mon champ de juridiction? Ma juridiction sera totale. La trahison ne passera pas. Vive le Québec libre!»

C'est ainsi que reprit une querelle fédérale-provinciale que l'on croyait à jamais enterrée, surtout depuis que le premier ministre Lougheed avait décrété que les ressources énergétiques, le gaz et le pétrole albertains comme le reste, devaient appartenir à l'ensemble des Canadiens, plus précisément au gouvernement fédéral.

En éditorial, René Lévesque s'amusa comme un fou à mettre son vieil ennemi Trudeau en contradiction avec lui-même, relevant malignement tous ses propos antérieurs à partir des années 30 et du journal du collège Brébeuf.

Mais le mouvement était lancé. Le nouveau ministre de l'Éducation Jean Chrétien sillonnait inlassablement la province, la mèche en bataille: «Ottawa, non merci!» clamait-il sur toutes les tribunes, tandis qu'André Ouellet, qui n'avait rien perdu de sa virile vigueur, organisait avec Reggie Chartrand une manifestation monstre contre le bureau de poste central, symbole, disait-il, de la lenteur du Canada à transformer ses institutions.

Trudeau, lui, mijotait quelque coup de force à l'endroit d'Ottawa. L'expérience aidant, les idées lui venaient à foison.

Et une fois de plus, s'avérait une vieille loi de l'histoire humaine: la fonction fait l'homme.

28 novembre 1981

C'ÉTAIT JOLI À VOIR...

C'était joli à voir! Pour saluer l'adoption d'une résolution constitutionnelle qui va réduire à jamais les droits historiques du Québec, les libéraux fédéraux se sont mis à entonner, aux Communes, le «O Canada» en français!... L'un d'eux s'était fait excuser: il souffrait d'un mal de dos. Voilà ce qui arrive quand on a la colonne vertébrale trop molle.

Mais malgré cette explosion de félicité grossière — à laquelle, significativement, le premier ministre Trudeau s'est abstenu de participer — les véritables gagnants de ce tournoi ne sont pas ceux qu'on pense. D'ailleurs, ils n'étaient pas sur les lieux. Le gagnant du gros lot? Le premier ministre albertain, M. Lougheed, qui a obtenu depuis un an tout ce qu'il voulait: un accord sur le prix du pétrole, les amendements requis au chapitre des ressources naturelles et des autochtones, la clause «nonobstant» permettant aux gouvernements réactionnaires d'échapper aux dispositions de la charte en matière de libertés, et, avec la formule de Vancouver, la reconnaissance d'un statut d'égalité avec les provinces du centre, qui sont pourtant trois fois plus peuplées que l'Alberta. La force politique suivant souvent la force économique, ce n'est pas par hasard que le dénouement de cet épisode du débat constitutionnel marque le triomphe de la province qui est actuellement la plus riche du Canada.

Dans ce grand jeu qui tenait au rêve osbtiné d'un seul homme, tous les perdants sont québécois, y compris le maître du jeu lui-même. Il fallait observer le visage de Pierre Elliot Trudeau, ces deux dernières semaines, pour sentir qu'il y a chez lui peut-être plus d'amertume que de triomphe. Mais cela nous ne le saurons jamais, à moins qu'il ne l'écrive lui-même un jour.

Force est pourtant de constater que M. Trudeau a perdu sur tous les points qui lui tenaient à cœur: la charte des droits individuels n'est pas telle qu'il la voulait, et la réconciliation entre le Québec et le Canada, entre francophones et anglophones, n'a pas eu lieu. Trudeau tenait aussi au droit de veto de la formule de Victoria, qui était à l'avantage du centre historique du Canada, du Québec comme de l'Ontario, et qui avait en plus le mérite, à ses yeux, d'empêcher une décentralisation incompatible avec sa conception du fédéralisme.

Il a été lâché à la fois par le Canada anglais, qui a mis son projet de charte en pièces pour satisfaire à des besoins régionaux et à des tractations diverses, et par les élites québécoises qui ont refusé de l'appuyer dans son projet d'ouvrir le Canada aux francophones, parce que l'opération, inévitablement, allait réduire les pouvoirs du seul lieu où les francophones peuvent constituer une vraie société. Il fallait choisir. Mais Trudeau, lui, n'a-t-il pas toujours refusé de choisir entre le Québec et le Canada?

5 décembre 1981

LA REVANCHE
DES MILITANTS

«Ce qu'on vient de leur dire, c'est que sept ans de stratégie étapiste axée sur l'association avec le Canada ne nous ont menés à rien. Maintenant, c'est «*Go back to square one*». On recommence, et on ne leur parle que de l'indépendance.»

Mais à l'heure même où ce militant se félicitait de la série de votes qui ont eu pour effet de retirer du programme du Parti québécois presque tout ce qui touchait spécifiquement à une éventuelle association économique avec le Canada, le premier ministre René Lévesque, lui, retiré à l'écart du congrès — où il n'avait pas remis les pieds depuis la clôture de la plénière du samedi soir — tentait tant bien que mal de surmonter ni plus ni moins qu'une envie de démissionner carrément de la présidence du parti.

Il allait ensuite, devant les délégués consternés, confirmer cette rumeur qui, toute la journée, avait hanté le congrès. Ce coup de théâtre en rappelait un autre, plus lointain et moins dramatique cependant. En 1968, M. Lévesque avait agité la même menace d'une démission à propos des droits scolaires de la minorité anglophone. Mais le contexte était infiniment moins grave; son parti en était au stade embryonnaire et M. Lévesque n'était pas premier ministre...

* *

*

Le congrès a marqué, avec une ampleur imprévue, la revanche des militants. Revanche consécutive à la double défaite référendaire et constitutionnelle dont le traumatisme, par des voies détournées, s'est fait sentir sur le parquet de la plénière.

Ce fut comme un rocher qu'on hisse lentement au sommet d'une montagne et auquel, rendu là, il ne faut qu'une légère poussée pour dévaler l'autre versant à une vitesse vertigineuse.

Tous les ressentiments accumulés depuis le congrès de 1974 où le parti, sous l'impulsion de M. Lévesque et de son ministre Claude Morin, avait commencé à mettre la pédale douce sur la poursuite de son option souverainiste, sont resurgis d'un seul coup. Au terme d'un long débat où les nuances de sémantique le disputaient aux querelles de procédure, le PQ s'est retrouvé avec un programme d'où était disparue toute référence à l'association. Deuxième gros coup porté à la stratégie officielle, qui préférait la prudence voilée à ce genre d'engagement trop précis: on disait en toutes lettres qu'il suffirait, à la prochaine élection, d'une majorité de sièges pour enclencher le processus d'accession à l'indépendance.

Engagement risqué, à peine compensé par une autre résolution qui prévoit que le projet de constitution d'un Québec souverain sera soumis à un référendum. Le programme dit maintenant que l'indépendance pourrait être proclamée même si le PQ n'était porté au pouvoir qu'avec 40 ou 43 p. cent des voix.

Quant au volet «associationniste», le parti n'a gardé qu'une porte entrouverte, affirmant «l'intérêt» d'une éventuelle association avec «ceux des pays du monde qui lui sont le plus près (sic) par la culture, ou par l'histoire, ou par les complémentarités économiques déjà existantes». Mince allusion, quand on pense qu'il y a un an et demi seulement, la thèse officielle était celle de la souveraineté-association, deux volets qui étaient, disaient le premier ministre et les autres porte-parole du parti, indissociables!

M. Lévesque, soit par conviction, soit pour satisfaire ses militants, en était récemment venu à déclarer qu'il fallait dissocier les deux notions et donner la primauté absolue à la dimension souverainiste, autrement dit éliminer le trait d'union et le caractère de simultanéité... Mais il restait convaincu que le réalisme économique, comme d'ailleurs la mentalité de l'électorat québécois qui ne veut pas de gros bouleversement, imposaient la nécessité de prévoir, une fois engagé le processus d'accession à l'indépendance, des négociations en vue d'une association économique avec le Canada.

Mais une proportion de quelque 60 p. cent des militants en avaient décidé autrement: «Finis les compromis, de s'exclamer l'un deux, on veut que la notion d'association disparaisse du programme.»

Le mouvement avait commencé le matin même dans les commissions. Pour la première fois, la question de la souveraineté-association était au menu de toutes les commissions, et non d'une seule, ce qui allait rendre plus difficile aux autorités du parti le contrôle des délibérations, d'autant plus que plusieurs ministres, qui avaient été «conscrits» pour donner le ton, sont arrivés en retard dans les commissions où ils avaient été assignés.

En plénière, le mouvement s'est accéléré, occupant tout le terrain d'un congrès qui aurait dû aussi discuter de la situation budgétaire. Mais à en juger par le climat dans les commissions consacrées aux questions économiques, exception faite de quelques «accrochages» de couloir entre ministres et militants de gauche, les partisans péquistes n'étaient pas d'humeur à critiquer l'action gouvernementale, tout envahis qu'ils étaient par le besoin de réaffirmer dans sa pureté originelle l'option centrale de leur parti.

Deux courants de pensée se sont sans doute conjugués sur ce terrain: celui des indépendantistes «purs» qu'avaient toujours irrités les tergiversations étapistes et les appels à l'association avec le Canada, et celui des militants de gauche, qui estiment qu'un Québec souverain doit sortir de l'orbite économique nord-américaine pour amorcer un virage socialiste.

À quoi s'est sans doute ajouté, ce qui serait bien dans la tradition du PQ, le besoin de s'affirmer devant l'autorité respectée mais écrasante des dirigeants et de M. Lévesque tout particulièrement. En général, les militants comblent ce besoin en élisant à l'exécutif un(e) candidat(e) que leur chef n'aime pas. (Au dernier congrès, c'était Louise Harel qui incarnait la révolte des militants, qui l'ont élue à la vice-présidence contre le candidat favorisé par M. Lévesque.) Cette année, il n'y avait pas de réel enjeu de ce genre aux élections. La contestation, toujours latente parmi les militants, s'est tout entière engouffrée dans la question de la souveraineté, d'autant plus que la gifle d'Ottawa et du Canada anglais était encore cuisante, sur la plaie non guérie qu'a ouverte le référendum perdu du 20 mai 1980...

7 décembre 1981

OÙ MÈNE CE PSYCHODRAME?

Où mène le psychodrame engagé depuis une semaine entre le premier ministre Lévesque et son parti?

Chose certaine en tout cas, le Parti québécois s'est trouvé enfermé dans une impasse: quoi qu'il fasse, il est perdant.

En refusant de reconsidérer les votes «litigieux» du week-end dernier, les péquistes risquaient de provoquer une crise politique sérieuse ainsi que la démission d'un premier ministre qui est l'homme le plus populaire au Québec.

Mais en pliant devant les admonestations de leur chef, les péquistes se trouvent à rejeter toute la procédure, pourtant fondamentalement démocratique, qui sert d'armature à leur parti depuis sa fondation, et leur crédibilité dans l'opinion publique risque de s'en trouver irrémédiablement atteinte.

Leur image est maintenant celle d'une bande d'enfants d'école, sans souci pour la démocratie, qui se battent la coulpe depuis que leur papa les a ramenés à la raison.

Quand un jeune député en arrive à dire, au bord des larmes, qu'il veut l'indépendance «mais seulement avec M. Lévesque», quand le ministre Charron en est rendu à affirmer que «la base du PQ c'est René Lévesque», quand le ministre Marois pousse l'hystérie jusqu'à enjoindre les militants qui divergent d'opinion avec M. Lévesque de quitter le parti, quand tout un chacun dans l'appareil gouvernemental se sent obligé de protester de son allégeance au président-premier ministre, force est de constater que le culte du chef vient d'atteindre des proportions presque dangereuses.

Ce qui faisait la force de ce parti, c'était son caractère démocratique et l'engagement de ses militants. Aujourd'hui, bien des gens se demanderont si la disparition de René Lévesque ne signifierait pas l'écrasement pur et simple du PQ, perspective qui n'a rien de rassurant pour qui estime que la démocratie ne tient pas qu'à un seul homme.

Même si ce *showdown* a objectivement pour résultat de renforcer le pouvoir personnel du premier ministre, à la fois sur le parti et sur l'appareil gouvernemental, il semble que tel n'était pas l'objectif de M. Lévesque, qui semble plutôt avoir agi sous le coup de l'impulsion. Pour cet homme abattu par trop de coups récents — la catastrophe budgétaire, l'échec constitutionnel, les rumeurs de scandales, etc. — et qui au surplus a toujours été en relation d'amour-méfiance avec son parti, le congrès aurait apparemment été la goutte d'eau qui fait déborder le vase. Mais est-il rassurant, pour une population déjà en proie à l'insécurité économique et sociale, que son premier ministre fasse ses crises de dépression sur la scène publique?

Car le pire, dans toute cette histoire, c'est que le psychodrame aurait pu être évité.

S'ils n'avaient pas été à ce point mis en relief et dramatisés par la violente réaction de M. Lévesque, les deux fameux votes du congrès n'auraient rien, en eux-mêmes, de si catastrophique. Premièrement, la notion d'une association économique avec le Canada, bien qu'extrêmement édulcorée, reste présente à deux endroits dans le programme et rien n'aurait interdit aux porte-parole du parti d'en faire largement état dans une campagne électorale. Deuxièmement, le nouvel article qui permet théoriquement qu'une simple majorité de sièges permette au gouvernement de proclamer l'indépendance est si irréaliste à sa face même qu'il aurait été facilement amendé à la première occasion. (On comprend mal, d'ailleurs, l'énervement de M. Lévesque à ce sujet, quand on sait qu'avant 1974, le programme de son parti disait implicitement la même chose, en rendant l'accession à l'indépendance conditionnelle à une simple victoire électorale. À la même époque, MM. Lévesque et Morin promettaient de faire suivre cette élection par un référendum sur la constitution du Québec souverain, ce qui correspond à ce que les délégués ont voté le week-end dernier. Que cette démarche soit éminemment contestable, d'accord, mais le fait est qu'en votant dans ce sens, les délégués du PQ n'avaient pas de raison de s'attendre à une telle réaction de la part de leur chef.)

Peut-être dans l'espoir de sauver la réputation de son parti (qu'il a lui-même irrémédiablement minée) en cherchant des boucs émissaires, M. Lévesque a parlé d'«agents provocateurs» infiltrés au congrès... C'est ajouter encore à l'aberration. Ceux qui ont mené la contestation, en plénière, sont de vieux membres du parti qui ont peut-être tort sur tel ou tel point, mais qui ne méritent pas d'être désignés à la fureur publique comme des agents au service d'on ne sait qui.

La seule et unique «provocation» venant de l'extérieur du PQ est peut-être la fuite qui a permis la publication, deux jours avant le congrès, d'un sondage d'origine fédérale stipulant que 55 p. cent des électeurs étaient en faveur de la souveraineté-association. Cette donnée, qui ne tient pas debout, a pu porter un certain nombre de délégués à survaloriser la popularité de leur option, mais il faut être paranoïaque pour aller plus loin dans la théorie du complot.

12 décembre 1981

UN RÉFÉRENDUM
INJUSTIFIABLE

Le psychodrame auquel se livre actuellement le premier ministre Lévesque à l'endroit de son parti ne révèle pour l'instant qu'une seule chose: M. Lévesque est si populaire qu'on est encore prêt à lui pardonner n'importe quoi.

Car son comportement, depuis le sommet raté d'Ottawa, est à ce point incohérent qu'il se serait déjà couvert de ridicule si l'opinion publique n'avait à son endroit un préjugé si favorable.

Voici en effet un premier ministre qui jouit du pouvoir — énorme — que confère aux chefs de gouvernements le système parlementaire. Non seulement peut-il compter sur le fait qu'il est, d'après tous les sondages, plus populaire que son parti, mais il a en plus le pouvoir de nommer et de limoger les ministres, de pousser ou de bloquer tel ou tel projet de loi, et la crédibilité nécessaire pour remettre à sa place, avec la violence verbale dont il est capable, quiconque, dans son parti, oserait le contester trop directement. Or, le voici qui veut maintenant faire confirmer son pouvoir par un référendum interne!

Il se trouve également que la conjoncture politique et économique est à son pire depuis 20 ans, ce qui place la population dans l'insécurité. Que penser dans ce contexte d'un premier ministre qui, jouissant de la confiance d'une population inquiète, laisse planer depuis un mois une menace de démission? Une menace qui, rappelons-le, n'est pas encore résorbée, puisque l'équivoque n'est censée se lever qu'au terme du congrès spécial du 12 février.

À la télévision, en conférence de presse, il dit tout de go, sans se rendre compte apparemment de l'énormité de l'affirmation, que tout compte fait, il en a un peu marre de la politique et qu'il aurait envie de s'en aller chez lui. Mais enfin, qui l'a forcé à briguer les suffrages en avril dernier?

Quand on détient de pareilles responsabilités et qu'on veut lâcher la politique, on y pense avant les élections, pas six mois après et sans même avoir décemment assuré sa succession. Accepte-t-on que les capitaines et les pilotes lâchent les commandes parce qu'il y a une tempête à l'horizon ou qu'ils ont des crampes d'estomac? (Heureusement que le Québec n'est pas un État indépendant: un chef d'État qui laisserait planer pendant trois mois une menace de démission précipiterait son pays dans la faillite.)

Alors que la conjoncture exigerait que notre premier ministre redouble de vigilance et prenne plus que jamais ses responsabilités à cœur, M. Lévesque va gaspiller sont temps à faire des tournées au sein de son propre parti et à superviser la tenue de son fameux référendum.

C'est à cet exercice futile qu'il va s'occuper — et occuper ses ministres et ses conseillers — pendant trois mois, en période de chômage aigu, de restrictions budgétaires et de conflits de travail, et au moment où il faut de toute urgence à Québec une direction idéologique quelconque pour tourner la page dans le dossier effiloché des relations fédérales-provinciales.

Car il faut le rappeler, ce référendum interne n'a pas de justification autre que le coup de déprime du premier ministre, qui fait payer ses militants pour des erreurs et des humiliations qui tiennent à d'autres facteurs.

Si durcissement il y a eu au congrès du 5 décembre, n'importe quel observateur en imputera une large responsabilité à M. Lévesque lui-même qui, durant les semaines précédentes, a chauffé ses troupes à blanc et à peu près épuisé le dictionnaire du vocabulaire ordurier pour rejeter sur Ottawa et le Canada anglais l'entière responsabilité de la déroute du Québec.

Mais le fait demeure que rien, dans ce congrès, n'a différé des autres congrès péquistes, où il y a toujours eu, à l'occasion, des résolutions votées trop vite, des erreurs de jugement, et ce qu'on pourrait appeler des «excès de démocratie».

Plus encore, il n'y a pas une résolution, parmi celles soumises au congrès qui n'ait été connue d'avance, et le congrès a été précédé de congrès régionaux où les mêmes tendances (vers l'indépendance «pure», pour le pardon aux ex-felquistes, etc.) s'étaient déjà manifestées. Tout donc était largement prévisible, contrairement au dire de M. Lévesque, qui, préférant la théorie des complots, allègue qu'en «une journée et demie» les congressistes seraient en quelque sorte tombés sur la tête à cause de mystérieux «agents provocateurs»!

9 janvier 1982

LA POLITIQUE
DES ÉTATS D'ÂME

Pendant que le premier ministre et une partie de l'appareil gouvernemental perdent leur temps à faire en public le lavage du linge sale de la famille péquiste, le Québec semble flotter un peu au gré des vagues, sans politique cohérente en ce qui concerne le domaine des relations fédérales-provinciales.

L'événement qu'a constitué la démission de M. Claude Morin risque en effet de faire oublier la confusion qui règne depuis l'échec du référendum de 1980 et depuis la triste fin des dernières négociations constitutionnelles. Le mot d'ordre, décidé dans l'émotion et la frustration du lendemain de la veille, est au boycottage. À l'heure qu'il est, le Québec s'est abstenu de participer à une dizaine de conférences fédérales-provinciales. Mais on se demande à qui au juste ce boycottage fait mal. Sans doute pas aux autres provinces, pour qui l'absence du Québec ne doit pas changer grand-chose. Pas au fédéral non plus, qui se trouve ainsi à avoir les coudées plus franches, sans personne autour de la table pour lui mettre des bâtons dans les roues.

On se demande si ce genre de politique, qui paraît fondée sur des états d'âme davantage que sur une analyse pragmatique, sert vraiment les intérêts de la population. Car, au fond, tout ce qui fait l'objet de pourparlers fédéraux-provinciaux n'a-t-il pas une incidence monétaire plus ou moins directe?

*   *

*

On apprend par ailleurs que le gouvernement vient de décider de bouder les rencontres interprovinciales et se contentera de discuter en face-à-face avec le fédéral.

Cette orientation n'est sans doute pas mauvaise en soi, compte tenu de l'échec lamentable du dernier front commun interprovincial et du fait que les libéraux fédéraux ont traditionnellement intérêt, à cause de leurs propres bases électorales, à prendre le parti des provinces du centre. (Aux yeux des provinces de l'Ouest et des Maritimes en effet, le fédéral a partie liée avec l'Ontario, c'est sûr, mais tout autant avec le Québec.)

On regrette toutefois que le même principe n'ait pas été retenu auparavant, durant les négociations concernant la charte des droits et le rapatriement de la constitution. Des pourparlers bilatéraux avec Ottawa auraient probablement été plus fructueux... ou moins infructueux que ce front commun interprovincial dont l'ex-ministre Morin admet aujourd'hui qu'il a toujours été fragile et aléatoire, car aucune province, à part le Québec, n'avait de raison vraiment sérieuse de s'opposer sur une longue période au fédéral. Des ententes directes avec

Ottawa auraient au moins permis au Québec de conserver le droit de veto que la tradition lui reconnaissait et que lui méritait son statut particulier.

Il reste que le boycottage inconditionnel des conférences interprovinciales ne tient pas debout. Dans des domaines comme l'Éducation ou l'assurance-santé, par exemple, le Québec a intérêt à ce que certaines politiques soient coordonnées, ne serait-ce que pour ne pas pénaliser les jeunes Québécois qui vont se chercher du travail ailleurs. (Et il y en a, hélas, de plus en plus...)

Tant qu'ils vivront dans un système fédéral pour lequel ils paient des impôts substantiels, les Québécois ont le droit inaliénable d'en retirer des bénéfices. Il faut au moins, pour cela, que nos gouvernants se tiennent systématiquement au courant, et qu'ils aillent de temps à autre voir sur place ce qui se mijote dans la marmite canadienne. Le pire qui puisse arriver, c'est qu'ils n'y trouvent rien de bon à nous rapporter. Bref, la participation à ce genre de pourparlers c'est comme des billets de loterie gratuits: on n'a rien à perdre et, qui sait, parfois quelque chose à gagner.

Même un gouvernement souverainiste doit prendre garde de placer le Québec dans une situation où il serait perdant sur tous les tableaux, incapable de jouir des avantages de l'indépendance, sans pouvoir par ailleurs bénéficier des avantages économiques du fédéralisme!

Une politique fondée sur la bouderie et la rancœur donne rarement de bons fruits. Le Québec ne peut indéfiniment poireauter sur le perron de l'habitacle canadien, à moitié sorti sans l'être vraiment, sans prendre sa place à l'intérieur et sans être non plus en mesure de se construire une autre maison à côté. Tout bail peut être un jour résilié, mais il faut tout de même se loger quelque part!... Autrement on risque de se geler les pieds!

12 janvier 1982

AH, QU'ILS
SONT ÉMOTIFS!...

Bon, c'est fini, la crise est passée, et Monsieur le président est content-content-content. La base du PQ a voté oui à son référendum interne — mais qui donc aurait prévu le contraire? — et qu'importe si plus de la moitié des péquistes ne se sont pas donné la peine de participer à cette opération inutile qui leur aura tout de même coûté 55 000$, qui les aura divisés et déprimés, et qui aura représenté un invraisemblable gaspillage de temps et d'énergies.

Mais tout de même, ce qu'ils peuvent être émotifs, ces hommes qui nous gouvernent!

Voyez notre ex-ministre des Affaires intergouvernementales: il démissionne parce que, dit-il, il ne peut plus s'asseoir à la même table que ses méchants homologues des autres provinces qui lui ont fait tellement de peine. On pourrait lui rappeler que partout au monde, des chefs d'État et des chefs de guérillas se sont assis à la même table pour négocier après que leurs commettants se furent entre-tués durant des années, mais M. Morin semble avoir les nerfs trop à fleur de peau pour entendre ce langage-là.

Voyez M. Chrétien, qui s'emporte devant tous les micros qui lui tombent sous la main et qui est prêt à dire n'importe quoi pour se faire aimer. Ainsi, à Calgary: *«I'm a frog, and happy to be one!»* s'exclamait-il avec une belle vigueur. Et voyez M. Landry: l'autre jour, à la conférence économique d'Ottawa, il s'est comporté avec l'arrogance gamine qui conviendrait à un petit garçon de la maternelle, en «volant» à son homologue fédéral la salle que ce dernier avait réservée pour une conférence de presse. Et vlan! C'est ce qui s'appelle s'affirmer! La prochaine fois, se chicaneront-ils pour savoir lequel de leurs papas respectifs est le plus fort?

Et monsieur Lévesque... Là, évidemment, nous tombons

dans les ligues majeures. Au-delà de ses extraordinaires mérites, ce n'est pas sans étonnement qu'on assiste à ces fracassants
scénarios de menaces de démission dont on se demande s'il
s'agit de purs accès de colère ou de feintes savantes (les deux à la
fois peut-être?).

Mais que sont tous ces comportements, sinon des comportements excessivement émotifs? Remarquez, je n'ai rien contre
l'émotion. Je constate. Je constate… en essayant de me rappeler combien de fois dans ma vie j'ai entendu des hommes — le
même genre d'hommes exactement — affirmer que les femmes
sont trop émotives pour avoir des responsabilités politiques.

Imaginez. Si Lise Bacon, Monique Bégin, Lise Payette ou
Denise Leblanc-Bantey s'étaient comportées de la sorte! Imaginez ce qu'on dirait d'elles! Pleurnichardes, instables, cycliques,
sentimentales, nerveuses, excitées, pas fiables, irresponsables,
émotives, trop émotives… Solange Chaput-Rolland s'est
oubliée une fois, en versant trois larmes dans une assemblée
hostile, et tout le monde en a parlé pendant quatre ans.

* *
*

Mais tout n'est pas qu'affaire d'émotion. Il y a le pouvoir,
le besoin du pouvoir et la lutte pour le pouvoir, qui sont l'objet
même de la politique.

Tentant d'en savoir plus long sur le pourquoi de cet inex-
plicable «renérendum», je me suis plongée dans un classique de
la science politique: *Les partis politiques*, de Robert Michels, qui
montre comment toute organisation démocratique a tendance à
devenir oligarchique.

Sur les chefs: «Dans le régime démocratique, les chefs nés
sont orateurs et journalistes… Les partis s'identifient souvent
avec leurs chefs au point d'adopter leur nom…: on a alors les
marxistes, les jauressistes, etc.» (ajoutons les lévesquistes).

Sur les menaces de démission: «Les dirigeants usent souvent de ce stratagème, par lequel ils désarment les adversaires. C'est ce qui arrive dans les cas où le chef qui sert de ce moyen est réellement indispensable ou seulement considéré comme tel par la masse. Le fait de donner sa démission (est souvent) un moyen de conserver, d'assurer, de consolider son pouvoir. Au premier obstacle auquel ils se heurtent, la plupart des chefs ne manquent pas d'offrir leur démission, en alléguant leur grande fatigue, mais tout en faisant valoir leurs mérites...»

Michels parle ensuite des chefs qui, par suite d'une menace de démission, se font plébisciter par la base: «Ce sont là de beaux gestes démocratiques, mais qui dissimulent mal l'esprit autoritaire qui les dicte. Quiconque pose la question de confiance semble s'en remettre au jugement de ses partisans; mais en réalité, il jette dans la balance tout le poids de son autorité, vraie ou supposée, et exerce le plus souvent une pression à laquelle les autres n'ont qu'à se soumettre.

«Les chefs se gardent bien de convenir que leurs menaces de démission ne visent qu'à renforcer leur pouvoir sur les masses. Ils déclarent au contraire que leur conduite leur est dictée par le plus pur esprit démocratique, qu'elle est une preuve éclatante de leur sensibilité et de leur délicatesse, de leur sentiment de dignité personnelle et de déférence envers les masses. Mais si l'on va au fond des choses, on s'aperçoit que leur façon d'agir est, qu'ils le veuillent ou non, une démonstration oligarchique... Les démissions ont toujours pour effet pratique d'imposer à la masse l'autorité des chefs.»

11 février 1982

UNE PROMESSE
BIEN TÉMÉRAIRE

Dans le grand branle-bas provoqué par la menace de démission de René Lévesque et le référendum interne du PQ, un élément pourtant capital du congrès de décembre s'était trouvé relégué au second plan: les prochaines élections porteront «principalement» sur le thème de la souveraineté du Québec.

Le dernier congrès vient de réaffirmer cette orientation. Voilà un virage beaucoup plus téméraire, électoralement parlant, que les velléités d'éliminer du programme du parti la notion d'association économique. Car il est loin d'être sûr que le PQ, malgré sa popularité, sortirait gagnant d'une élection dont l'enjeu serait la souveraineté.

C'est une réalité dont certains commençaient à prendre conscience durant le week-end dernier... et avec une sorte de stupeur mêlée d'effroi: «Mais qu'est-ce qu'on est allé voter là?» se demandait tout haut un député qui en est à son deuxième mandat, tandis que son interlocuteur — un ministre celui-là — affirmait de son côté qu'un retour dans l'opposition ne serait pas la fin du monde, puisque, quant à lui, il n'était pas entré en politique pour administrer un ministère, mais pour «faire l'indépendance».

D'autres cependant faisaient une évaluation plus détaillée des risques que cet engagement pouvait représenter: le risque, notamment, que le premier ministre soit obligé, pour une raison ou pour une autre, de déclencher les élections à un moment qui ne serait pas propice à l'affrontement avec Ottawa ou à la montée du sentiment souverainiste. «Un nouvel échec électoral, après le premier échec référendaire, tuerait pour longtemps l'idée d'indépendance», affirmait pour sa part M. Claude Morin, qui reste partisan du recours au référendum plutôt qu'à une élection pour décider du statut politique du Québec car, estime-t-il, il y a trop d'enjeux divers au cours d'une campagne électorale pour que le résultat soit vraiment clair. Il faut alors, conclut-il, un référendum de ratification.

L'idée d'un référendum a d'ailleurs quelque peu flotté dans l'air au cours du congrès, après que M. Lévesque l'eût brièvement évoquée dans une interview, d'une façon que certains ont interprétée comme le signe d'un «retour de l'étapisme». Encore que M. Lévesque semblait alors indiquer que ce serait non pas le principe de la souveraineté, mais plutôt le projet de constitution d'un État indépendant qui serait ainsi soumis au peuple.

Invité à préciser sa pensée en conférence de presse, M. Lévesque s'est refusé à «dessiner des scénarios futuristes» et il a répété que des élections se soldant par la victoire de son parti «à cinquante p. cent des voix plus une» seraient «le déclencheur» du processus d'accession à la souveraineté.

Bien des équivoques, cependant, continueront à hanter les esprits, car certains — dont des conseillers proches du premier ministre — se disent assurés que le simple réalisme politique exigera que la population soit consultée spécifiquement sur la souveraineté, indépendamment des multiples questions agitées dans une campagne électorale.

D'autres par contre, sont las de l'ambiguïté dans laquelle la stratégie de l'«étapisme» a placé le PQ, en l'obligeant à gouverner sans tenir compte de son option fondamentale, et souhaitent que dorénavant, le parti «joue le tout pour le tout». (Certains proches du premier ministre disent que c'est là aussi un sentiment instinctif chez M. Lévesque, qui, se sentant chaque année davantage pressé par le temps, serait porté à jouer quitte ou double.)

Il reste surprenant, toutefois, que personne, ni au congrès de décembre ni à celui-ci, n'ait émis quelque réticence au moins d'ordre stratégique, compte tenu du risque réel de défaite électorale qu'implique le nouveau virage. Un ministre bien enraciné dans le parti affirme que la tendance en ce sens était si forte chez les membres et les délégués, au cours de l'automne, qu'il aurait été absolument impossible de s'y opposer. En ce sens, ce virage aurait été une «concession» que M. Lévesque aurait faite à son parti — une «concession» qui en outre coïncidait avec son état d'esprit.

Deux possibilités — évoquées d'ailleurs en privé par plusieurs membres de l'aile gouvernementale du parti: peut-être le prochain congrès qui devrait normalement précéder les élections, atténuera-t-il la portée de cette résolution. Peut-être aussi les autorités du parti s'arrangeront-elles pour trouver d'autres thèmes électoraux plus susceptibles que la souveraineté d'amener des consensus dans l'électorat; ainsi le thème de la souveraineté serait-il l'un des enjeux — en fond de scène — mais pas le plus spectaculaire... auquel cas, évidemment, le résultat électoral resterait ambigu et nécessiterait une clarification quelconque, un référendum quoi! Perspective qui n'inquiète pas du tout le ministre Bédard qui nous disait qu'un référendum, survenant après la «locomotive» que représente une victoire électorale, pourrait «aller chercher le deux, trois p. cent de voix manquantes...»

15 février 1982

L'ÉGALITÉ, OUI MAIS...

Il fallait s'y attendre, puisque la condition féminine est en général le dernier souci des politiciens, c'est au chapitre des droits des femmes que l'opération de troc et de marchandage qui a donné naissance à la nouvelle charte des droits a été le plus cynique. Au point d'ailleurs où c'est sans même s'en rendre compte que durant la semaine de ce fameux 5 novembre, les négociateurs fédéraux, MM. Trudeau et Chrétien en tête, ont sacrifié le principe de l'égalité des sexes aux revendications des législateurs provinciaux les plus réactionnaires du Canada!

Notre confrère Gilbert Lavoie, correspondant à Ottawa, a raconté en détail comment le chat est sorti du sac. Au lendemain des accords constitutionnels d'Ottawa, la députée Pauline Jewett, du NPD, a demandé au premier ministre Trudeau ce qu'il en était au juste des droits des femmes, compte tenu des nouveaux amendements sur lesquels le fédéral et les provinces (à l'exception du Québec évidemment) venaient de s'entendre.

«La réponse du premier ministre, racontait alors notre confrère, a été révélatrice. Dans son empressement à signer l'entente, il a négligé de vérifier le sort réservé aux femmes par ses partenaires anglophones. «J'ai accepté les conditions des sept premiers ministres, de déclarer M. Trudeau (en réponse à Mme Jewett), ils proposaient certaines suppressions, dont l'une visait les droits des autochtones. L'autre article dont vous parlez (celui concernant l'égalité entre les sexes) en faisait peut-être partie. Je n'en suis pas certain. Je vais vérifier...»

«Lundi, poursuit le journaliste, le premier ministre est revenu devant les Communes pour admettre la faute: «Les fonctionnaires, de dire M. Trudeau, se sont réunis jeudi et vendredi, et à ce que je crois savoir, il résulte de cette réunion que l'article en question (sur les femmes) serait soumis à la clause nonobstant.»

On sait que la clause «nonobstant» — laquelle fut, depuis, amendée à son tour — permettait aux parlements provinciaux d'échapper à la charte des droits, et, dans ce cas précis, d'adopter des lois discriminatoires envers les femmes.

Le même troc s'était produit à propos des autochtones... mais les droits des autochtones semblaient malgré tout plus importants (ou moins inimportants) que ceux des femmes, car dans ce cas M. Trudeau et ses collègues se souvenaient au moins de les avoir sacrifiés. Les femmes en somme, pesaient encore moins lourd que les Inuit et les Amérindiens... ce qui n'est pas peu dire, dans ces cercles exclusivement masculins où fut décidé, en quelques nuits enfumées, du sort de tout un pays.

Rarement aura-t-on vu attitude plus méprisante que cette indifférence absolue: si peu importantes, les femmes, qu'on pouvait ainsi brader leurs droits sans même s'en rendre compte, alors que dans ce genre de négociation, pourtant, les politiciens et leurs conseillers vérifient chaque virgule et la portée de chaque terme!

*   *

*

L'événement a toutefois eu un bon côté. Il a déclenché un mouvement de pression sans équivalent dans l'histoire récente du Canada. Sous l'impulsion d'un petit noyau de femmes de Toronto et d'Ottawa, et avec l'appui de la poignée de femmes-députées aux Communes, de longues «chaînes de téléphones et de lettres» se sont formées pour tenter d'influencer les législatures provinciales qui avaient voulu échapper à l'imposition du principe d'égalité entre les sexes. Tant Flora MacDonald (conservatrice) que Margaret Mitchell (néo-démocrate) et Judy Erola (libérale, ministre de la condition féminine), mirent leurs bureaux à la disposition de ce comité ad hoc... et se servirent de leurs contacts personnels au besoin. Ainsi, Mme MacDonald téléphona au premier ministre conservateur de Nouvelle-Écosse; puis Stephen Lewis, ex-leader du NPD ontarien, fit pression sur le premier ministre Blakeney de la Saskatchewan et d'autres femmes persuadèrent l'éminent sénateur Eugene Forsey de joindre sa voix aux leurs, etc.

Et la réponse des femmes ordinaires fut intense: par un seul article, la journaliste torontoise Michele Landsberg réussit à obtenir 4 000$ pour aider au financement de l'opération de *lobbying*, à raison de 400 contributions de 10$ chacune!

Par définition, les politiciens sont sensibles aux pressions de l'électorat... et les femmes en constituent un peu plus de la moitié. Le dernier politicien à céder, M. Blakeney, accepta de rouvrir les accords d'Ottawa pour y ramener dans son intégrité le principe de l'égalité des sexes... mais il le fit sans élégance, c'est le moins qu'on puisse dire: d'accord, dit-il, à condition que l'on restaure aussi les droits des autochtones. Voilà qui montrait que pour M. Blakeney, les droits des femmes en eux-mêmes n'avaient pas assez d'importance pour justifier à eux-seuls la réouverture du texte. Dix-neuf jours donc après l'accord d'Ottawa, la portée de la clause «nonobstant» fut réduite d'un commun accord... mais le tout reste sujet à la plus grande confusion, à cause d'autres dispositions qui, apparemment pour ne pas trop «bousculer» les coutumes établies, suspendent pour une période de trois ans l'application du principe de l'égalité des sexes (comme d'ailleurs celui qui interdit la discrimination selon l'âge et la race.)

* *
*

Chose certaine, cette question restera longtemps entre les mains des juristes... sans qu'on puisse encore savoir exactement si cela apportera de réelles améliorations à la condition des femmes.

Le problème en effet c'est que ce sont les tribunaux qui interpréteront la charte et en définiront, par le processus de la jurisprudence, la portée concrète. Or, cela peut donner le meilleur et le pire comme on le voit aux États-Unis, où l'interprétation de la constitution va tour à tour dans le sens du progrès social ou du conservatisme, tout dépendant de l'idéologie des juges qui forment la Cour suprême.

Depuis l'arrivée au pouvoir de Reagan, porté par la *Moral Majority* qui veut effacer tous les acquis des minorités, qu'il s'agisse des Noirs ou des femmes, la composition de la Cour suprême américaine est en train de changer, et de s'orienter vers la droite.

Tel est en effet le grand risque des constitutions où sont figés des principes dont le sens et la portée réelle sont définis par des juges. Ces derniers non seulement ne sont pas infaillibles, mais leur formation les porte en outre souvent à aller dans le sens du conservatisme et des préjugés des classes dominantes. Il reste toutefois que l'exemple américain montre que dans certaines circonstances, et dans les meilleurs des cas, les droits individuels et ceux des minorités peuvent être mieux garantis par l'État fédéral, qui est un palier de pouvoir plus élevé, moins soumis aux pressions des petits establishments locaux et des groupes réactionnaires dont l'influence, dans certains domaines à connotations morales, peut être inversement proportionnelle à la largeur du bassin dans laquelle elle s'exerce. Exemple typique: les droits des Noirs, qui doivent leur avancement à l'action de l'État fédéral en dépit de l'opposition farouche des États du sud à tradition raciste.

17 avril 1982

LA REINE
S'EN VIENT

Quel métier exaltant que le journalisme! Un voyage n'attend pas l'autre, nous sommes toujours prêts à larguer les amarres vers des horizons lointains, vers les contrées les plus exotiques, les peuplades les plus mystérieuses et les événements les plus spectaculaires... Tenez, la semaine dernière encore j'étais dans l'autobus Voyageur sur l'autoroute 20 en route vers le sommet économique de Québec, regardant défiler le paysage fascinant de la grande plaine de Drummondville. Et cette semaine, je m'en vais à Ottawa! Peut-on rêver d'une vie plus excitante? (Sérieusement, j'aurais bien dû m'en tenir à ma première idée, qui était de devenir hôtesse de l'air. Mes voyages auraient des destinations un peu plus imprévues!)

Qu'est-ce donc qui me pousse à Ottawa? Essentiellement c'est mon patron. Il n'y a que des patrons pour avoir des idées pareilles.

— Qu'est-ce que tu dirais d'aller voir la reine à Ottawa?, me demande-t-il à brûle-pourpoint, comptant astucieusement sur l'effet de surprise pour arracher mon consentement.

— La reine? Ah! mon Dieu, j'avais oublié!

Hé! oui, j'avais oublié que c'est cette semaine que s'achève en grande pompe le rapatriement de la constitution.

L'heure est grave et solennelle: au moment même où je vous parle, la reine est en train de faire ses valises et d'y placer, entre ses voilettes et ses jupons, avec mille précautions pour ne pas la froisser, notre constitution! Rappel historique: vous savez que la constitution était à Londres, au fond d'un vieux placard, et que le parlement britannique, excédé de recevoir à tout moment l'écho de nos chicanes fédérales-provinciales et interprovinciales, a décidé comme ils disent là-bas de nous la «shipper», à jamais et pour toujours, ce qui dans leur langage veut dire à peu près ceci: «Tes bébelles, pis dans ta cour», et ce que notre Pierre Trudeau national traduit plus romantiquement par «la rupture du dernier lien colonial».

Donc, je m'en vais la voir. Lévesque n'y va pas, ni Ryan, il faut bien que quelqu'un se dévoue: ce sera moi…

Tout au long du week-end de Pâques, pour me préparer à cette nouvelle mission, j'ai donc réfléchi sur la reine. J'ai réfléchi ardument, ardemment, sans répit, et figurez-vous que ça ne donne rien, rien du tout, pas l'ombre d'une idée, d'une pensée, d'une inspiration. Je n'arrive pas à me représenter autre chose qu'un visage lisse, impénétrable, imperméable, où rien, ni l'ennui, ni la colère, ni le plaisir, ni la vie, n'a laissé la moindre trace.

J'ai même demandé conseil à droite et à gauche, dans ma famille, à mes amis: «Qu'est-ce que vous écririez, vous autres, sur la reine?»... et je n'ai récolté, pour toute réponse, que des regards vides, indifférents. En substance, mes personnes-ressources m'ont dit ceci: «Ben... La reine... Euh... Qu'elle vienne, qu'elle vienne pas, franchement...»

Pour tout avouer, la seule idée qui me vienne à l'esprit à propos de la reine, c'est que si j'étais à sa place, si j'avais autant d'argent qu'elle et surtout autant d'occasions de sortir dans le grand monde, eh bien! je m'habillerais autrement. C'est seulement à ce niveau, celui de la mode, que le personnage de la reine provoque une réaction chez moi. Je me suis toujours demandé pourquoi elle tenait à s'habiller aussi curieusement... Mais, comme dirait le professeur Gérald Beaudoin, grand constitutionnaliste devant l'Éternel, que voilà un niveau de préoccupation mondain et superficiel, compte tenu de la gravité des événements!

L'heure est grave, c'est vrai, mais le monde ne veut pas le savoir. «Que pensez-vous du rapatriement de la constitution?», ai-je demandé, durant le week-end, à un échantillon non représentatif de citoyens. «Et toi, me fut-il répondu, qu'est-ce que tu penses de la guerre des Malouines?»

Ce sondage maison a donné les résultats suivants: les répondants étaient bien informés, et ils étaient contre. Contre tout. Contre l'opération fédérale au grand complet et contre la riposte provinciale, contre les cérémonies d'Ottawa et contre la marche de protestation du PQ, contre Trudeau et contre Lévesque, et ils m'ont fait savoir poliment qu'ils en avaient jusque-là de ce sujet de conversation.

La seule personne qui m'a écoutée discourir sur le sujet sans protester, c'est ma nièce qui, en raison de son âge (cinq ans et demi), est un peu plus impressionnable.

— Viens ici ma chérie, je vais te raconter une belle histoire sur la constitution.

— La con-quoi?

— Une fois on avait le droit de veto. On se lève un beau matin... Oups, plus de droit de veto! On cherche, on cherche partout: où est-ce qu'on l'a mis, le droit de veto?

— Le quoi? Le vélo?

— Veto, chou. Ve-to, comme toto. Donc on cherche le droit de veto, dans l'armoire à balais, dans le frigo, dans la commode, sous le tapis... Disparu, envolé, le droit de veto! Mais tout à coup on se dit: peut-être qu'on l'a jamais eu, le droit de veto? Alors on va demander à des messieurs très sérieux, des juges que ça s'appelle, si on l'a eu ou non et donc si on l'a vraiment perdu...

— Hé! Lysiane, elle tient pas debout ton histoire, j'aime mieux l'histoire de Patapouf.

Même ma nièce ne m'écoute plus. Je n'ai plus que vous, chers lecteurs, à qui parler. Je vous écrirai d'Ottawa. Pour l'instant, je réfléchis sur ma valise: qu'est-ce que j'emporte? Comment s'habiller quand on va voir la reine?... En tulle? En organdi? En crêpe de Chine? Il va falloir que mon patron me fournisse une garde-robe s'il veut que je me spécialise dans les visites royales.

13 avril 1982

GOD SAVE
THEIR QUEEN

OTTAWA — Vue de près, la reine Elisabeth ressemble à n'importe quelle femme ordinaire que vous ne remarqueriez pas si vous la croisiez dans la rue, mais elle est beaucoup plus jolie que sur ses photos. Elle a un profil assez délicat, un gentil sourire réservé et le visage recouvert d'une peau très blanche, très délicate, sillonnée par toutes sortes de rides minuscules, qui l'humanisent.

Quand vous lui serrez la main, vous ne sentez rien, rien de froid, rien de chaud, rien de moite, rien du tout. Une légère pression, c'est tout, mais là s'arrête le contact, car la reine porte des gants. On la comprend, la pauvre, avec toutes ces mains qu'elle doit serrer à longueur de journée.

Elle recevait hier, pour un cocktail à la résidence du gouverneur général, les journalistes qui «couvrent» sa visite à Ottawa. Elle dut donc serrer quelque deux cents mains et se promener ensuite d'un groupe à l'autre en faisant semblant de s'intéresser aux gens que son écuyer lui présentait. Pauvre dame. C'est pas une vie bien rose. Mais elle a été élevée pour ça, alors elle le fait bien, avec politesse et sobriété, et dirait-on, comme si elle était à jamais, et depuis sa toute petite enfance, résignée au sort étrange qui est le sien: incarner le pouvoir sans jamais l'exercer, avoir en principe tous les droits — y compris celui de bloquer les lois ou de dissoudre le Parlement — mais n'en utiliser aucun, et s'abstenir en tout temps de parler de politique même si elle occupe le poste le plus élevé dans la hiérarchie politique de son pays.

Elle est partout, sur chaque timbre, sur chaque pièce de monnaie, mais elle n'est au fond nulle part, elle n'a pas droit de parole, c'est comme si elle n'existait pas. Comment s'étonner qu'elle ait l'air si effacé, et qu'elle porte sur le visage un air d'immense fatigue? C'est cela qui m'a le plus frappée quand je lui ai serré la main, hier, dans la longue file que formaient les journalistes: la fatigue contenue qui imprégnait son visage, et ces petites rides fines, horizontales, bien rangées, sur ce front si blanc.

Pour la réception, elle était habillée correctement mais sans élégance, *without flair* comme disent les Anglais. Une robe de lainage rose à rayures, un collier de perles, une broche de diamants, un sac en cuir verni noir et des chaussures très «mémère», en cuir noir aussi.

La reine circule d'un groupe à l'autre, parlant en français ou en anglais… Je me rends compte avec stupeur qu'il y a parmi les journalistes anglophones un certain nombre de gens — une minorité toutefois — qui semblent vraiment impressionnés, émus, de se trouver à proximité de la reine. Les francophones n'ont pas cette réaction. On la trouve plutôt sympathique, et la pauvre d'ailleurs n'est vraiment responsable de rien de ce qui va mal au Canada, mais on ne ressent pas d'émotion particulière, ni pour, ni contre.

Notre confrère Claude Papineau, de la Presse canadienne, se risque à lui demander ce qu'elle pense du fait que le Québec n'est pas partie à l'entente. Elle répond en substance que cela est triste mais qu'elle espère qu'au bout du compte l'ensemble du Canada y trouvera son compte... Réponse diplomatique, correcte, non compromettante et parfaitement neutre, mais ce disant, la reine s'est avancée en terrain politique beaucoup plus loin qu'elle ne le fait généralement. (En principe, tout ce qui se dit dans une réception du genre est *off the record*, mais avec une telle concentration de journalistes, la règle s'assouplit drôlement, et en début de soirée, le consensus parmi eux semblait être que l'important est de ne pas citer directement.)

* *
*

Comment c'est, chez le gouverneur général? Eh bien, c'est, dans un grand parc, une grande maison grise, d'architecture indécise, sans charme évident. D'immenses pièces en enfilade, un décor convenu, des cadres austères au mur, deux grands Lemieux (un portrait de l'ex-gouverneur Jules Léger et de sa femme, et un autre de la reine et du prince Philip: ce n'est pas vraiment de la peinture officielle parce que c'est du Lemieux, mais ce n'est pas vraiment du Lemieux parce que c'est de la peinture officielle. Étrange impression. Désagréable.) Autre détail surprenant: il y a dans chaque pièce, au-dessus des portes, des signes lumineux «exit-sortie»... comme au cinéma ou dans un centre commercial! Il y a des poteaux de métal avec des cordons, pour orienter les invités... On n'a vraiment pas l'impression d'être entrés dans l'intimité d'un foyer!

Cinzano et petits fours... Un cocktail comme beaucoup d'autres, à cette différence près que presque tous les invités sont des journalistes qui disent tous à peu près la même chose, soit que c'est une journée sans nouvelle, sans événement, bref une petite journée super-tranquille au terme de laquelle on n'aura pas grand-chose à raconter... sinon que le printemps est arrivé dans toute sa gloire, si beau et si chaud qu'il risque d'éclipser dans le cœur des gens, même ici dans «l'autre capitale», la cérémonie du rapatriement de la constitution.

16 avril 1982

LE SECRET
DE FATIMA

OTTAWA — Grosse nouvelle! J'ai découvert le secret de Fatima!

Vous vous rappelez, lorsque la Vierge, apparue à la petite Lucie, a laissé tomber sans autre explication les mots suivants: «Pauvre Canada». Nous avons tous appris cela à la petite école, nous avons tous, étant enfants, longuement réfléchi sur la signification de ces mots mystérieux, l'explication la plus communément répandue parmi nos institutrices étant que la Sainte-Vierge pleurait sur le Canada parce que nous, les petits enfants canadiens, n'étions pas assez obéissants ni assez pieux.

Eh bien! aujourd'hui, de la capitale canadienne où j'ai l'honneur d'assister aux cérémonies officielles de proclamation de la fameuse constitution de Monsieur Trudeau, je suis en mesure de vous révéler le vrai sens du message marial: c'est en pensant à ce qui s'en venait aujourd'hui, ce 17 avril 1982, que la Vierge s'est apitoyée sur le sort du Canada, apitoiement où perçait toutefois un soupçon de moquerie, comme quand on dit «pauvre toi!» à un ami qui se prépare à faire une gaffe, avec un petit sourire amusé, en hochant la tête et haussant les épaules.

Pauvre Canada, en effet... Tous ces trocs et tous ces marchandages qui ont duré des mois, et abouti à une caricature de constitution, à un document rapiécé encore rempli de mille ambiguïtés qui nous mettent tous à la merci d'une poignée de juges échappant totalement au contrôle des citoyens, tous ces trocs qui ont plus que jamais auparavant isolé le Québec du Canada anglais, un Canada pas plus uni qu'auparavant, plus divisé même que jamais entre ses deux peuples fondateurs, et le Québec, seul foyer des francophones en Amérique, qui se trouve hors du coup, exclu, humilié...

Pauvre Canada, qui doit en outre, pour fêter ce que M. Trudeau appelle «la rupture du dernier lien colonial avec la Grande-Bretagne», faire appel à la reine d'un pays étranger pour présider des cérémonies qui, sans elle, auraient manqué d'apparat, car en réalité qu'y a-t-il à fêter, même au sein du Canada anglais où nombreux sont ceux qui répugnent à voir ce gaspillage des fonds publics à l'heure où tant de gens souffrent de la crise économique?

Et tout cela, pourquoi? Pour la satisfaction d'une ou deux idées fixes d'un premier ministre, idées fixes dont l'une est insignifiante, et l'autre, généreuse mais irréaliste.

* *
*

M. Trudeau tenait mordicus à rapatrier la constitution... Geste purement symbolique, sans portée concrète, donc insignifiant. Il tenait aussi — rêve généreux mais probablement voué à l'échec dans la réalité — à assurer aux francophones des garanties culturelles à travers l'ensemble du Canada, plus précisément la possibilité de faire instruire leurs enfants en français, puisque, comme le signalait son lieutenant Jean Chrétien l'automne dernier, c'est seulement là où il y a eu des écoles françaises que les minorités ont pu résister à l'assimilation.

Ce rêve de «redonner» le Canada aux francophones est si ancré chez M. Trudeau qu'il a refusé jusqu'à la fin d'assujettir les droits linguistiques de son projet de charte à la clause «nonobstant» même s'il était prêt, pour arracher l'accord d'une majorité de provinces, à permettre que les droits individuels, auxquels il tenait pourtant si fermement, puissent être contredits par des législations provinciales.

Ainsi se découvre l'une des composantes secrètes de cet homme qui dit abhorrer le nationalisme, mais qui l'est pourtant farouchement, à la façon d'Henri Bourassa, dans le sillage du nationalisme canadien-français traditionnel. C'est ce nationalisme-là, axé sur l'affirmation des francophones à travers le Canada tout entier, qui est entré en collision violente avec l'autre nationalisme, celui de René Lévesque et du PQ, axé celui-là sur le renforcement, jusqu'à l'autonomie absolue, du seul État que les francophones sont et seront jamais en mesure de contrôler du simple fait de leur poids démographique.

*   *
*

Le conflit entre ces deux nationalismes, l'un s'exprimant en territoire canadien, l'autre en territoire québécois, mais chacun fondé sur un puissant attachement au peuple qui en est l'objet, n'est ni résolu ni même achevé, et il y aura encore bien d'autres collisions, car le peuple qui est souverain n'a pas tranché et tout indique qu'il ne veut pas trancher, préférant comme toute minorité qui a conscience de sa propre fragilité, jouer sur les deux tableaux et instituer, de référendum en élection et d'une élection à l'autre, de subtils systèmes de contre-poids.

Mais avec cette opération fédérale, la vraie nature du conflit entre ces deux nationalismes ressort plus crûment que jamais. Pour promouvoir la francophonie à travers le Canada, il faut forcer les provinces anglaises à accepter des mesures de bilinguisme, donc subordonner les législatures provinciales à la charte des droits; en toute logique, l'opération doit être symétrique, elle touche donc aussi, du même coup, la législature québécoise.

C'est ainsi qu'en voulant aider les francophones partout au Canada, M. Trudeau a diminué les pouvoirs du seul État francophone au Canada... ce qui risque d'affaiblir non seulement les Québécois mais aussi les minorités françaises, qui n'ont vraiment survécu qu'en Acadie et en Ontario, c'est-à-dire à proximité du Québec. Affaiblir le Québec, c'est diminuer par le fait même sa capacité de rayonnement, qui constitue pour les minorités une source culturelle irremplaçable.

Quel gâchis! Pauvre Canada, mais pauvres Canadiens français surtout, grands perdants d'un match féroce animé exclusivement par d'autres Canadiens français (car, toute cette opération n'a été menée que par des francophones divisés entre eux).

Vu d'Ottawa en ce jour, comme le Québec paraît loin, isolé et sans recours devant cette constitution... La solitude, dit-on, comporte en général au moins l'avantage de la liberté. Pauvre Québec, qui se retrouve seul, en situation si totalement ambiguë, rejeté sur le perron d'une maison où il a encore sa chambre mais où il n'a plus ses aises, et sans pouvoir par ailleurs se bâtir une autre maison... Pauvre Québec, seul et même pas libre.

17 avril 1982

ON A RATÉ LE BATEAU

Montréal, retour d'Ottawa... J'ai fait comme le Québec, j'ai raté le bateau. Raté le bateau d'un bord et de l'autre, à

179

Ottawa et à Québec, et perdu sur les deux tableaux. Raté d'abord la cérémonie de proclamation de la constitution et raté ensuite la manifestation du Parti québécois!

Samedi matin, j'ai raté le car qui amenait les journalistes sur la colline parlementaire, où devait se dérouler la proclamation royale. Et à pied, seule dans la cohue, butant sur les poussettes et les chaises roulantes, je n'ai pas été capable de me frayer un chemin vers une percée quelconque par où rejoindre mes confrères, car il y avait trop de monde et pas de brèche par où passer. Comme l'heure avançait, plutôt que de tout rater, je suis retournée dans l'édifice de la presse, pour suivre, comme vous sans doute, cher lecteur, l'affaire à la télé. J'ai au moins été épargnée par la pluie qui — signe que Dieu n'a pas totalement oublié le Québec dissident — s'est abattue sur la foule au moment même où la constitution de monsieur Trudeau prenait force de loi... En revanche, dans la salle climatisée où je me trouvais, j'ai attrapé un solide mal de gorge.

*   *

*

Sentiments contradictoires... J'hésitais entre le tragique et le comique, entre la colère et le cynisme, mais en cherchant bien au fond de moi, je m'apercevais qu'il n'y avait, par rapport à ce sujet précis, presque plus rien du tout, presque plus de colère, presque plus d'indignation, rien qui ressemblât à quelque émotion vraiment intense.

Je n'avais pas non plus, tout compte fait, tellement envie de rire ni de me moquer du monde. Je regardais les Canadiens anglais applaudir à la Reine, ce symbole de leur propre histoire, brandir joyeusement leurs petits drapeaux unifoliés, et au lieu d'avoir envie de m'en moquer ou de leur en vouloir, j'étais plutôt portée à les envier.

Je les trouvais chanceux d'avoir un pays réel et bien identifié, recouvrant un territoire non ambigu. Où était donc mon pays à moi?... Un pied dans le Canada, divisée, déchirée, exclue comme Québécoise du *new deal* canadien, mais incapable de m'identifier exclusivement au Québec puisque le Québec fait partie du Canada. J'étais inexistante, de nulle part, vaguement apatride mais sans toutefois prendre cela trop au tragique, c'était plutôt de la tristesse, une sorte de lassitude. À la télé samedi soir, je regardais le visage brisé de René Lévesque parlant à ses troupes, et c'était notre reflet, celui d'un peuple impuissant, malgré les bravades qui au fond ne trompent personne.

Pourtant — et c'est l'un des paradoxes de cette histoire, c'est précisément ce qui la rend si complexe et troublante — les Québécois francophones n'étaient pas absents de cette cérémonie. Ils étaient même, la reine et le secrétaire d'État Gerald Reagan mis à part, les seules vedettes de l'événement: M. Trudeau d'abord, qui a pris soin de parler d'abord en français, s'adressant, par-dessus la tête de leur gouvernement, aux Québécois francophones. (Quelle colère contenue transparaissait encore chez lui, lorsqu'il a évoqué le boycottage du gouvernement Lévesque... Comme si l'homme en restait encore, même en son jour de gloire, à jamais ulcéré!)

M. Trudeau donc, et MM. Chrétien et Ouellet, et cette jeune femme sous-ministre au Secrétariat d'État, Huguette Labelle, qui a lu avec beaucoup d'aplomb, dans les deux langues, le texte de la proclamation royale... J'ai remarqué qu'elle était si pressée de passer à la version française qu'elle n'a pas fait de pause pour laisser à l'assistance le temps d'applaudir. Il me semblait qu'elle aussi voulait nous dire: vous êtes ici, Québécois francophones, par ma voix, et je vais à l'instant parler notre langue, haut et fort...

Parfaite illustration du French Power, illustration très certainement planifiée. Voyez, voulait nous dire Trudeau, à quel point les francophones peuvent, s'ils le veulent, faire leur chemin partout au Canada...

Mais en écoutant Gerald Reagan buter sur son français

cahoteux, on se retrouvait à l'époque de John Diefenbaker, et aussi projetés dans l'avenir. Car une fois Trudeau parti, le French Power s'évanouira doucement et le pouvoir fédéral, retrouvant sa vraie nature, redeviendra, comme c'est normal, à l'image de la majorité canadienne, c'est-à-dire anglophone. On nous fera parfois l'honneur d'une traduction.

La cérémonie terminée, j'ai marché jusqu'à mon hôtel, sous une petite bruine bien britannique. Dans le mail Sparks, les gens se dispersaient, au son d'un concert improvisé par deux joueurs de cornemuse. La cornemuse!

Un grand jour pour le Canada, oh oui... Mais nous, les fils et les filles de ceux qui y ont fondé la première colonie, nous n'étions pas là.

Absence évidente, flagrante, scandaleuse! Au gala du Centre national des Arts, vendredi soir, il n'y avait personne pour représenter cette culture française d'Amérique dont on a si souvent dit qu'elle est la plus vivante, la plus inspirée de tout le Canada. On s'est rabattu sur des sous-produits, Diane Juster, Angèle Arsenault...

À la remise des trophées du duc d'Edimbourg aux jeunes sportifs, pas de Québécois francophones non plus, sauf une qui n'avait plus de français que le nom.

Et au dîner d'apparat qui allait suivre, où quelques dizaines de *Canadian Achievers*, des gens qui ont «réussi» quelque chose, partagèrent le banquet de la reine et du premier ministre, qui donc représentait le Québec français? Sauf quelques brillantes exceptions, comme Lucie Pépin du Conseil sur la situation de la femme ou Marie-Josée Drouin de l'Institut Hudson, il n'y avait là que d'obscurs partisans libéraux ou des non-francophones.

Vision fugitive, du haut du balcon où la presse fut invitée deux minutes à observer cet aréopage attablé devant le dessert... À chaque table, il y avait au moins un jeune, un vieux, une femme et un handicapé. Ah oui, les minorités, les droits individuels, c'était donc ça l'idée?

* *
*

Comme vous voyez, je ne suis pas en trop grande forme, et j'oscille pour l'instant entre un vague dégoût, un reste de colère, la dérision ou bien l'indifférence, et le désir de changer de sujet, de penser à autre chose. Ça doit être mon mal de gorge, qui est d'ailleurs en train de se transformer en grippe, merci Ottawa!

19 avril 1982

EXIT

Où l'on voit se multiplier les départs: Claude Ryan, Claude Charron, Joe Clark... Et Pierre Trudeau, c'est pour quand? Mais un nouveau joueur entre en scène: Brian Mulroney.

LA GREFFE
ET LE REJET

L'aventure de M. Claude Ryan à la tête des libéraux du Québec tire à sa fin. À moins de revirements inattendus au sein de ce parti, la seule victoire que M. Ryan pourrait obtenir sera d'y rester jusqu'au congrès de l'automne.

Devant ce spectacle peu courant d'un chef de plus en plus honni par ses troupes, et qu'aucune faveur dans l'opinion publique ne vient consoler, la plupart des observateurs sont en train de développer à l'endroit de M. Ryan un réflexe de sympathie ou de protection: on ne frappe pas, comme on dit, «un homme à terre». Même les péquistes s'abstiennent de l'attaquer trop violemment, à la fois par décence et sans doute aussi parce qu'ils ont, électoralement parlant, tout intérêt à ce que M. Ryan reste à la tête du PLQ!

M. Ryan a beau dire qu'il est normal qu'un chef de parti soit critiqué l'année suivant une défaite électorale, il n'y a aucune commune mesure entre la grogne qui resurgit de temps à autre au sein du PQ contre M. Lévesque et le processus de rejet qui agite actuellement les libéraux. Tout se passe en effet comme si ce parti, tel un organisme vivant, rejetait ce chef qu'on lui a greffé artificiellement il y a quatre ans.

La greffe n'a pas pris… mais elle n'aurait pris sur aucun parti, pour la simple raison que M. Ryan n'est pas fait pour être chef de parti. Il se trouverait tout aussi critiqué s'il était à la tête du PQ, du PC ou du NPD, car il ne s'agit pas tant ici d'une question d'idéologie que de personnalité.

La seule fonction qui, dans un cabinet de premier ministre, conviendrait à cet excellent analyste, ce n'est pas le poste de premier ministre, mais celui de conseiller très spécial capable de débroussailler des dossiers complexes, d'en sortir les lignes de force et de proposer pour tel ou tel problème diverses solutions et l'argumentation pour les étayer.

Peut-être par sympathie envers l'homme qui se trouve placé dans la situation humiliante de s'accrocher à un poste dont presque tout le monde autour de lui veut l'expulser, on a souvent tendance ces temps-ci à suggérer une explication manichéenne à propos des malheurs de M. Ryan. Ce dernier incarnerait la pureté, l'intégrité et les vertus de l'Esprit, autant d'éléments que rejetteraient des libéraux encore corrompus, assoiffés de pouvoir et intellectuellement sous-développés.

Mais cette interprétation, que M. Ryan s'empresse évidemment de faire sienne, est sans fondement. Ce n'est pas l'activité strictement intellectuelle de M. Ryan qu'on rejette, ni ses principes moraux, c'est l'homme et sa façon d'agir et de réagir. Il suffit de voir, pour le comprendre, comment M. Ryan a dirigé son parti, à partir de la première mesquinerie à l'endroit de son adversaire à la course au leadership (qu'il a grossièrement ignoré dans son discours d'investiture… ce qui annonçait cette autre mesquinerie spectaculaire le soir du référendum, quand il a piétiné hargneusement ses adversaires vaincus), jusqu'à sa façon actuelle de se poser comme l'unique dépositaire de la Vérité et de la Conscience au sein du parti, comme si ceux qui s'y trouvaient avant lui ne comptaient pour rien du tout.

Même aujourd'hui, M. Ryan est si convaincu d'avoir raison, dût-il être seul contre tous, qu'il interprète comme un appui actif l'attitude réservée de ceux qui ne lui disent pas ouvertement, en noir sur blanc, qu'il doit partir. «On a l'impression d'être hypocrite pour peu qu'on soit simplement poli», nous disait à ce sujet un député libéral de la nouvelle vague, lui-même un intellectuel, qui n'a pas la moindre raison personnelle d'en vouloir à son chef mais qui, comme la presque totalité de la députation libérale, souhaite son départ.

Cette inaptitude à interpréter les comportements de son entourage, ce manque de sensibilité aux rapports humains, est une faille importante chez un chef politique, car la condition première de la survie, pour un leader, c'est d'inspirer un minimum d'attachement à une majorité de ses collaborateurs.

Au strict niveau des prises de position, l'intelligence — ou plus précisément le type d'intelligence — de M. Ryan le dessert aussi. Un chef politique efficace n'a pas besoin d'avoir une pensée trop subtile ni d'aller dans tous les détails. Il doit plutôt s'entourer de conseillers capables d'exercer ce genre de réflexion, et savoir tirer profit de leurs avis.

M. Ryan au contraire répugne à la délégation de pouvoirs, a fait fuir tous les hommes de sa génération qui auraient pu lui porter ombrage (l'économiste André Raynault et l'ex-ministre Claude Forget notamment), et s'institue lui-même son propre conseiller et son unique juge... refusant, avec un rigorisme et une rigidité absolument impossibles à concilier avec l'action politique, qui demande tout de même un minimum de souplesse, de faire à qui que ce soit, y compris à l'opinion publique, la moindre concession.

D'où ces prises de position qui feraient d'excellents éditoriaux mais qui, dans la bouche d'un chef politique, perdent tout impact. Les exemples abondent. Qu'il s'agisse du conflit de la CTCUM l'hiver dernier (où M. Ryan, au lieu de s'aligner sur la population, a préféré jouer un rôle de médiateur), du bill 46 sur la réforme de la CTCUM (dont les opposants ne peuvent même pas compter sur l'opposition officielle pour les défendre, puisque M. Ryan se range du côté gouvernemental!), de la question du droit de grève dans les services de santé (un dossier que M. Ryan a toujours été porté à envisager, comme le PQ, d'une manière technocratique), ou encore de la question du Labrador (où M. Ryan prend, sans crier gare, une position cérébrale, juridiquement rigoureuse mais politiquement inepte), ou qu'il s'agisse enfin de la restructuration scolaire (un dossier sur lequel M. Ryan a déjà beaucoup écrit et sur lequel il est aujourd'hui étrangement muet!), on n'arrive jamais à saisir ce qui, exactement, changerait si les libéraux arrivaient au pouvoir.

Il y a dans ce leadership quelque chose de fluctuant, de fluide, d'autoritaire et d'insaisissable à la fois, qui n'est peut-être au fond que le caractère mouvant d'une activité intellectuelle exercée par un seul homme, par un homme seul...

8 juin 1982

LE DÉPART
DE RYAN

M. Ryan exerçait naguère des fonctions qui lui allaient comme un gant: éditorialiste et patron d'une entreprise petite mais prestigieuse, il avait tous les avantages du pouvoir sans ses inconvénients.

Le directeur du *Devoir* devient dès sa nomination l'actionnaire majoritaire du journal et peut à toutes fins utiles le rester aussi longtemps qu'il le veut. Maître après Dieu, n'ayant jamais à affronter quelque verdict électoral que ce soit ni à se soumettre à des concours de popularité, n'ayant de compromis à faire qu'à l'occasion des négociations avec deux syndicats tous les trois ans, M. Ryan pouvait en outre influencer tous les politiciens du Canada tout entier, et d'ailleurs il ne s'en privait pas, les faisant même venir, pour les conseiller, à son propre bureau.

C'est le vendredi qui était habituellement jour de «confesse», comme on disait au journal.

Quittant ce poste exceptionnel, M. Ryan s'est lancé dans la carrière qui, entre toutes, lui convenait le moins, soit la politique active. L'en voici éjecté, et sur le coup on est tenté de s'apitoyer, tant les derniers épisodes de son aventure politique ont paru humiliants, pour un homme d'une telle valeur.

Et en effet les médias se sont répandus en éloges presque funèbres! En parcourant les journaux d'hier, on avait l'impression de voir Claude Ryan élevé au rang de martyr. On le décrit comme une victime du «grenouillage» de ses députés, victime de son «attachement» au Québec, victime des Anglais, de Trudeau, et en filigrane, ressort la sempiternelle théorie du complot. Ce n'est pas du tout ma réaction, et je trouve malvenue l'idée de commencer tout de suite à ériger une statue à M. Ryan, d'autant moins d'ailleurs que je le soupçonne de dire la vérité lorsqu'il affirme réagir à sa démission forcée avec sérénité et soulagement.

Les députés libéraux ne sont pas différents des autres: ils reflètent plus ou moins fidèlement les sentiments de leurs associations de comtés, dont ils dépendent d'ailleurs pour leur investiture. Or, en souhaitant presque unanimement le départ de leur chef, les députés traduisaient les sentiments de leur base, la preuve en étant qu'il n'y a pas eu le moindre mouvement populaire visant à convaincre M. Ryan de rester. La théorie de la «clique» ou du complot ne résiste pas à cela, à moins qu'on ne prétende que 80 000 personnes peuvent constituer une clique de magouilleurs et de traîtres à la patrie...

M. Ryan s'est retiré du tableau avec grâce et dignité. Mais, tout compte fait, il aura été traité avec plus d'égards qu'il n'en a manifestés à ses propres adversaires lorsqu'ils étaient à terre.

Ce qu'on appelle «le sens politique» est fait pour une bonne part d'intuition, d'empathie, de générosité, de capacité d'écoute et de chaleur humaine, et la sensibilité politique n'est pas si différente de la sensibilité tout court. Comme homme public, M. Ryan voulait au contraire «ne rien devoir à personne» (ce qui est une façon d'éloigner les autres), refusait de déléguer ses pouvoirs (attitude autocratique, possible dans une petite entreprise mais impraticable à la tête d'un gros parti), et écartait tout ce qui n'entrait pas dans sa propre conception abstraite et désincarnée de la vie publique, y compris la prise en charge des besoins fluides et viscéraux de l'électorat. (Mais cela, M. Ryan s'imagine que c'est de la démagogie!)

C'est, en bonne partie du moins, pour avoir systématiquement ignoré, voire méprisé, la dimension émotionnelle de la vie politique, que M. Ryan s'en trouve maintenant éjecté.

Cela ne lui enlève aucunement ses qualités et mérites, qui sont, comme tous le savent, considérables. Le reste se résume à de vieux clichés: «*The right man in the right place*», ou «À chacun son métier». Quel que soit le tournant que prendra sa carrière, il faut espérer, pour lui et pour nous, que M. Ryan retrouve cette relative solitude qui est le seul lieu où peuvent œuvrer à leur aise les intellectuels authentiques.

12 août 1982

LE DÉPART
DE CHARRON

Quelle triste assemblée que celle de lundi dernier dans le comté de Saint-Jacques, pour les adieux de Claude Charron à ses électeurs… Triste et étonnamment clairsemée, compte tenu de la popularité dont avait si longtemps joui le génial enfant terrible de notre petit monde politique.

Je m'attendais à une salle comble, ou à ce que les péquistes montréalais réservent à Claude Charron une grosse fête d'adieu, un gros party foufou et chaleureux, comme on peut en faire dans ce genre de comté là. Mais du début à la fin de la soirée, la salle ne s'est jamais vraiment remplie, et il restait bien des chaises vides. Il y a eu quelques applaudissements amicaux mais réservés, comme si l'on hésitait entre l'embarras et la dépression, comme si quelque chose de lourd, de las et de terne pesait sur la salle. Quelque chose comme l'absence d'espoir, comme l'usure ou la résignation, quelque chose de très triste en tout cas, qui vient aussi sans doute du climat économique, du chômage, des licenciements, des gagne-pain et des dignités perdus, de l'humiliation imméritée que l'on subit, dans ces comtés de l'est montréalais, plus encore qu'ailleurs.

Seuls deux ministres, MM. Laurin et Johnson, (ceux qui précisément possèdent la sensibilité politique la plus raffinée), sont venus faire leur tour, ainsi que deux députés, Élie Fallu et Louise Harel. M. Laurin, dans un discours de clôture, a prédit que son jeune collègue reviendrait en politique mais mon impression c'est que personne n'y croyait.

Grosso modo, la salle se divisait en deux groupes: d'un côté les jeunes, ceux de la population plus ou moins flottante et plus ou moins chômeuse du comté, et de l'autre côté, des citoyens plus âgés, beaucoup plus âgés, ceux qui forment la seule population stable du comté, ceux qui contre toute attente avaient élu en 1970 un tout jeune homme aux cheveux longs, un indépendantiste, un bohème, un contestataire, un marginal, un tout jeune homme qu'ils avaient adopté, ces vieux-là, comme on adopte un petit-fils: avec tendresse et indulgence. Et qui, lundi soir dernier, se retrouvaient encore à ses côtés, fidèles jusqu'au bout, l'ayant assez aimé pour pouvoir lui pardonner ce qui pourtant, dans ce milieu-là et dans cette génération-là, ne se serait jamais fait. (Personne, parmi ces très modestes retraités, n'aurait jamais, jamais, même en période de pénurie, et même au plus fou d'une quelconque «crise de jeunesse», volé à l'étalage. Ce sont des choses, comme ils diraient eux-mêmes, *qui ne se faisaient pas*.)

Mais dans cette salle, entre les jeunes et les vieux, entre les chômeurs de 20-25 ans et les retraités, il y avait relativement peu de gens de la génération de Claude Charron... exception faite des journalistes et des gens de la télévision, qui étaient là en foule, et d'une poignée d'intellectuels qui habitent les environs — un professeur de l'UQAM, un écrivain, un administrateur de CLSC... — et qui étaient venus là comme à un enterrement, venus là, aurait-on dit, enterrer une partie de leur propre jeunesse.

Charron parle, parle, le discours s'étire, s'allonge, traîne... Comme s'il ne se résolvait pas à partir. Il n'a pas l'air malheureux cependant, peut-être même dit-il vrai lorsqu'il affirme quitter sereinement la carrière politique, mais on dirait qu'il y a quelque chose de cassé: est-ce chez l'homme lui-même, ou est-ce dans nos têtes à nous? Difficile à dire.

C'est à ses électeurs qu'il réservera ses plus beaux mots de la soirée: «Je vous remets, un peu *magané*, je m'en excuse, le plus beau titre qu'il m'ait été donné de porter, celui de député de Saint-Jacques...» Et il leur recommandera de choisir, entre tous les candidats à sa succession, celui qui saura le mieux les aimer.

Après son discours, il va les embrasser, serrer des mains. Ce sont encore ses vieux électeurs et les vieux militants péquistes du comté qui sont les premiers à faire cercle autour de lui, à l'étreindre et à lui souhaiter bonne chance. Les caméras de la télé tournent, les journalistes se pressent autour avec leurs micros... «Il y a des fois, murmure l'un de mes confrères de la radio, où j'ai l'impression que nous, les journalistes, on est indiscrets, presque impudiques...» C'est vrai. Moi aussi j'ai le même réflexe, j'aurais envie de m'en aller, de les laisser ensemble, en famille, avec leur deuil dont je soupçonne qu'il déborde le personnage de Charron, car il y a aussi d'autres échecs — l'échec référendaire évidemment — que réveille brutalement l'invraisemblable faillite de cette fulgurante carrière politique.

*   *

*

194

Un souvenir — un *flash* comme il dirait lui-même: l'été 1976 au parlement du Québec, où se discute, dans la colère et la contestation, la loi 22... Charron est au front, vibrant leader des forces d'opposition. Juste avant l'adoption de la loi, il prononce à l'Assemblée nationale un discours-fleuve qui comme un torrent ébranle ces murs qui pourtant en ont entendu bien d'autres, un plaidoyer d'une telle vigueur, d'une telle beauté, que beaucoup — y compris chez les journalistes — en ont les larmes aux yeux. Ce fut la seule fois de ma vie où j'aurais préféré être reporter à la radio plutôt que dans la presse écrite. Je me disais que la transcription écrite de ce discours-là, que je devais résumer pour le journal, ne pouvait pas en rendre l'ardeur ni la puissance d'émotion, et que le seul compte-rendu fidèle, en l'occurrence, ne pouvait venir que de l'enregistrement. J'aurais voulu non seulement transmettre les mots, mais aussi le ton, la voix, le rythme. Mais pour décrire cela, justement, je n'avais pas dans mon vocabulaire de mots assez exacts ni assez beaux.

Un autre flash, un autre souvenir: Charron rencontré par hasard à New York, sur l'avenue Columbus, il y a deux ans je crois. C'était un dimanche après-midi, il faisait un beau grand soleil. Il était seul avec son *New York Times*. Il terminait une pizza arrosée d'un petit carafon de rouge dans un restaurant bien ordinaire ouvert sur le trottoir. Il avait l'air de tout sauf d'un ministre. Il était, comme toujours, simple et gentil, content d'être là, content de cette journée de congé, content d'exister. C'est celle-là, la dernière image que je veux garder de Claude Charron: celle d'un homme heureux qui savait déjà, bien longtemps avant de s'écrouler sous les décombres d'un minable scandale, qu'il y a autre chose, dans la vie, que la politique.

7 octobre 1982

LE GOÛT
DU POUVOIR

Le premier ministre Trudeau a-t-il, oui ou non, l'intention de se retirer de la politique avant les prochaines élections? C'est le mystère de l'année, autour duquel tout un chacun parie, tandis que le Sphinx du 24 Sussex Drive continue à désarçonner les observateurs, en les lançant sur de fausses pistes qu'il s'empresse ensuite de brouiller.

Un jour il s'en va, ou du moins il le laisse entendre… mais il suffit que quelque dauphin trop pressé se montre le bout du nez pour que le premier ministre fasse volte-face. Ainsi, après le tournoi constitutionnel, le ministre Chrétien crut son heure arrivée et eut la naïveté de rêver tout haut à la succession… il ne tarda pas à se faire rabrouer de la belle façon par un premier ministre soudain ragaillardi.

Même scénario au dernier congrès du Parti libéral fédéral: l'ex-ministre John Turner rôdait dans les couloirs sous le feu des caméras, tel un prince héritier faisant le tour du propriétaire… Mais Trudeau ne rata pas l'occasion de rappeler qu'il a le parti en mains et qu'il reste bien en selle.

Il pourra dire autre chose demain, mais force est de constater que dès qu'un rival fait mine de pousser la porte, Trudeau n'a rien de plus pressé que de la lui fermer au nez.

Peut-être lui-même n'est-il pas vraiment décidé. Les hommes de pouvoir sont ainsi faits qu'ils préfèrent flairer le vent et reporter le plus longtemps possible leur décision finale. En général, les hommes de pouvoir ne lâchent pas le pouvoir volontairement, parce que l'exercice du pouvoir est pour eux une façon de vivre et une passion irrépressible. (Le seul cas contraire dans l'histoire contemporaine est celui de de Gaulle… peut-être parce qu'il avait aussi la passion d'écrire, et qu'étant encore plus orgueilleux que les autres, il a voulu partir en beauté.)

* *
*

Les allusions spontanées sont souvent plus révélatrices que les déclarations réfléchies.

Ainsi, au beau milieu d'un discours improvisé à la fin du congrès libéral, M. Trudeau a laissé échapper une petite phrase qui en dit long. Vantant la diversité de son parti, il s'est écrié: «...et il y avait ici les très jeunes et les très vieux, et les autres qui sont au milieu, comme moi...» Après quoi il a légèrement bafouillé, comme s'il s'était rendu compte de l'énormité de ce qu'il venait de dire, car même si l'on est en bonne santé et en grande forme, sur une échelle qui irait, disons, de 18 à 80 ans, 63 ans ce n'est tout de même pas l'âge médian! Mais c'est ainsi que se voyait Trudeau, ce qui pourrait indiquer qu'il n'a pas du tout, pour l'instant au moins, l'intention de se retirer. Pense-t-on à la retraite quand on se perçoit instinctivement comme ayant 40, 45 ans...?

À Québec, le premier ministre Lévesque aurait pu avoir, en pareilles circonstances, la même réaction: M. Lévesque a beau avoir l'air marabout quand il est dans ses mauvais jours et les menaces de démission ont beau être devenues chez lui une habitude, on sait bien qu'il ne partirait pas volontiers. Il suffirait que quelqu'un dans les parages fasse mine de vouloir le pousser vers la sortie pour qu'il retrousse ses manches.

C'est le propre des hommes de pouvoir, en effet, que de ne pas tolérer de rivaux. On connaît la sourde méfiance — même si elle se double d'estime mutuelle — qui existe entre M. Lévesque et ceux qui auraient la stature et probablement l'ambition de lui succéder, Jacques Parizeau par exemple. Le seul dont M. Lévesque a toléré qu'on le qualifie de «dauphin», ce fut Pierre Marois, mais celui-là était non pas un rival mais un disciple soumis, qui avait poussé la dévotion jusqu'à imiter le style et les intonations du maître.

Mais ne pas tolérer de rival, c'est en même temps refuser de préparer la relève. Et l'on voit ce qui arrive quand des chefs de ce genre disparaissent: pendant un temps c'est le vide, le chaos, les héritiers qui s'affrontent...

Trudeau et Lévesque règnent tous deux sans rival, mais pour chacun d'eux, il y a eu un match nul, sans vainqueur: celui qui les oppose l'un à l'autre. Ce sont, pour ainsi dire, des adversaires... inséparables. En se combattant, ils se stimulent mutuellement. Certains prévoient même que si le PQ saute dans l'arène fédérale, cela pourrait décider Trudeau à rester pour cette autre bataille à finir.

* *
*

Ah, ces hommes de pouvoir! Pour eux, la retraite est synonyme de dépérissement, de dévalorisation, de perte de statut, de mort en somme. Qu'on ne s'étonne pas de voir que c'est précisément ce type d'hommes qui votent des lois ou des «chartes des droits» interdisant la retraite obligatoire, et cela à une époque où le quart des jeunes est en chômage, où le marché du travail se rétrécit...

13 novembre 1982

UN HOMME
DEUX DISCOURS

J'ai toujours été étonnée de voir à quel point le chef du Parti conservateur, M. Joe Clark, avait bonne presse au Québec. Sans doute est-ce à cause de son côté «bonhomme», qui contraste avec l'arrogance de M. Trudeau. Sans doute aussi à cause de sa conception du fédéralisme, qui fait davantage l'affaire des nationalistes québécois que le fédéralisme centralisateur des libéraux et du NPD. Peut-être enfin parce qu'il est somme toute assez difficile d'en vouloir à ce qui n'existe pas. Or, au Québec, les conservateurs, c'est ce qui n'existe pas, aussi bien dire le néant.

On peut toujours comprendre, donc, que M. Clark puisse inspirer quelque sympathie. Mais de là à gober béatement tout ce qu'il nous raconte, il y a une marge!

En moins d'un mois — d'abord à la télé, lors de sa réponse au «triptyque» du premier ministre, et ensuite à Montréal dimanche dernier —, M. Clark a repris le même thème: seuls les conservateurs peuvent répondre aux aspirations constitutionnelles du Québec.

Dans son allocution télévisée, M. Clark était même allé jusqu'à prétendre que le gouvernement libéral «bloquait» des dossiers au détriment du Québec... Grossière affirmation que M. Clark n'a pas étayée et qu'il faudrait de toute façon être incurablement naïf pour avaler.

Car en vertu de quoi un parti dont la moitié des députés ont absolument besoin du vote massif des Québécois pour se maintenir au pouvoir aux prochaines élections, ferait-il exprès pour désavantager le Québec? Ce n'est pas une question de gentillesse ni de patriotisme, mais une question d'intérêt, tout simplement. Un député a *toujours* intérêt à obtenir tel investissement nouveau dans son comté, parce que c'est cela qui accroîtra sa popularité et qui élargira sa base politique susceptible de le propulser vers de plus hautes sphères. Un parti politique a *toujours* intérêt à favoriser, dans une certaine mesure au moins, la région d'où il tire ses principaux appuis: pas seulement pour maintenir sa base électorale, mais aussi pour favoriser les intérêts financiers et économiques qui le soutiennent.

Il faut être naïf, ou alors totalement cynique, pour affirmer, comme M. Clark, que les intérêts du Québec seraient mieux servis par un parti qui défend des intérêts le plus souvent opposés à ceux du Québec et qui n'a ici aucune base réelle.

On peut dire, comme les péquistes le font de leur côté avec

beaucoup de réalisme, que les libéraux ne défendent pas assez les intérêts du Québec, ou qu'il les défendent mal, ou qu'ils les défendraient moins mal s'ils faisaient face à un véritable adversaire et cessaient de tenir pour acquis l'appui du Québec. On peut dire encore que le système fédéral, indépendamment des hommes qui l'animent, dessert le Québec. Cela est une autre question. Mais prétendre que dans ce système, les conservateurs pourraient faire mieux que les libéraux, relève de l'aberration, ou, plus précisément, d'une incapacité d'analyser la politique autrement qu'en fonction de la personnalité des individus.

Ainsi, parce que M. Clark est plus souple, plus aimable que M. Trudeau, parce qu'il est canadien-anglais, donc moins émotif par rapport aux revendications québécoises, on s'imagine que tout serait plus facile avec lui. C'est oublier que la politique, avant d'être une affaire de tempérament et d'individus, obéit à certaines lois. Pas à des lois immuables, mais à des lois quand même, dont la première est que les décisions reposent sur des intérêts. Or, si l'on revient au PC, on voit que les intérêts de ce parti — soit sa base électorale et ses appuis financiers — sont non pas au Québec, non pas même d'abord dans l'Est du Canada, mais dans l'Ouest, en Alberta surtout, et dans les milieux d'affaires les plus réactionnaires du Canada anglais.

Dans les milieux d'où le Parti conservateur tire sa force, on ne parle pas de révision constitutionnelle (de fait, on ne veut plus en entendre parler d'ici deux cents ans), on ne parle pas non plus du Québec (dont on dit qu'il a été au pouvoir assez longtemps, avec le French Power de M. Trudeau), on ne parle pas du «Canada des petites patries», ni de régionalisation ni de transfert de pouvoirs aux provinces, sinon sous l'angle des intérêts privés (ceux du pétrole en particulier) soucieux d'échapper aux contrôles d'un gouvernement central que l'on décrit, dans les milieux conservateurs, comme l'antre du socialisme.

De fait, M. Clark, qu'on décrit comme un *red tory*, est beaucoup moins à droite que les forces vives de son parti. C'est sans doute pourquoi il est toujours aussi vague lorsqu'il promet, sans dire comment, que le PC sortira le pays de la crise! On peut tout de suite prévoir, car c'est là une autre loi de la politique, qu'il devra suivre le courant dominant si jamais il réussit à s'accrocher à son poste et qu'il se retrouve au pouvoir.

Autre loi de la politique: se fier aux actes plutôt qu'aux paroles. Or, par rapport au Québec, le seul geste concret dont on ait récemment été témoin de la part de la députation conservatrice aux Communes, c'est celui qui a consisté à protester contre le fait que les fonds publics aient servi à faciliter la transaction qui a permis à Bombardier d'obtenir le contrat du métro de New York.

M. Clark peut bien, dans une assemblée partisane à Montréal, promettre (mais, notons-le, toujours en termes vagues) aux francophones une autre «révision constitutionnelle» qui respecterait leurs aspirations... On croira à ce discours seulement lorsqu'il aura été répété en anglais devant un auditoire canadien-anglais. Mais pour des raisons qui crèvent les yeux, M. Clark ne tient pas le même discours en anglais et en français. Comme lors de son allocution télévisée, alors qu'il a livré aux réseaux français et anglais deux discours totalement différents, parlant aux Anglais d'économie, et aux Français, de constitution... Que M. Clark aille donc répéter son discours proquébécois à Calgary. C'est là qu'on pourra commencer à le prendre au sérieux.

23 novembre 1982

QUE FAUT-IL PLEURER?

Faut-il pleurer sur le jugement de la Cour suprême qui vient de confirmer ce que tout le monde — à commencer par les constitutionnalistes à l'emploi du gouvernement du Québec — savait depuis belle lurette, soit que le Québec n'a pas, n'a jamais eu droit de veto en matière constitutionnelle?

En dehors des cercles où l'analyse des subtilités de la question fait encore les délices de quelques experts, personne ne s'est jamais fait d'illusion là-dessus: si et quand droit de veto il y a eu, ce ne fut jamais l'expression d'un droit formel mais l'émanation d'un simple rapport de force politique.

Dépendant du contexte — comme lorsque le Québec a bloqué le processus de rapatriement engagé à Victoria en 1971 —, les autres gouvernements ont parfois été forcés de céder devant le «non» du Québec, mais c'était toujours en vertu de considérations d'ordre strictement politique et non pas juridique.

S'il faut pleurer sur quelque chose, pleurons plutôt sur le temps et l'argent perdus à faire cette preuve qui était totalement superflue, et qui n'a été qu'une autre mesure dilatoire destinée à sauver la face d'un gouvernement qui, après le double échec du référendum de 1980 et des négociations constitutionnelles de 1981, ne savait plus quoi faire ni quoi dire. Mais cette stratégie n'a aucun impact dans une opinion publique préoccupée d'autres choses, et ne profite qu'aux avocats qui gagnent leur vie avec les querelles constitutionnelles.

Sur le plan constitutionnel, le mal est fait et le gâchis consommé, et ce n'est pas un autre débat juridique qui va sortir le Québec de l'ornière. Seul un virage politique quelconque pourrait éventuellement lui donner les garanties constitutionnelles que justifieraient l'histoire et la réalité, que ce soit un «oui» clair et sans équivoque de la population à une autre formule, ou l'instauration d'un nouveau rapport de force dont le Québec bénéficierait.

Pleurons aussi sur la piètre performance de nos négociateurs québécois, qui sont les premiers responsables non pas de la «perte» d'un droit de veto que le Québec n'a jamais eu formellement mais du fait que le Québec ne l'a pas obtenu, ce droit de veto, alors qu'il aurait pu l'obtenir.

* *
*

Dans le cours des tractations précédant les tristes accords constitutionnels de l'automne dernier, le gouvernement québécois a préféré miser naïvement (à moins que ce n'eût été machiavéliquement, ce qui n'est pas mieux) sur une alliance illusoire avec sept autres provinces plutôt que de saisir ce qui, dans la proposition fédérale, pouvait répondre aux intérêts du Québec.

C'est à ce moment-là en fait que le Québec a laissé tomber un droit de veto qui ne lui était pas encore formellement reconnu, certes, mais qu'il aurait pu faire inscrire dans la constitution s'il n'avait pas réclamé, de concert avec ses alliés, une autre formule que celle-là, soit le droit à l'*opting out* pour chaque province indistinctement, ce qui plaçait dès lors le Québec sur le même pied que la Saskatchewan ou l'Île-du-Prince-Édouard.

M. Trudeau, de son côté, avait toujours été contre la formule de l'*opting out*, qui va à l'encontre de sa conception du fédéralisme, mais il s'y est résigné dans sa hâte d'en arriver à un règlement qui devait nécessairement reposer sur l'accord d'une majorité de provinces.

Certains, dont l'ex-ministre Claude Morin, affirment que l'*opting out* est une formule plus avantageuse pour le Québec, si elle comporte une compensation financière. (Une garantie qui allait sauter au dernier *round* de la négociation.) Tout cela est discutable évidemment, mais il reste qu'en régime fédéral (et c'est dans ce régime-là que le Québec doit vivre jusqu'à nouvel ordre), le droit de veto constitue une arme de défense bien supérieure au droit de se retirer de divers programmes, droit dérisoire dans le contexte actuel, puisque c'est avoir les désavantages de l'indépendance sans en avoir les avantages.

Il est bien évident que le Québec, en tant que foyer des francophones au Canada et aussi comme société distincte, n'a pas la place qui lui revient sur l'échiquier constitutionnel. Mais à qui la faute, s'il n'a même pas réussi à sauver les meubles? On peut sourire en voyant l'actuel ministre des Affaires intergouvernementales s'indigner de ce que la Cour suprême ne respecte pas la «dualité» canadienne. Le fameux accord des *huit*, dont son prédécesseur, l'autre M. Morin, se félicitait en avril 81 comme s'il s'agissait d'une grande victoire tactique et du summum de la finasserie politique, ne respectait pas non plus le principe de la dualité culturelle ni le caractère particulier du Québec, ni son statut particulier, et en faisait une province comme les autres, exactement comme les autres, point à la ligne.

On nous permettra donc aujourd'hui de ne pas participer aux débordements verbaux qui ont accueilli à Québec le jugement de la Cour suprême.

9 décembre 1982

UN PARTI
BIEN À DROITE

WINNIPEG — Drôle de congrès que ce congrès du Parti conservateur: une lutte de pouvoir à un seul protagoniste, un chef contesté mais sans adversaire visible, des assises totalement dépourvues de contenu, aucun débat d'idées... Rien, sinon des délégués défilant par petits groupes dans les couloirs du Centre des congrès de Winnipeg, d'une suite d'hôtel à l'autre, entre un bar gratuit et un caucus régional, sollicités par d'innombrables distributeurs de dépliants, tous au service d'une faction ou d'une autre...

Mercredi, des hôtesses déguisées en danseuses hawaïennes accueillaient les délégués à l'aéroport. La vulgarité habituelle des gros congrès de «vieux partis», avec cette fois la touche western, des chapeaux de cowboy en plastic.

À voir les délégués du Québec, presque tous conscrits dans un clan ou l'autre, toutes dépenses payées, comme autant de mercenaires politiques — ce qui n'est toutefois pas le cas dans les provinces où le parti a des racines et donc des organisations de comté fonctionnant normalement —, on se dit, ma foi, que le système présidentiel aurait du bon, dans la mesure où il permet à l'ensemble de l'électorat de choisir le chef du gouvernement.

Chez nous au contraire, le choix d'un futur premier ministre peut relever en dernière analyse de l'humeur d'une poignée de délégués sans convictions, à qui le hasard a attribué la balance du vote.

Drôle de congrès, où l'organisation a voulu apaiser la contestation en tentant de renforcer le goût du pouvoir au sein de ce parti qui l'a en somme si peu connu. Le grand auditorium qui, pour un congrès libéral, péquiste ou néo-démocrate, servirait à l'examen de résolutions et à la discussion en plénière, s'est transformé en salle de cinéma. Pour apaiser l'humeur des troupes et pour meubler le temps de ces assises sans débats, le parti projette des diapositives sur «le peuple canadien», style propagande touristique, et des films sur la façon de battre les néo-démocrates (l'adversaire numéro un dans les provinces de l'Ouest) et surtout, bien sûr, les libéraux.

Les libéraux: l'ennemi principal, le grand épouvantail, le parti de l'arrogance et de la technocratie, ce parti qui n'en finit plus d'être au pouvoir et qui constitue l'unique point de ralliement de ces conservateurs sans cesse divisés, qui n'en finissent plus de se quereller sur la place publique mais qui se rejoignent tous, au moins, dans la haine des libéraux.

Ce climat de fronde et de chicane perpétuelles s'expliquerait, selon la plupart des observateurs, par le fait que les conservateurs, ayant surtout vécu dans l'opposition, n'ont pas pu bénéficier de ce facteur de cohésion interne que constitue le patronage. L'octroi de postes, de contrats, d'emplois, la distribution de la manne autrement dit, est ce qui sert de ciment dans un parti où les idées ne suffisent pas à maintenir l'ardeur et l'unité des troupes.

* *
*

Non pas que le Parti conservateur soit dépourvu d'idéologie. Il en a une, et elle est clairement de droite, malgré les tendances plus généreuses des *red tories* — que Joe Clark, comme Flora MacDonald ou Robert Stanfield, incarne dans une certaine mesure.

Contrairement aux autres partis, dont les programmes s'inspirent de résolutions votées en congrès, le Parti conservateur se contente de consulter ses délégués par voie de sondage, et c'est l'organisation qui élabore la «plate-forme» électorale.

En mai dernier, le parti a tenu un congrès d'orientation où les délégués se sont contentés d'écouter les porte-parole de trois tendances distinctes du conservatisme (du centre-droit au reaganisme), et de répondre à un sondage... qui n'a été rendu public que plus tard, et encore fort discrètement, car les dirigeants du parti se sont trouvés quelque peu embarrassés de constater à quel point le vent de l'extrême-droite avait soufflé sur leurs troupes. Dans des proportions tournant autour de 65 p. cent, les délégués réclamaient le retour de la peine de mort, l'interdiction totale de l'avortement, le démantèlement des programmes sociaux, l'instauration d'un régime de libre entreprise comme il n'en existe que dans les fantasmes des reaganiens les plus radicaux, etc. Et l'organisation du parti n'avait même pas osé interroger les délégués sur le bilinguisme ou le «fait français»... par peur de la réponse!

D'ailleurs, l'un des macarons les plus en vogue au congrès disait ceci: «*Socialism — How do you like it so far?*» Un slogan qu'on pourrait traduire ainsi: «Ça vous plaît, un gouvernement socialiste?»... Il faut se situer assez loin vers la droite pour qualifier ainsi le gouvernement libéral!

Pour ce congrès-ci, on a pris soin de polir la façade et on fournit la traduction en français et une abondance de credos politiques vagues et généraux, en évitant soigneusement tout débat de fond qui risquerait de figer l'image du parti face à un électorat déçu de l'actuel gouvernement, mais qui se méfie tout de même du radicalisme, qu'il soit de droite ou de gauche.

N'importe: comparé aux autres formations de la scène fédérale, le Parti conservateur projette clairement l'image d'un parti de droite. On le voit du premier coup: ses délégués forment un groupe plus masculin, plus blanc, plus protestant, plus anglo-saxon et plus homogène que la contrepartie libérale ou néo-démocrate. Les classes sociales qu'il représente ne sont sûrement pas plus cossues que chez les libéraux, au contraire même. Il ne s'agit pas ici d'une droite bourgeoise et sophistiquée, mais d'une droite à tendance populiste, issue en bonne partie de milieux semi-ruraux et de la petite entreprise ou des hommes d'affaires de style *self-made men*, dont les châteaux forts s'adossent aux Rocheuses. Dans ce contexte, la délégation québécoise ne semble pas encore avoir une identité définie.

29 janvier 1983

L'INVITÉ QUI S'INCRUSTE

Joe Clark me fait penser à ces invités qui s'incrustent. La maîtresse de maison a beau multiplier les signaux, clairement indiquer qu'elle a autre chose à faire, laisser voir ouvertement sa fatigue ou lui bâiller carrément au nez, rien n'y fait. L'invité reste, l'invité s'accroche. Même reconduit d'autorité à la porte, il trouvera le moyen de s'attarder dans le vestiaire.

Ainsi Joe Clark tente-t-il de gagner du temps avant d'aller rejoindre Claude Ryan au purgatoire des ex-futurs-premiers ministres. (M. Clark fut, il est vrai, premier ministre, mais si peu longtemps, et si maladroitement, que ça ne compte presque pas.)

M. Clark s'attarde, rêve encore à une victoire au leadership et s'accroche à son poste de chef du parti — un poste qui lui permet, au moins pour un temps, de tenir la dragée haute à ses adversaires potentiels et de garder la mainmise sur l'appareil du parti.

Pourtant les signaux ont été nombreux, qui auraient dû le pousser à partir. Depuis toujours M. Clark est moins populaire que son parti. En 1979, il a remporté le pouvoir de justesse et l'a perdu six mois après dans des ciconstances ridicules, pour avoir mal évalué la portée d'un vote aux Communes, et après avoir accumulé plus de bourdes et d'erreurs qu'il n'en est permis à un homme de son âge. L'année suivante, le tiers de ses troupes refusait de lui faire confiance et, cette année, il se heurte à la même méfiance, et dans la même proportion. Deux ans de travail acharné et quelques succès d'estime à travers le Canada n'ont pas réussi à lui faire gagner plus que 0.4 point.

Pire encore, ce sont ses collaborateurs les plus proches, ceux qui forment la députation conservatrice aux Communes et qu'il côtoie tous les jours, qui constituent ses adversaires les plus acharnés. La moitié au moins du caucus souhaite son départ. On se rappellera que telle était également la position de Claude Ryan l'été dernier, alors que la presque totalité de la députation libérale à Québec rejetait ouvertement son leadership. En pareil cas, il faut plutôt conclure à une sérieuse défaillance du chef qui n'a pas su inspirer un minimum de respect à son entourage.

Même les partisans de M. Clark semblent peu enthousiastes. On le voyait clairement au congrès de Winnipeg. Les «anti-Clark» avaient monopolisé les sièges qui se trouvaient directement en face de l'orateur, et pendant les 35 minutes qu'a duré son discours aux délégués, il a eu leurs huées dans les oreilles et leurs pancartes hostiles sous le nez... Comment expliquer qu'il ne se soit pas trouvé de groupes de délégués pro-Clark pour aller spontanément écarter — ou au moins bousculer — ceux qui venaient ainsi humilier publiquement leur leader?

Même les applaudissements, à ce que certains ont décrit

comme l'un des meilleurs discours de Clark, étaient sans passion, forcés, consciencieux, effectués, aurait-on dit, avec la même application que lui-même mettait à livrer son texte écrit d'avance.

Après cette deuxième rebuffade infligée par les délégués de son propre parti, M. Clark en a reçu une autre, indirecte celle-là, mais tout aussi révélatrice: les délégués ont battu son candidat favori au poste de président de l'exécutif national — un Peter Vuicic qui, à cause de son *low profile*, ne risquait pas de porter ombrage au chef contesté —, pour élire plutôt le député Peter Elzinga, un partisan de la révision du leadership.

Quant aux partisans de M. Clark, c'est sans guère plus d'enthousiasme qu'ils n'en mettaient à l'ovationner en public, qu'ils sont allés voter pour lui ce même vendredi soir. Pourquoi l'appuyaient-ils? Dans bien des cas, par résignation. Parce qu'il n'y avait pas de meilleur remplaçant à portée de la main, parce que l'on pourrait «tomber sur pire», parce que de toute façon, «un tiens vaut mieux que deux tu l'auras»... Avant hier, le premier ministre albertain Peter Lougheed refusait à son tour d'appuyer son compatriote dans la course au leadership.

Des signaux donc, de toutes sortes, non équivoques, et pourtant Joe Clark s'accroche encore au leadership qu'il entend solliciter de nouveau, en comptant sur le fait qu'il lui suffira alors de récolter 51 p. cent des voix pour se maintenir en selle.

Comment expliquer cet entêtement, que les partisans de M. Clark attribueront à un exceptionnel degré de persévérance mais qui ressemble plutôt à de l'obstination pure et simple?

Les insultes et les rejets semblent couler sur M. Clark comme l'eau sur le dos d'un canard. Aux pires rebuffades, il oppose une résignation molle et flegmatique où jamais ne perce le moindre éclair de colère. Pour un peu, il tendrait l'autre joue. Est-ce là patience angélique, masochisme, faiblesse, manque de vertèbres ou, plus simplement, manque de dignité?

Cette attitude évoque celle de Robert Bourassa vers la fin de son règne, alors qu'il se trouvait soumis de toutes parts à un

déferlement d'insultes et de quolibets… auxquels il ne réagissait
jamais. M. Bourassa n'avait pas davantage eu conscience de sa
propre dignité ni de celle de sa fonction lorsqu'il s'était plié à la
demande d'un photographe qui voulait le photographier dans
une mise en scène ridicule, en train de manger un hot-dog
au-dessus d'un plateau d'argent. Mais le problème, et M. Bourassa allait le constater peu après, c'est que l'électorat n'aime
pas que ses leaders se comportent en paillassons.

M. Clark a autre chose en commun avec M. Bourassa, et
c'est peut-être d'ailleurs cela qui explique son imperméabilité
aux insultes. Comme M. Bourassa, il vit par et pour la politique. C'est son seul intérêt, le seul métier qu'il ait jamais pratiqué. Contrairement à M. Bourassa, qui a tout de même montré
qu'il avait d'autres talents, et qui a décroché quelques diplômes
et fait carrière dans l'enseignement, M. Clark, lui, n'a jamais
vécu ailleurs que dans les coulisses d'organisations politiques,
et ne connaît rien d'autre de la vie et du monde du travail que ce
qu'il a appris à travers le filtre déformant de l'action politique
partisane. C'est là précisément sa principale faiblesse et c'est ce
qui en fait un politicien inintéressant.

3 février 1983

L'AUTRE IMAGE
DE TRUDEAU

Selon qu'on la regarde à partir du Québec ou de l'Ouest
canadien — comme j'ai eu récemment l'occasion de le faire —,
l'image de Pierre Elliott Trudeau change tellement qu'on a
l'impression qu'il ne s'agit pas du même homme. Cet homme
qui passe, auprès des intellectuels québécois, pour un anti-
nationaliste coupé de ses racines, voire pour un apatride cyni-

que, devient au Canada anglais l'incarnation même du nationalisme canadien-français et l'artisan passionné du French
Power.

Au Québec, certains ultra-nationalistes vont jusqu'à mettre en doute l'appartenance première de Trudeau à la culture
française, mais au Canada anglais toute équivoque disparaît.
Trudeau y est vu comme un authentique francophone, pas seulement par la langue et l'éducation, mais par le style, la culture,
l'habillement, l'esprit cartésien, le type d'humour.

Ce phénomène d'identification va jusqu'à établir une
équation automatique entre libéral et francophone. Au Canada
anglais, je sens souvent une légère prévention chez les gens que
j'interviewe: ils ont presque tous quelque chose à dire contre
Trudeau mais, devinant mes origines par mon accent, ils ne
veulent pas y aller trop fort, de peur de me blesser. Comme si
pour eux, il était impensable qu'une francophone, venue de
Montréal de surcroît, ne soit pas, au moins de cœur, une partisane de Pierre Trudeau. (L'équation est d'ailleurs fondée histo-
riquement: le Parti libéral a toujours été le parti des francophones, comme d'ailleurs des autres minorités, et c'est le Québec
qui constitue actuellement son seul bastion électoral.)

Un souvenir de la campagne électorale de 1979, que je
«couvrais» en Colombie-Britannique: un couple âgé, dans la
vallée de l'Okanagan. Lui, enseignant retraité, cultivait avec sa
femme un immense verger. Des protestants bons et courtois et
certainement mieux informés que la moyenne. Mais le Trudeau qu'ils décrivaient n'avaient rien en commun avec celui
qu'on connaît au Québec. Ce Trudeau-là était un catholique
militant, dont le premier geste dès son accession au pouvoir
avait été d'ouvrir une ambassade au Vatican (!), un *French
Canadian* chauvin, qui avait imposé le bilinguisme jusque dans
le fin fond des bureaux de postes, et qui, autre détail qui revenait sans cesse dans la conversation, avait transporté tous les
bureaux gouvernementaux d'Ottawa à Hull...

Trudeau avait en effet réussi à imposer dans les provinces

anglaises une certaine mesure de bilinguisme: affichage français dans les aéroports, les bureaux de postes, étiquetage bilingue, etc. Mais en contrepartie, quel *backlash*!

Dans la presse anglaise des autres provinces, Trudeau est
aujourd'hui plus décrié que René Lévesque dans la *Gazette*. Il
est devenu si normal de le conspuer que l'autre jour à la radio de
Vancouver un annonceur disait le plus naturellement du
monde au beau milieu d'un bulletin de météo: «La pluie cessera
et il fera beau demain... et encore plus quand on se sera débarrassé du gouvernement Trudeau!»

Il y a mille et une choses qu'on reproche à Trudeau dont,
au premier chef, l'usure du pouvoir et une mauvaise gestion de
la crise, mais au fond de cette hargne constante il y a aussi, il y a
surtout le French Power. Quand un groupe d'extrême-droite
veut décrier le gouvernement Trudeau, c'est d'abord à la présence de francophones à des postes-clés de l'appareil gouvernemental qu'il s'attaque. (Exemple, cette annonce géante publiée
en novembre dernier dans le *Globe and Mail* par une coalition
«contre le socialisme», où les seules cibles, outre M. Wheelan,
ministre de l'Agriculture, étaient MM. Lalonde, Joyal et Chrétien, tous des francophones, dont les photos faisaient bloc avec
celle de Trudeau, sous le titre: «*It's Pierre Trudeau's Party, and
Look Who's Been Invited*». C'est le *party* de Trudeau, regardez qui
est invité.)

* *
*

Dans *Grits*, l'excellente étude de la journaliste Christina
McCall-Newman sur le Parti libéral, Trudeau est essentiellement dépeint, d'un chapitre à l'autre, comme un nationaliste
dont le seul objectif et l'unique passion politique a été de faire
une place aux francophones dans la structure du pouvoir fédéral
où jamais auparavant ils n'avaient pénétré. (Ses deux prédéces-
seurs québécois, Wilfrid Laurier et Louis Saint-Laurent,

étaient anglicisés et n'avaient aucune visée d'ordre nationaliste.)

L'autre dimension de Trudeau qui ressort de ce portrait c'est celle d'un intellectuel sensible et solitaire qui, malgré sa parfaite connaissance de la langue anglaise, n'a jamais pu (ni voulu) pénétrer les milieux d'affaires anglophones, et ne s'est jamais intégré à l'ensemble de la société canadienne-anglaise, pas plus d'ailleurs qu'au *rank and file* du Parti libéral, où, même à l'époque de la trudeaumanie, on le percevait comme un étranger.

Mme McCall-Newman décrit un déjeuner auquel elle a assisté. Quelques mois avant la campagne de 1979, Richard O'Hagan, le conseiller en communication de Trudeau, essaie désespérément de «refaire» son image dans les médias de langue anglaise. Il invite les grands patrons de la presse à un déjeuner à l'hôtel York de Toronto, où Trudeau devra se montrer sous son meilleur jour. Au coquetel, les *publishers* sirotent leur scotch pendant que Trudeau, un peu figé, son jus d'orange à la main, fait semblant de s'intéresser à leurs propos, et fait de louables efforts pour se souvenir de la carrière de chacun, comme O'Hagan le lui a conseillé.

Le repas commencé, la conversation roule sur la finale de la coupe Grey qui vient d'avoir lieu à Montréal. C'est l'année précédant le référendum. L'un des éditeurs mentionne que René Lévesque était au stade, une tuque sur la tête, et tout le monde rit à cette évocation ridicule. «Et savez-vous quoi?, renchérit un autre, le gars n'avait jamais été à un match de football avant!» Tout le monde rit de plus belle, sauf Trudeau qui à la surprise générale se raidit, fixant d'un œil glacial ses compagnons de table. Puis, du ton nasillard qu'il prend lorsqu'il tente de contrôler sa colère: «Et pourquoi donc aurait-il dû aller au football? Je n'avais jamais vu un match de football avant de devenir ministre de la Justice. C'est peut-être difficile à comprendre pour vous, mais le football ce n'est pas un sport canadien-français...» Silence de mort. O'Hagan, désespéré, joue avec sa fourchette. C'est John Bassett qui brisera la glace en parlant des parties de crosse de sa jeunesse québécoise, alors que son père était président de la *Gazette*.

O'Hagan respirait mieux, l'opération de relations publiques n'était pas totalement gâchée... «Mais, raconte Mme McCall-Newman, la scène avait laissé sa marque. Elle symbolisait la singularité de Trudeau, (tout ce qui) le séparait si dramatiquement de l'aile canadienne-anglaise de son parti et de la majorité du pays qu'il avait pourtant conquise au scrutin. Ce qui l'isolait, c'étaient ses deux attributs les plus évidents: sa francité (*his Frenchness*) et son intellectualisme.»

5 mars 1983

LE SALUT
PAR JOE CLARK?

OTTAWA — Le Québec étant une petite société où tout se répercute très vite, une nouvelle idée fait rapidement son chemin et devient vite une idée reçue, une évidence qu'on ne remet plus en question.

La dernière idée reçue, qui semble s'être profondément ancrée dans la mouvance péquiste, c'est celle-ci: l'intérêt du Québec commanderait la défaite des libéraux aux prochaines élections, à plus forte raison si c'est un Québécois francophone (M. Trudeau) qui en est encore le chef. Le Parti conservateur offrirait de plus heureuses perspectives, à plus forte raison si c'est un Albertain (M. Clark) qui en est le chef.

Bien sûr, la majorité des électeurs s'inspirerait plutôt d'une logique plus proche des réflexes politiques spontanés qui ont cours dans les autres provinces, et préférerait voir au pouvoir à Ottawa un parti qui représente directement ses intérêts, dirigé par un compatriote si possible et avec une grosse base électorale dans la province.

Comment s'explique ce glissement de l'intelligentsia québécoise vers le Parti conservateur et Joe Clark en particulier? Comment expliquer qu'entre Joe Clark et un Brian Mulroney dont le passé professionnel est tout de même plus brillant et qui est Québécois de surcroît, ce soit le premier qui soit devenu la coqueluche de l'intelligentsia québécoise?

Essentiellement par l'importance démesurée qu'a prise ces dernières années la question constitutionnelle. On préfère la position constitutionnelle de M. Clark au centralisme de M. Trudeau. Joe Clark serait, pour le Québec, un interlocuteur bilingue, affable et constitutionnellement sympathique, qui laisserait aux péquistes l'entière juridiction morale sur un territoire dont ils deviendraient enfin les seuls porte-parole et qui cesserait de leur être disputé par un rival qui peut prétendre autant qu'eux au titre de porte-parole des Québécois.

Dans cette optique également, Brian Mulroney serait l'homme à abattre: trop québécois, trop proche, par la culture la plus quotidienne, des francophones, trop viscéralement engagé dans tout ce qui concerne le Québec, il serait inévitablement porté à s'opposer à toute tendance souverainiste avec violence et passion. Un autre Pierre Elliot Trudeau!

Mais ce faisant on oublie l'autre dimension: les retombées économiques du pouvoir. Les bénéfices qu'une province peut retirer d'une participation directe au pouvoir sont très concrets: favoritisme dans les nominations, les contrats, les emplois, préférence pour les investissements, etc.

Ces retombées ne tiennent pas à la bonne volonté des ministres ou de la députation, mais au mécanisme même de la représentation électorale: un parti au pouvoir ne peut pas ne pas privilégier dans une certaine mesure sa base électorale. C'est justement pourquoi les provinces de l'Ouest ont tellement hâte d'être débarrassées des libéraux: la victoire conservatrice amènerait presque automatiquement un glissement du pouvoir et de ses retombées économiques vers l'Ouest, qui est devenu le château fort par excellence du conservatisme.

Cette éventualité est d'ailleurs plus que vraisemblable: les libéraux sont impopulaires comme jamais auparavant, ils ont perdu le pouvoir dans tous les gouvernements provinciaux, et à part le comté de Winnipeg-Fort Garry du ministre Axworthy, le seul comté qu'ils ont gardé à l'ouest de l'Ontario est celui de Saint-Boniface... un comté de francophones comme par hasard! Il est fort probable en outre que M. Trudeau ne sera plus capable de franchir le barrage d'hostilité systématique qu'ont élevé autour de lui les médias anglophones.

Dans cette optique, précisément, ne serait-il pas préférable que le prochain leader conservateur soit un Québécois, de façon à ce que les compromis qui devront se faire avec les nouvelles bases du pouvoir fédéral tiennent compte des intérêts du Québec?

Il est assez évident que Brian Mulroney aurait bien plus de chances que Joe Clark de gagner un certain nombre de comtés au Québec, assez en tout cas pour que le Québec continue à peser d'un certain poids à Ottawa.

11 juin 1983

ENCORE UN QUÉBÉCOIS

OTTAWA — Encore un Québécois! Et francophone! Et catholique en plus!... Dans ce parti à forte tradition *wasp*, où tant de gens rêvaient depuis si longtemps à la mort du French Power, la victoire d'un Irlandais de Baie Comeau sera longue à digérer.

On pense au choc qu'avait produit aux USA la montée de John Kennedy, Irlandais lui aussi et projetant lui aussi, avec sa femme, l'image du beau couple moderne à qui tout réussit. C'est cette image, synonyme de victoire, qu'évoquent les conservateurs, pour se consoler d'avoir été obligés d'aller chercher leur nouveau chef au Québec, et pour conjurer le spectre de la continuation du French Power à fortes assises québécoises dont ils espéraient l'écrasement avec le départ de Pierre Trudeau.

Samedi soir en tout cas, au restaurant Tiffany d'Ottawa, c'était la mort dans l'âme qu'un groupe d'organisateurs manitobains dégustaient le scotch de la défaite, très en colère contre Joe Clark qui avait refusé de se désister en faveur de John Crosbie — proposition surprenante dans la mesure où le premier avait plus de votes que le second, mais qui aurait été la seule stratégie possible pour bloquer la route au petit gars de Baie Comeau.

Clark avait refusé de se prêter à cette manœuvre, amorcée après le troisième tour, et sur laquelle des organisateurs-clés, au sommet des deux camps, s'étaient entendus. Sur le parquet, plusieurs partisans de Crosbie avaient commencé à «travailler» en ce sens les délégués de Clark, lequel était soumis, dans la chaleur énervante de cet interminable suspense, à de fortes pressions, dont celles de Brian Peckford, le premier ministre terreneuvien.

Mais Clark avait dit non. Peut-être parce que même avec cet humiliant revirement de dernière minute, la victoire de Crosbie n'aurait pas été acquise, entre autres raisons parce que les délégués québécois n'auraient pas suivi. Mais surtout parce que même en politique, il y a des choses qui ne se font pas, et que Clark n'aurait pu faire un tel geste sans se discréditer aux yeux du public et de ceux qui l'avaient appuyé durant son long calvaire.

Mais ce soir-là au Tiffany, ce n'est pas ainsi qu'on voyait les choses. Le ton sobre mais la mine longue, le sénateur Nate Nurgitz, co-président de la campagne de Clark au Manitoba, qui avait été avec le député Dan Mazankowsky l'un des artisans de la manœuvre, confiait à Tom Denton, éditeur du *Winnipeg*

Sun et délégué pro-Crosbie, sa profonde amertume devant le refus de Joe Clark, qui avait pourtant promis, selon lui, de se désister en faveur de Crosbie si ses votes diminuaient d'un tour de scrutin à l'autre. M. Denton, quant à lui, était si fâché qu'il avait voté pour Mulroney au dernier tour de scrutin: «Clark est politiquement naïf, disait-il, et il méritait de perdre.»

De tels propos sont loin d'être marginaux au Canada anglais. Le lendemain matin dans le *Ottawa Journal*, le *columnist* Allan Fotheringham y allait d'une violente dénonciation de Clark, lui reprochant d'avoir, par son «entêtement aveugle», donné le pouvoir à Mulroney plutôt qu'à Crosbie.

Dans le camp Mulroney, cette offensive avait pour un temps semé la panique. Brian Mulroney lui-même, toutefois, n'y avait jamais cru. Il m'a expliqué pourquoi hier midi.

«J'étais sûr, dit-il, que Joe ne ferait pas ça. Un leader qui a de la dignité, et c'est le cas de Joe, ne pouvait pas finir son règne sur un coup pareil.»

Durant ce petit entretien impromptu, M. Mulroney parlera surtout de son adversaire vaincu, qu'il devait d'ailleurs aller rencontrer chez lui, à Stornoway, le soir-même, pour commencer à panser les plaies. Des plaies qu'il sait vives, pour avoir lui-même connu l'amère blessure de la défaite au congrès de leadership de 1976. «Quand on a vécu ça soi-même, on est plus sensible aux sentiments des autres. Je vais le rencontrer ce soir chez lui, sur son propre terrain, entre nous. Je veux savoir ce qu'il veut faire. Moi c'est sûr, j'aurai besoin de lui, de ses conseils…»

C'est assez transparent: le nouveau chef conservateur a le cœur tendre de ces bagarreurs de ruelle capables des pires coups durant la bataille, mais prompts à la réconciliation et généreux dans la victoire. Il y a là-dedans quelque chose qui évoque le tempérament irlandais, l'enfance à Baie Comeau, les milieux populaires: quelque chose de bouillant et de chaleureux.

*   *

*

La suite qu'occupaient Brian et Mila Mulroney au Château Laurier était encore en désordre, il y traînait encore des Seven-Up non débouchés, des valises ouvertes, une brosse à cheveux sur le coin d'une table, une rose penchée dans un vase. Un désordre joyeux puisque dans cette famille l'heure était à la joie.

Les trois enfants venaient d'arriver de Montréal et M. Mulroney, qui revenait d'un autre rendez-vous, est allé les embrasser dans la chambre attenante avant de se prêter à l'interview. Sa femme, en robe d'été noir et blanc et indifférente cette fois aux caméras et aux journalistes qui envahissaient son intimité, reprenait charge de ses enfants: «*Come on, you guys*», disait-elle gaiement à la petite troupe qui la suivait docilement d'une pièce à l'autre. Chaque âge ayant ses propres priorités et sa propre échelle de valeurs, le plus petit des garçons racontait ce qui fut, pour lui, l'événement marquant du week-end: l'acquisition d'un nouveau frisby. (L'autre événement marquant mais qui venait après: papa a gagné!) Samedi les parents n'avaient pu célébrer l'anniversaire de la petite Caroline. «On va aller fêter ça au restaurant, dit M. Mulroney, en famille, avec ma mère...»

La famille, les amis. «Le seul message que j'ai retourné hier soir après le vote, dit le nouveau chef, c'était celui de mes amis à Baie Comeau. Ils étaient 700, tous réunis dans un hôtel... Je les ai appelés, mais (il rit) je n'ai pas pu parler longtemps parce que j'avais la voix trop éraillée!» En tout cas, Baie Comeau est sur la *map*. Et pour longtemps!

S'il y a quelqu'un qui doit se réjouir du résultat de ce congrès en tout cas c'est bien Monsieur Berlitz! Grâce à sa prestance, à son discours de vendredi soir (fort goûté par les congressistes), à sa réputation d'homme intelligent, à son côté populiste apprécié dans ce parti où l'on se méfie des gens trop sophistiqués des grandes villes, John Crosbie avait toutes les chances de devenir le chef bien-aimé du parti conservateur. Toutes les chances, sauf une: non seulement n'avait-il pas fait, comme Michael Wilson, au moins l'effort d'apprendre un peu le français, mais durant toutes ces années où il aspirait au poste de premier ministre, il n'avait même pas trouvé l'occasion de suivre un seul cours de français!... Il a glissé quelques phrases en français dans son discours de vendredi... J'étais au pied du podium et je n'ai pas compris un mot de cet informe charabia.

John Crosbie avait trop d'atouts en main et ses adversaires avaient tous trop de handicaps, pour que l'on ne puisse attribuer au facteur linguistique la cause première de sa défaite. Avec une connaissance convenable du français, il est vraisemblable que Crosbie serait sorti vainqueur de ce match. Revanche tardive mais combien réjouissante pour les francophones si longtemps méprisés par «le Parti des Anglais»...

13 juin 1983

TRUDEAU VERSUS MULRONEY

Brian Mulroney est le premier Anglo-Québécois à diriger le Parti conservateur depuis Sir John Abbott en 1891, mais j'ai entendu sur le parquet du congrès plusieurs délégués francophones parler de Mulroney comme d'un «Canadien français».

Les meilleurs bilingues ne sont jamais parfaitement «biculturels». Pierre Trudeau est plus français qu'anglais. Brian Mulroney, fils d'ouvrier irlandais élevé à Baie Comeau, plus anglais que français. Pourtant, il pourrait avoir l'air plus «canadien-français», si l'on peut dire, que Pierre Elliott Trudeau. Cela tient aux manières, à l'accent, à la classe sociale, au fait que la bourgeoisie francophone montréalaise bilingue d'où vient M. Trudeau est un milieu si petit et si discret que le grand public n'en connaît guère de représentants (Jacques Parizeau pourrait en être un, mais il a bifurqué vers le PQ qui a peu de liens avec ce milieu-là). Le stéréotype du Canadien français reste donc identifié aux milieux populaires ou à la classe moyenne.

M. Mulroney a appris le français dans la rue, en milieu populaire, il est d'une famille irlandaise, le genre de famille où les rapports sont plus affectifs que chez les protestants et ressemblent davantage à ceux des familles francophones de milieu équivalent. Il a un accent, des manières, un style, plus proches de ceux du «Canadien français» moyen que de ceux des «vrais Anglais». Il touche les gens en leur parlant, il est blagueur et chaleureux dans ses contacts interpersonnels. Le joual n'a pas de secret pour le nouveau chef *tory,* et même son anglais, quand il parle de façon détendue, est une langue populaire.

Je me demande si ce n'est pas dans la fulgurante ascension sociale de Brian Mulroney qu'il faut chercher l'explication de ce côté un peu fabriqué qui lui donne, dans ses apparitions publiques, une allure de poupée Ken (la réplique mâle de Barbie)... Comme si, ayant été élevé très loin des milieux où il gravite aujourd'hui, ayant été éduqué non pas à Brébeuf mais dans d'obscures institutions des Maritimes, ce *self-made man* éprouvait toujours le besoin de se surveiller, de faire le sourire qu'il faut ou le geste qu'il croit devoir faire, comme si justement tout cela avait été appris, à l'âge adulte, plutôt qu'inculqué naturellement avec le lait du biberon. Il en fait trop, et ce besoin de séduire, qui est si évident, ressemble au désir inconscient d'être accepté. Pour un vrai bourgeois de Westmount ou d'Outremont, d'ailleurs, Brian Mulroney serait un parvenu.

* *
*

Démentant son image de joli garçon au cerveau vide, M. Mulroney a prouvé à maintes reprises qu'il était un excellent négociateur et un bon gestionnaire. En politique toutefois, ces qualités ne suffisent pas.

L'un des problèmes de M. Mulroney sera ce malaise qu'il semble avoir à manœuvrer dans le domaine des idées. L'homme est intelligent, c'est sûr, et il a de l'instinct, mais il n'a rien d'un intellectuel. Quand on lui pose une question qui repose sur des concepts, des principes, des notions abstraites, M. Mulroney semble mal à l'aise et répond par des clichés ou par des phrases incomplètes et vagues. Or, pour affronter les questions dont tout chef politique se trouve bombardé, il faut avoir un côté cérébral, maîtriser le discours, s'exprimer de façon articulée, avoir du talent pour la dialectique...

D'autant plus que, dans son cas, les questions-pièges seront multiples. Exemple: M. Mulroney venant du Québec et étant à moitié francophone, il est bien évident qu'il sera vu dans les autres provinces, et à bon droit, comme un autre représentant du French Power, à tout le moins du Québec Power. C'est une réalité qu'il a intérêt à faire oublier avant l'élection, car face à un John Turner ou à un Donald MacDonald à la tête du parti libéral, il risque la défaite s'il est identifié au French Power... Par contre, s'il s'en défend trop, cela risquera de lui nuire très sérieusement au Québec, où ses chances de faire avancer son parti tiendront largement à sa capacité de susciter dans la population un processus d'identification.

Un autre problème: M. Mulroney est farouchement loyal à ses amis et tient à remercier chaque service rendu, chaque dette contractée... On connaît le genre de magouilleurs qui lui ont servi d'hommes de main dans cette course au leadership. Quelles fonctions auront-ils dans l'entourage du chef?

* *

*

Si M. Clark était sorti vainqueur du congrès, peut-être Pierre Trudeau aurait-il été tenté de rester pour les prochaines élections. Mais aujourd'hui... comment deux Québécois pourraient-ils s'opposer sur la scène fédérale? Comment M.

Trudeau pourrait-il risquer de voir s'effriter le solide bloc québécois sans lequel il n'a aucune chance de garder le pouvoir? Omission significative: le chef du caucus libéral à Ottawa, le député Dennis Dawson, n'a pas protesté quand le reporter qui l'interrogeait hier à la radio a suggéré que l'élection de M. Mulroney allait entraîner le départ de M. Trudeau.

14 juin 1983

UNE PETITE VICTOIRE, OUI MAIS...

Le congrès conservateur vient de le démontrer: dorénavant, pour les prochaines années à tout le moins, il sera impossible à qui veut être premier ministre du Canada de ne pas être bilingue.

C'est essentiellement parce qu'il ne s'était pas soucié d'apprendre le français que John Crosbie a été battu, non seulement par la délégation du Québec, qui lui a résisté jusqu'à la fin, mais par bien des délégués anglophones convaincus qu'un unilingue ne pourrait mener le parti à la victoire, compte tenu du fait que les francophones ont la balance du vote dans au moins 20 circonscriptions, sans compter celles du Québec.

C'est une petite victoire pour la francophonie. À qui la doit-on?

D'abord évidemment à l'administration libérale de M. Trudeau, qui a littéralement forcé, en douceur mais de façon persistante, la pénétration du français à travers le Canada. (On peut estimer très légitimement que cela ne suffit pas pour en assurer la survie à long terme et que ces efforts sont dérisoires, on peut estimer que le renforcement des pouvoirs du Québec constitueraient une garantie bien supérieure, mais le fait est que le French Power de M. Trudeau a eu cet effet positif de faire au français et aux francophones une plus grande place dans les autres provinces. Le Manitoba vient de reconnaître le français comme langue officielle, les Acadiens ont fait quelque progrès, et à Toronto comme à Vancouver les classes d'immersion françaises, pour les petits anglophones, sont de plus en plus nombreuses. Et l'on voit maintenant se concrétiser l'idée absolument impensable il y a 15 ans, que le Canada doit être dirigé par un bilingue. Peut-être tout cela est-il trop peu, trop tard, mais c'est quand même un élément positif pour une minorité de plus en plus minoritaire au Canada et qui par ailleurs ne semble pas prête à choisir la voie de l'indépendance.)

Cet acquis, on le doit aussi à M. Clark, qui n'a jamais cessé tout au long de son règne, d'apprendre le français tout en manifestant une sympathie persistante à l'endroit du Québec.

Mais il y a une troisième force à qui l'on doit aussi attribuer ce nouvel acquis symbolique: c'est le nationalisme québécois et le mouvement indépendantiste, dont la formidable montée, durant les années 60 et 70, a permis une affirmation sans précédent de tous les francophones. Même les minorités françaises des autres provinces y ont puisé de la fierté et de la force.

Même le French Power de M. Trudeau en a indirectement bénéficié. Le nationalisme québécois lui a permis de passer au Canada anglais pour le sauveur du pays tout en lui fournissant tacitement une arme pour «faire passer» ses lois sur le bilinguisme. (Le message implicite c'était: si vous ne cédez pas vous risquez de voir le Québec se séparer.)

Mais cette victoire des francophones ne doit pas faire oublier le caractère encore profondément unilingue et homogène du Parti conservateur. Contrairement au Parti libéral qui a accueilli au fil des années la plupart des minorités, à commencer évidemment par celle des francophones, le Parti conservateur reste un parti blanc, mâle, anglo-saxon et plutôt protestant. Sur le parquet du congrès, rares étaient les délégués à la peau brune et d'origine étrangère. Flora MacDonald en est l'unique vedette féminine, et Roch LaSalle, l'unique vedette francophone.

Nul doute toutefois que ce vacuum sera rapidement comblé. M. Mulroney incarne à lui seul plusieurs minorités qui jusqu'à présent n'avaient guère pénétré le Parti conservateur: les francophones, les irlandais, les catholiques, les milieux prolétaires urbains (d'où il vient), les milieux bourgeois urbains (où il vit aujourd'hui), les Québécois, les Anglo-Québécois, etc., et cela en soi est un gage de ressourcement pour ce parti. Au Québec, on peut d'emblée prédire que l'élection de M. Mulroney attirera un bon nombre de nouveaux convertis attirés par l'odeur du pouvoir et aussi par le fait que le nouveau chef étant québécois, il pourra garder au Québec la place prépondérante que M. Trudeau lui avait donnée sur la scène fédérale.

16 juin 1983

CONTE POUR LA SAINT-JEAN

Par une belle journée de juin, le Bon Dieu déambulait sur ses terres célestes, jetant un coup d'œil circulaire sur l'infini domaine où ses fidèles jouissaient de la béatitude éternelle. Tout allait bien, chacun vaquait à ses occupations coutumières.

Saint Pierre gardait la porte. Avec une vigilance accrue, car depuis quelque temps il faisait face aux manœuvres d'un rival, portier de formation lui aussi, qui essayait de lui voler son poste. Depuis la promotion que constituait sa récente accession à la sainteté, le frère André ne réfrénait plus ses ambitions. Il avait même essayé, une fois, de lui dérober les clés du paradis!

Jésus, plus maigre et plus exalté que jamais, travaillait à plein temps sur mille et un dossiers complexes: la Pologne, le clergé tiers-mondiste, les charismatiques, les *Jesus Freaks*, sans compter tous les groupes de pression, les pêcheurs, les boulangers et les viticulteurs par exemple, qui venaient lui demander des miracles en souvenir de l'ancien temps.

Les archanges étaient à leur poste: Gabriel s'occupait du dossier des filles-mères et de tout ce que pouvaient causer les opérations du Saint-Esprit, et l'héroïque Michel, affecté aux guerres et aux guérillas, n'avait plus le temps de prier tant il était occupé.

La belle Marie-Madeleine continuait à tourner autour de Jésus, laissant à sa pauvre sœur tout le fardeau du ménage. Saint Joseph, effacé comme d'habitude, fabriquait dans son petit atelier des armoires à pointe de diamant et des barattes à beurre. La bonne sainte Anne et sa fille Marie s'adonnaient au batik et au macramé, résistant de plus en plus faiblement aux objurgations de Virginia Woolf et de Thérèse Casgrain qui leur disaient qu'elles devraient participer elles aussi à la Direction du Paradis.

«Ma chère Sainte Vierge, disait l'âme de Mme Casgrain qui, même transportée au ciel, n'avait rien perdu de son dynamisme, avez-vous entendu parler du *Dinner Party*? Judy Chicago n'est pas une catholique mais je suis sûre que ça vous intéresserait. Cette œuvre montre que les travaux des femmes ont toujours été dévalorisés dans l'histoire humaine. Même vous ma chère, avouez que vous vous êtes un peu laissée faire, dans le temps!»

Les fidèles, assis sur des nuages, écoutaient du Bach et du Mozart en absorbant de temps à autre des noix, du miel et de l'ambroisie. Il y en avait qui trouvaient ce régime un peu monotone, et qui se disaient que, franchement, une petite bière avec des chips ça ne ferait pas de tort, mais personne ne critiquait. De temps à autre leur parvenait, d'en bas, du fond des ténèbres mystérieuses où le Diable en personne s'activait à ses fourneaux, le son d'orchestres rock, punk, funk et le reste. «Hey, les gars, lança une âme plus rétive que les autres, ç'a l'air pas mal plus l'fun en bas!»… Mais vivement, la harpiste de service multiplia les crescendos pour enterrer cette voix discordante.

*   *

*

Fier et serein, le Bon Dieu arpentait son domaine… Tout baignait non pas dans l'huile mais dans l'eau bénite, et Il réfléchissait à de nouvelles perspectives d'expansion, vers d'autres planètes. Il était grand temps que les Martiens, les gens de l'Empire et le Jedi entendissent parler de lui. Il songeait à renvoyer son fils en mission. (Jésus se rebiffait: «J'en ai marre, à la fin! Vous pensez que c'est drôle, vous, la croix, les épines et tout et tout? Pourquoi ne pas déléguer quelqu'un d'autre?… — Tu es mon fils unique», répliquait le Bon Dieu, dont l'indulgence paternelle tolérait ces petites sautes d'humeur.)

Tout à coup, au détour d'un nuage, Il aperçut un beau grand jeune homme, vêtu d'une peau de mouton, qui pleurait à chaudes larmes, assis sur un petit tabouret. La morosité même. «Jean-Baptiste! s'exclama le Bon Dieu, mais que se passe-t-il donc?»

Jean-Baptiste était un de Ses préférés. Il s'en souvenait encore, du temps qu'il était petit et qu'il jouait avec son Fils… C'était Son neveu après tout.

— Alors, mon garçon, pourquoi ces pleurs?

— C'est à cause de mes filleuls, Mon Oncle. Vous savez que les Québécois m'ont fait l'honneur de me choisir pour parrain. Enfin, je dis les Québécois… On ne sait même plus comment les appeler, c'est Vous dire le fouillis qui règne chez eux. Avant, c'étaient les Canadiens. Ensuite, ce furent les Canadiens français. Maintenant ce sont les Québécois. Eux-mêmes ne savent plus exactement ce qu'ils fêtent le jour de mon anniversaire: le Canada français? Le Québec?

— Enfin, Jean-Baptiste… Il n'y a pas de quoi pleurer parce que votre peuple a des problèmes de sémantique.

— Ce n'est pas tout, Mon Oncle. Ils vont de référendum en élection référendaire, ils n'arrivent pas à se brancher et ils se chicanent tout le temps. Ils ont deux premiers ministres, deux parlements, deux séries de ministères, et il y en a qui veulent être Québécois d'abord et Canadiens ensuite, d'autres qui veulent être Canadiens d'abord et Québécois ensuite, et le pire, Mon Oncle, c'est que la majorité de mes filleuls, au fond, ils aiment mieux tout avoir en double... Mais moi j'en ai jusque-là de leurs chicanes. C'est rendu que l'un des deux premiers ministres sacre comme un charretier, tandis que l'autre s'en amuse, et voici que pour finir le plat, on a un troisième Québécois chef de parti — un Irlandais celui-là mais catholique heureusement... — et peut-être qu'aux prochaines élections fédérales, ils seront quatre larrons en foire, parce que les péquistes pensent à aller sur la scène fédérale...

— Mais de quoi parlez-vous mon enfant, dit le Bon Dieu, je ne comprends rien à cette histoire, c'est trop compliqué pour moi.

— Laissez faire, Mon Oncle, ce sont des détails. L'essentiel c'est que mes filleuls se chicanent sans cesse et ne savent pas ce qu'ils veulent. Ça se répercute même ici, au paradis. George-Étienne Cartier et Wilfrid Laurier trouvent que leurs descendants sont trop séparatistes, André Laurendeau et le chanoine Groulx trouvent qu'ils sont trop fédéralistes, et Daniel Johnson continue de finasser sans dire ce qu'il en pense vraiment. Même au ciel, Mon Oncle, les Québécois-Canadiens français se chicanent.

— Mais qu'y puis-je, mon pauvre Jean-Baptiste... Je ne peux tout de même pas régler leurs problèmes à leur place, non?

— Faites quelque chose, Mon Oncle, n'importe quoi, je vous en prie...

Le Bon Dieu se mit à réfléchir en caressant sa barbe blanche. «Ces pauvres enfants, c'est vrai que je les ai installés dans un climat bien ingrat. J'aurais pu arrêter Jacques Cartier quelque part dans le sud... je l'ai laissé filer jusqu'à Gaspé où il fait un froid de canard. Je peux quand même, oui, peut-être, faire quelque chose pour eux...»

Et d'un signe de la main, il écarta les nuages et fit venir la lumière, et le jour de la Saint-Jean 1983 et même les jours qui la précédèrent, le soleil le plus doux, le plus chaud, le plus aimant, se répandit sur la terre du Québec.

25 juin 1983

CHASSÉS-CROISÉS

Où l'on voit Robert Bourassa revenir victorieusement à la charge et John Turner succéder à Pierre Trudeau après une dure lutte contre Jean Chrétien, tandis que le PQ se prépare ombrageusement à jouer le tout pour le tout.

BOURASSA:
«SECOND DÉBUT»

Peu après sa défaite de 1976, alors que tout le monde croyait Robert Bourassa à jamais disparu de notre paysage politique, l'un de ses anciens collaborateurs me dit: «Vous verrez, il reviendra. Et il redeviendra premier ministre après avoir reconquis son parti!»

Pour moi, cette prédiction c'était la blague de l'année. À mon interlocuteur je concédais que peut-être était-ce bien là l'intention de M. Bourassa, mais qu'il ne pourrait jamais s'agir d'autre chose que du rêve nostalgique d'un vaincu. Il y avait eu un cas du genre dans l'histoire contemporaine, celui de Nixon, et l'histoire n'allait pas se répéter.

J'avais tort.

Comme l'amoureux éconduit qui attend patiemment son heure, prévoyant mieux que quiconque les moindres humeurs de sa bien-aimée parce qu'il ne vit que pour elle, M. Bourassa attendit que la lune de miel entre l'électorat et le nouveau gouvernement péquiste fût terminée, et que les libéraux s'aperçoivent que son successeur à la tête du parti n'était pas le sauveur espéré.

Juste à temps pour le référendum, il revint de Bruxelles avec une nouvelle image. Dégagé de la politique partisane, il

233

mit son grain de sel dans le débat référendaire avec un petit ton neutre, sérieux, détaché, qui inspirait confiance. Il reçut modestement l'hommage «posthume» de ses anciens adversaires qui, une fois au pouvoir, ne tarissaient plus d'éloge pour le projet de la Baie James qu'ils avaient tant dénoncé dans l'opposition.

L'amoureux éconduit, aguerri par le temps, avait repris sa cour, s'appuyant sur ses fidèles du *rank and file* libéral et cherchant de nouvelles cibles. Aux jeunes journalistes qui n'avaient pas de souvenirs trop vifs de son règne, il parlait des nouveaux besoins, des nouveaux défis.

La dulcinée, revenue de tout, était plutôt blasée. Depuis qu'elle avait mis *Boubou* à la porte, elle n'avait connu que des déceptions. Avec son bel amant péquiste, la vie commune était de plus en plus fatigante et morose. L'amant radieux transformé en mari grincheux se perdait en récriminations de toutes sortes et n'apportait même plus de quoi garnir le frigidaire. Tous les beaux projets s'étaient envolés en fumée, les petits chômaient, on n'arrivait plus à joindre les deux bouts.

À la fenêtre, la dulcinée ne voyait rien venir. Rien ni personne, sinon... Boubou, Boubou encore et toujours, qui la guettait fidèlement jour et nuit, debout sur le trottoir, avec un beau char neuf, n'attendant qu'un signe d'elle pour gravir quatre à quatre l'escalier. Un char neuf, et d'autres promesses: le frigo plein, les petits au travail... Un ton calme qui contrastait avec les grands serments et les passions orageuses, et qui annonçait le retour de la routine et du train-train quotidien. Et peut-être — car c'était de cela que rêvait la dulcinée inquiète, dans ses pires insomnies — la fin du chômage et la sécurité...?

* *
*

Bourassa a le grand avantage d'être presque seul en lice. Dans une époque de récession économique, la fonction de premier ministre n'a rien de si tentant. Robert Bourassa n'a que deux rivaux: deux anciens «bleus» dont le plus sérieux, Daniel Johnson, se bat sur le même terrain que lui (le pragmatisme et l'économie) mais avec beaucoup moins d'atouts car il n'a pas de racine dans le parti, il a moins d'expérience et moins de réalisations derrière lui. Aucun échec ne ternit son dossier, mais pour plusieurs cela peut tout aussi bien prouver qu'il n'a pas fait ses preuves.

Bourassa, *Second Début...* Mais comment donc s'habituer à cette idée d'un retour en force de l'ancien premier ministre? C'est comme si on nous demandait de retourner brutalement en arrière, en 1970, en 1973... Au mieux, l'impression de rajeunir de 13 ans. Au pire, l'impression qu'on a fait du sur place pendant tout ce temps, que rien n'a avancé, que notre vie politique est comme une boucle, un cercle fermé, sans issue.

25 août 1983

LES JEUX
SONT FAITS

La nouvelle la plus sérieuse de la semaine, ce fut l'histoire du 747. Mais la plus déprimante, ce fut celle-ci: «Les mises en candidature au leadership libéral sont terminées.» Bourassa, Johnson, Paradis. Voilà, les jeux sont faits.

Il y a Pierre Paradis, cet ancien unioniste de 33 ans qui s'imagine qu'on va lui donner les clés du Québec comme si le Québec n'était rien d'autre qu'un skidoo ou un tracteur. Il y en a qui appellent cela de l'audace. Moi je trouve plutôt qu'il a du toupet, et, pour tout dire, qu'il se prend pour un autre. Imaginez deux minutes qu'une femme, une femme du même âge avec le même dossier, ait osé briguer les suffrages à un poste qui mène tout droit au bureau du premier ministre. Les gens en seraient morts de rire. Un homme peut s'en permettre un peu plus.

Ce monsieur se dit populiste de droite. Belle franchise car il l'est, et il a tout pour le devenir de plus en plus. Le populisme de droite... Brrr! La démagogie, l'anti-montréalisme, l'anti-intellectualisme, l'odeur rance de l'Union nationale mêlée à des relents de créditisme, les coupures dans les programmes sociaux, la voirie comme panacée, l'aventure du *self-made man* élevée au rang de théorie politique... C'est ça le populisme de droite. Un mot et des thèmes qui évoquent le développement régional de Justin Dugal et la faillite des caisses d'entraide, le développement régional d'Alfred Hamel et la faillite de Québécair, les politiques sauvages de Bill Bennett en Colombie-Britannique, qui est très précisément dans la même ligne de pensée.

Tant qu'à hériter d'un homme de droite, aussi bien qu'il vienne d'une autre tendance, plus conservatrice, moins primaire, plus sophistiquée et mieux formée, capable au moins de jouer dans les grandes ligues. La droite traditionnelle est moins dangereuse que la droite populiste, parce qu'étant conservatrice justement, elle conserve les acquis sociaux, négocie les changements et est moins démagogue.

D'où, en vertu de la théorie selon laquelle entre deux (ou trois) maux il faut choisir le moindre, un regard moins déprimé sur la personne peu connue de Daniel Johnson. Mais comment l'évaluer? On ne sait pas exactement quelle sorte de chef politique il ferait. Les diplômes et le nom du papa ne suffisent pas, ni un passage à Power Corp dont somme toute on ne connaît pas grand-chose non plus, car ces milieux-là ne laissent pas facilement couler l'information sur leurs anciens cadres.

Jusqu'à présent, le principal atout que je lui connaisse c'est d'avoir reçu l'appui de Thérèse Lavoie-Roux, qui est la plus social-démocrate des députés libéraux et qui, dans une société où les femmes seraient jugées en fonction de leurs qualifications réelles plutôt que d'après des préjugés ancestraux, aurait été, elle, le leader idéal. (Évidemment, elle n'en n'avait pas l'ambition. Ce n'est pas comme le petit Paradis qui lui se voit déjà au sommet, ou comme ce pauvre Joe Clark qui à 20 ans s'imaginait déjà premier ministre. Mme Lavoie-Roux est plutôt du genre à se demander si elle serait assez compétente pour l'emploi alors qu'elle le serait effectivement bien plus que tout le reste de la bande.)

Il y a un problème à propos de Daniel Johnson et c'est son frère. On le connaît, lui, parce qu'il est en politique depuis dix ans et ministre depuis sept ans. C'est un excellent politicien, un bon gestionnaire et un homme sensé, qui pourrait fort bien succéder à René Lévesque à la tête du PQ. Mais la victoire de l'un marquera la fin des ambitions de l'autre. Voter pour Daniel serait exclure Pierre Marc et peut-être est-ce le Québec tout entier qui y perdrait. (Car si Daniel Johnson est élu au leadership libéral, il est exclu que son frère accède à des fonctions analogues. Ils ont d'ailleurs, dit-on, conclu un pacte en ce sens, et de toute façon ils n'auraient pas le choix, car ni l'électorat ni les partisans des deux formations n'accepteraient que deux frères soient respectivement premier ministre et chef de l'opposition. Le Québec a beau être politiquement incestueux, il y a quand même des limites!).

Reste Bourassa. C'est le cas de le dire, on revient au point de départ. Un beau *char* neuf mais le même homme. Encore le côté élastique, le côté louvoyant, l'opportunisme comme style de vie et mode de pensée... Recommencer? Refaire sa vie avec le même? Ah mamma mia! La dulcinée est déprimée.

3 septembre 1983

LES NOUVEAUX
POLITICIENS

C'est aujourd'hui le jour du grand bond en arrière et du retour aux années 70, le *Second Début* de Robert Bourassa. Ce ne sera pas un congrès de leadership, ce sera un couronnement. M. Bourassa va faire partie du décor pendant un bon bout de temps. Aussi bien s'habituer... Se réhabituer plus exactement.

Mais au fond, on a tort de voir M. Bourassa comme un «ancien politicien» qui se serait refait une beauté. Force est de constater qu'il représente plutôt une nouvelle génération de politiciens.

Qui émerge, chez les péquistes? Ce n'est plus M. Lévesque. Ce n'est pas M. Parizeau. C'est Pierre Marc Johnson, qui est, avec Brian Mulroney du côté fédéral, le grand vainqueur de la dernière vague de sondages... Bourassa, Johnson, Mulroney, trois hommes de même style: des négociateurs plutôt que des meneurs, des hommes de dialogue plutôt que des tribuns, des pragmatiques soucieux d'éviter les positions tranchées.

* *
*

Les leaders charismatiques à la Trudeau et à la Lévesque (ou à la Parizeau) semblent passés de mode. Si l'on en juge par les sondages, et aussi par ce qu'on entend un peu partout, les Québécois sont las des grands éclats de la passion politique et ont plutôt envie de donner les clés du gouvernement à des hommes calmes, flexibles, tolérants, «relativistes» et pragmatiques, plus portés à négocier qu'à excommunier, plus intéressés à l'économie qu'à la constitution, et qui se contenteront de gérer les affaires de l'État en administrateurs consciencieux, plutôt que de proposer au peuple un nouveau modèle de société.

De fait, il s'agit d'un type de politicien plus nord-américain que français. Presque tous les hommes politiques du

238

Canada anglais et des États-Unis sont bâtis sur ce modèle. Seul le Canada français faisait exception, qui se donnait, comme chefs politiques, des intellectuels ayant un projet collectif et une vision précise de la société, héritiers en un sens des clercs d'antan.

MM. Trudeau et Lévesque sont de fins politiciens, mais ce sont aussi, chacun à sa manière, des intellectuels et des hommes de principe. Entre les deux l'affrontement était inévitable, mais cela a épuisé les Québécois. Il y a eu trop d'attaques et de débordements verbaux. Or, la passion épuise, quand elle tourne à vide sans jamais aboutir.

Si la lutte de pouvoir constitutionnelle s'était déroulée avec, par exemple, face à Trudeau, un Pierre Marc Johnson à Québec, ou alors, face à Lévesque, un Mulroney à Ottawa, il y aurait eu moins d'éclats, plus de négociations et plus d'accommodements. Mais deux rivaux de la même génération engagés avec une égale passion dans deux projets collectifs conflictuels, ce fut trop, et pendant trop longtemps.

* *

*

D'ici quelque temps, la scène politique sera dominée par des Robert Bourassa, des Pierre Marc Johnson, des Brian Mulroney...

Brian Mulroney. En voilà un qui a de la chance. Il est arrivé juste au bon moment. Ce qui, à une autre époque, aurait pu constituer un handicap — un certain flou dans la pensée — l'avantage aujourd'hui.

Durant tout l'été, M. Mulroney s'est abstenu, sous prétexte qu'il lui fallait donner la priorité à sa campagne dans Central Nova, de commenter le grand virage à droite du gouvernement Bennett en Colombie-Britannique: un événement capital, qui a secoué fortement tout le Canada anglais, et qui normalement aurait commandé une prise de position de la part du chef conservateur, puisque son parti s'appuie sur les milieux qui ont applaudi au budget Bennett. Il s'en est bien gardé.

Pour le grand test de son entrée aux Communes et sur la scène publique, M. Mulroney se trouvait théoriquement — je dis bien théoriquement — en position difficile, puisqu'il faisait face, en la personne du premier ministre, à un adversaire dangereusement logique, à l'esprit caustique et cartésien, maître de la dialectique et du langage. Théoriquement toujours, M. Mulroney se trouvait en outre tiraillé entre des obligations contradictoires, devant projeter l'image d'un farouche défenseur des intérêts des francophones et du Québec pour avoir quelque chance de séduire cette chasse-gardée libérale, tout en se faisant le champion des provinces de l'Ouest où se trouve la base principale du Parti conservateur, de même que des Maritimes où se trouve son comté... Or, il s'agit là par définition d'intérêts conflictuels, que seul un projet collectif très cohérent — celui de M. Trudeau par exemple, qui repose sur le concept d'un Canada au-dessus des régions — peut résoudre... en théorie du moins, au niveau de la pensée.

Si on suit mot à mot ses récentes déclarations et prises de position, M. Mulroney a souvent été confus, évasif, illogique. Un jour il prône la nécessité de réduire les dépenses gouvernementales, le lendemain il réclame des subventions spéciales pour les Maritimes. Après avoir tant parlé des minorités, il patine autour de la question des droits linguistiques, et sur la question capitale du *medicare* il ne se prononce jamais clairement.

Mais ces failles, qui sont au niveau des énoncés de principes, seront passées inaperçues. Mieux encore: avec un taux de popularité de 62 p. cent, son parti n'a jamais été plus en vogue. Mulroney a le style qui convient à l'époque: aimable, flexible, pragmatique, évitant les engagements et les confrontations. Et il a aussi le style qui convient au Canada anglais — même si, dans un curieux lapsus, le columnist Charles Lynch le qualifiait récemment de *French Canadian Quebecer*!

Je reviens d'un court séjour en Alberta, château-fort *tory* où j'ai tenté de savoir ici et là comment l'on voyait M. Mulroney... Son image reste embrouillée, et c'est bien ainsi: on préfère qu'il n'ait pas d'idées trop précises, et d'ailleurs on n'écoute pas tellement ce qu'il dit. On se contente d'attendre le jour tant espéré où Pierre Elliott Trudeau quittera à jamais le 24 Sussex.

(On n'a qu'une faible idée, au Québec, de la profondeur de la haine qu'on voue, dans l'Ouest, aux Trudeau et aux Lalonde. Cela n'a rien à voir avec la haine que leur vouent les péquistes: dans ce dernier cas, il s'agit d'une querelle de famille, d'une confrontation émotionnelle et passionnelle. Dans l'Ouest, c'est, si l'on peut dire, de la haine froide, un agacement sans borne, qui a atteint un paroxysme tel qu'on n'en parle même plus. On attend placidement le déclenchement des élections qui marqueront la fin du règne libéral.)

M. Mulroney a de la chance. Il n'a presque plus d'effort à faire, étant fort de l'extrême faiblesse des libéraux. Il n'a qu'à ne pas faire de gaffe et à se laisser porter par la vague...

15 octobre 1983

UN CONGRÈS DE GENS CONTENTS

QUÉBEC — Ce fut un congrès sans histoire, sans imprévu, sans exaltation, sans drame. Les perdants étaient malheureux évidemment, mais aucun des deux n'avait vraiment cru avoir des chances de l'emporter. D'où une déception moins aiguë, moins cruelle que celle qui s'abat sur des candidats qui, tels Raymond Garneau en 78, ou Joe Clark et John Crosbie au dernier congrès conservateur, ont eu le Pouvoir à portée de la main.

Certains partisans de Pierre Paradis, plus naïfs, ont toutefois espéré un second tour de scrutin jusqu'à la dernière minute: deux minutes avant l'annonce des résultats, ils s'agitaient avec fébrilité, et par la suite plusieurs ont quitté le Colisée en pleurant.

Les partisans de Daniel Johnson savaient depuis longtemps que les dés étaient jetés. Ils étaient d'ailleurs en moyenne plus avertis, M. Johnson s'était attiré l'appui des intellectuels du parti, les Cousineau, Lavoie-Roux, Scowen, Marx, French, Lincoln, etc. Bien avant l'annonce des résultats, ses partisans avaient cessé d'agiter leurs pancartes et attendaient, résignés. M. Johnson, qui aurait quand même espéré un meilleur score, a fait face à la déception avec une dignité et une sérénité qui a impressionné tout le monde. La plupart de ses supporteurs attribuent l'ampleur de sa défaite à une organisation déficiente et surtout au fait qu'il s'y est pris trop tard pour commencer sa campagne.

Le sort des deux candidats défaits n'apparaît pas particulièrement dramatique. Leur faible score ne peut leur fournir, à eux et à leurs supporteurs, une position de négociation au sein du parti, mais M. Bourassa n'a pas la réputation d'être un homme mesquin et les libéraux ont tout intérêt à présenter une image d'unité, l'image d'un parti qui «rassemble», parce que c'est ce thème qu'ils entendent exploiter face à un PQ accusé de «diviser les Québécois entre eux» par son projet souverainiste. (Ce thème est revenu souvent dans les discours de M. Bourassa.)

Bourassa: plus âgé, plus sûr de lui, il évite maintenant les comportements qui lui avaient donné l'image d'un homme sans épine dorsale. Il ne manifeste plus cette familiarité — fort déplacée chez un premier ministre — qui le poussait à tutoyer les journalistes et à appeler les gens par leur prénom. Contrairement à l'époque où il se laissait insulter par le premier ministre Trudeau, il réagit illico à toute attaque ou à toute question oiseuse ou imprécise. Il n'éprouve plus le besoin d'être cosmétiquement parfait: fini le coiffeur particulier, la mèche est parfois de travers, cela venant sans doute avec la maturité et la confiance en soi, et la nouvelle assurance que lui donne cette incroyable victoire après une si longue traversée du désert. Une victoire du reste qu'il ne doit à personne d'autre qu'à lui-même... garantie d'indépendance que ses partisans se font fort de mettre en relief: «Cette fois, disent-ils, il ne doit rien à personne. Après sa défaite, il est revenu à la surface tout seul, par sa propre ténacité. Il a parcouru la province en tous sens. Parfois, il n'y avait personne pour l'accueillir, pour le reconduire d'un endroit à l'autre. Il y allait quand même.»

*   *

*

Petite évaluation sommaire et subjective du congrès.

L'aspect le plus désagréable: le «son» Union nationale — Union nationale des années 50 — dans le discours de candidature de Pierre Paradis: les thèmes, l'enflure de la voix, tout cela rappelait un autre âge. (Sans parler de ce culot qui confine à la bêtise: «mon prédécesseur» lance-t-il à Gérard-D. Lévesque, comme s'il avait une chance sur mille d'être élu!)

L'image la plus sympathique: le sourire qui éclairait le visage de la femme et des enfants de Robert Bourassa, quand presque tout le Colisée rendait bruyamment hommage à l'ancien-nouveau chef. Les années noires qui ont entouré la défaite de 76 n'ont pas dû être faciles pour cette famille.

Le plus frappant: un climat joyeux. L'immense majorité des partisans étaient contents. Les partisans des deux perdants semblaient, pour un bon nombre en tout cas, prendre les choses avec philosophie. Après le traumatique passage à sa tête d'un Claude Ryan qui n'avait jamais caché son mépris envers les partisans libéraux les plus enracinés, ce parti retrouvait l'un des siens, et se donnait un chef qu'il aime et qui l'aime. Ce n'est pas la relation symbiotique et passionnelle qui lie René Lévesque au

Parti québécois, c'est quelque chose de moins profond, de moins compliqué, un rapport simple et amical. Contrairement à ses adversaires qui avaient tous deux des racines chez les «bleus», M. Bourassa vient du Parti libéral. Il en a été élu député en 1966, et ne l'a jamais quitté même après sa démission, même quand il semblait que tout le monde l'avait mis à la porte et le considérait à jamais disparu.

Ce retour spectaculaire et sans précédent, réalisé en sept années de travail acharné, constituera probablement un atout de taille pour M. Bourassa lors de la prochaine campagne électorale. Car l'exploit est tel qu'il force l'admiration et indique chez l'homme une ténacité et une force de caractère qu'on ne lui soupçonnait pas.

17 octobre 1983

LE SILENCE
DES INTELLECTUELS

Depuis l'accession du Parti québécois au pouvoir, et davantage encore depuis la défaite référendaire, les intellectuels québécois, naguère si diserts, se taisent... Les pages des journaux qui vibraient sous leur plume sont aujourd'hui livrées aux travaux plus prosaïques des journalistes ou aux textes d'universitaires spécialisés dans des domaines peu compromettants où le savoir est plus objectif. À l'extérieur des mass médias, les idées circulent en petits cercles plus fermés, dans des revues spécialisées elles aussi dans des problématiques particulières.

Même le verbal, la simple conversation, a suivi un semblable cheminement: dans tous les milieux où, il n'y a pas si longtemps, on s'engageait au moindre prétexte dans d'intenses discussions politiques, on parle aujourd'hui d'épargne-action, de conditionnement physique, du dernier film en ville ou du congélateur de Claire Lortie.

Pourquoi ce silence? Il s'explique. L'une des raisons, qu'on oublie trop souvent, c'est que les intellectuels nationalistes ont vieilli, qu'ils se sont «embourgeoisés», et que les jeunes qui pourraient relancer la réflexion s'intéressent à autre chose. (Je ne les blâme pas, je constate.)

Il y a aussi ce malaise — parfaitement normal — qu'éprouve l'intellectuel «au pouvoir». La place naturelle de l'intellectuel est dans l'opposition, là où sa liberté de parole s'exerce sans entrave. Le Parti socialiste français, lui aussi porté au pouvoir par les intellectuels, en fait actuellement l'amère expérience: les intellectuels français n'ont jamais si peu écrit que depuis que leurs amis sont au gouvernement. L'autre raison du silence des intellectuels québécois, c'est le déclin du projet indépendantiste, qui les avait mobilisés pendant une quinzaine d'années. Ajoutons à cela le dépérissement, partout dans le monde occidental, des grandes idéologies mobilisatrices (le marxisme pur et dur n'attire plus que les esprits religieux), et le tableau est complet.

Même s'il s'explique, ce silence étonne: les périodes où les idées reçues et les visions globales s'effondrent devraient au contraire être propices à la pensée parce qu'elles soulèvent des doutes, des interrogations, des remises en question... Et le doute n'est-il pas à la base de la réflexion et de la pensée critique?

Chose certaine, il est assez normal que, dans un contexte où même les gens qui font métier de réfléchir ne savent plus où ils en sont et ont perdu jusqu'au goût d'en parler, le Parti québécois donne l'image d'un radeau égaré, ballotté, ne sachant plus quoi faire de l'option fondamentale qui lui a donné naissance, oscillant entre la fuite en avant et le repli tactique.

* *

*

Dans une tentative fort honorable pour tenter de mettre un peu d'ordre dans nos armoires à idées, le ministre Camille Laurin a appelé à la rescousse 80 intellectuels, qui se sont livrés à quelques séances de *brainstorming*.

Le rapport-synthèse, écrit par Hélène Pelletier-Baillargeon, est un peu le portrait des nouveaux thèmes en vogue dans l'intelligentsia d'âge mûr: la concertation; un certain scepticisme vis à vis l'engouement pour la technologie; la décentralisation et le retour aux «communautés de base» et aux «solidarités locales».

Exception faite du projet communautariste (qu'on qualifie de «démocratie nouvelle»), les recommandations n'offrent guère de surprise... sauf par omission. Ainsi, il n'est nulle part fait mention de la condition féminine, sinon au chapitre de la fiscalité où l'on recommande l'augmentation du crédit pour «personnes à charge» de manière à «valoriser le travail éducatif du conjoint au foyer». Aussi prudents que s'ils étaient eux-mêmes au Conseil du trésor, nos intellectuels recommandent au gouvernement de «freiner la demande» en matière de services sociaux. On insiste sur la nécessité que l'école assure une «formation générale solide».

Une idée pas neuve non plus mais qui resurgit après une longue mise en veilleuse: «Les mots d'excellence et de qualité, écrit Mme Pelletier-Baillargeon, revenaient sans cesse... Presque tous ont reconnu que le développement et l'affirmation du Québec dans tous les domaines, passe par la formation exigeante d'élites bien préparées à assumer le rôle d'*entrepreneur*. Il y a quelques années, le mot *élite* rimait toujours avec *élitisme,* et les défenseurs de la démocratisation lui livraient une guerre sans merci. Sa réhabilitation spontanée par un imposant aréopage d'intellectuels sympathisants du Parti mérite certes d'être soulignée... La majorité des participants (semble aujourd'hui persuadée) que toute société, de gauche comme de droite, mise finalement sur ses élites pour faire progresser son projet collectif global.»

Au sujet du retour du pouvoir à la base, qui d'ailleurs est présenté comme une autre façon d'arriver à l'indépendance, «la prise en main personnelle précédant la prise en main nationale», Mme Pelletier-Baillargeon glisse une observation judicieuse: «Une vérification sérieuse de ce nouveau 'goût de la décentralisation' s'impose au niveau de la perspective historique. Au cours de leur histoire, les Québécois ont souvent obéi au vieux réflexe de 'se replier dans leurs terres' à la suite d'un échec collectif en 1760, en 1840, etc... Il ne faudrait pas que, suite à l'échec référendaire, la décentralisation soit vécue comme une sorte de consolation ou de repli, faute de mieux, sur des objectifs limités.»

Sur la question nationale, la «perplexité» est telle que «l'élite» de l'intelligentsia indépendantiste n'a pu arriver à des consensus clairs.

Évocation douloureuse de l'échec référendaire: «Les créateurs sentent que la thématique nationaliste est momentanément piégée et n'osent plus s'en approcher... Au Québec on est provisoirement entré dans l'ère du 'nationalisme honteux'. Être nationaliste, pour un créateur, c'est risquer de sombrer dans le régionalisme-rétro, l'artisanat à deux sous et le macramé... Encore sous le coup de la défaite, le vaincu ne peut se défendre d'intérioriser les préjugés et la vision méprisante du vainqueur... Il n'a donc plus d'autre choix, semble-t-il, que d'attendre qu'au ras du sol, à partir des forces plus jeunes mais encore dispersées qui travaillent la société québécoise, se reconstituent une nouvelle problématique et de nouvelles symboliques nationales portées par des créateurs dont le langage neuf n'aura pas été disqualifié par la honte d'une défaite.»

11 février 1984

LE DILEMME
DES INDÉPENDANTISTES

Il semble entendu que le Parti québécois fera de l'indépendance le thème principal des prochaines élections. Cette perspective réjouit, pour des raisons opposées évidemment, tant les fédéralistes que les indépendantistes les plus radicaux.

Les premiers sont persuadés qu'en liant son sort à son option, le PQ court à sa perte et qu'un deuxième vote négatif, après celui du référendum, éliminera à jamais «le séparatisme» de la carte. Les seconds n'écartent pas l'hypothèse d'une défaite, bien au contraire, mais ils se disent qu'un passage dans l'opposition pourrait régénérer le mouvement indépendantiste, et que l'opération aurait au moins l'avantage de mettre fin à l'insupportable ambiguïté qui force un parti indépendantiste à gouverner en parti «provincial».

D'autres indépendantistes, pensant moins au «moral» du parti qu'à l'intérêt du Québec, souhaiteraient au contraire que le PQ ne prenne pas une seconde fois le risque de soumettre le projet indépendantiste à un verdict populaire qui sera fort probablement négatif. Nombreux sont ceux qui se disent aujourd'hui, à la lumière de l'échec de mai 80, qu'il aurait été préférable de reporter aux calendes grecques un référendum à l'issue incertaine, et qu'une nouvelle tentative ne devrait pas être faite sans la certitude d'une victoire.

La défaite référendaire a enlevé pour longtemps au Québec la meilleure arme dont il disposait depuis 20 ans pour appuyer son pouvoir de négociation au Canada, soit le «chantage au séparatisme» dont Jean Lesage et Daniel Johnson s'étaient si souvent servis avec succès. Depuis le 20 mai 1980, le Canada anglais vit dans la certitude tranquille que cette épée de Damoclès est définitivement écartée, et les revendications du Québec, même les plus traditionnelles, n'ont plus de crédibilité, sauf quand elles coïncident avec les revendications d'autres provinces. Inutile de rappeler que c'est cette défaite qui a permis à M. Trudeau de procéder si facilement au rapatriement de la constitution. Le Québec n'aurait jamais été écarté des accords constitutionnels d'Ottawa, en 1981, si la «menace séparatiste» avait encore flotté dans l'air. Alors quoi? Recommencer? Aller une deuxième fois en chantant vers l'abattoir?

Une deuxième défaite du PQ sur le thème de l'indépendance constituerait dans cette optique un deuxième coup, une deuxième humiliation, que le Québec ne peut plus se permettre. Sans parler du fait que le projet indépendantiste, terni par deux échecs spectaculaires, serait probablement fini pour longtemps.

Dans cette optique, on remet le projet indépendantiste «sur la glace» en faisant confiance à l'avenir. On ne se livre pas à une apostasie publique, mais on met la pédale douce sur ce qui touche à l'indépendance. Mais le PQ se trouve coincé dans un terrible dilemme et une pareille orientation entraînerait d'autres problèmes; ses meilleurs militants, dégoûtés, le quitteraient, et le parti, ayant plus ou moins perdu sa raison d'être, se transformerait en une quelconque Union nationale: un parti qui ne parle plus d'indépendance mais qui est autonomiste...

De toute façon, disent ceux qui préfèrent la fuite en avant au virage stratégique, même si le PQ s'abstenait de parler d'indépendance, les libéraux se feront fort de ramener ce thème sur les tribunes électorales, et qu'il le veuille ou non, le PQ sera jugé sur son option. Dans ce contexte, disent ces derniers, le suicide électoral est plus honorable que l'hypocrisie.

Parler de suicide n'est pas gratuit. La donnée centrale, en effet, c'est que tout indique que le projet indépendantiste sera encore une fois battu. Tous les sondages le disent: la formule la plus modérée, celle de la souveraineté-association, n'a jamais réussi à rallier plus du quart environ de l'électorat, et cette option non seulement plafonne depuis des années mais risque en plus de subir le contrecoup de la baisse de popularité du parti qui en est l'incarnation. (Certains évoquent le 41 p. cent de «oui» du référendum… C'est hélas s'illusionner que de croire que ce serait là une base de départ. La simple observation, confirmée par des études comme celle du sociologue Maurice Pinard, a montré qu'une assez forte proportion des «oui» venait de fédéralistes nationalistes qui auraient voté «non» à une question directe, mais qui, pour augmenter le pouvoir de négociation du Québec vis à vis d'Ottawa, n'avaient pas d'objection à entériner la démarche proposée par une question «molle» qui ne demandait qu'un «mandat» pour aller tâter le terrain chez le voisin.)

Il y a plus encore que ce qu'annoncent les sondages. Aux prochaines élections, certains militants se battront avec l'énergie du désespoir, mais chez plusieurs, le cœur n'y est plus. Non pas faute de conviction, mais parce que l'espoir est trop mince et que l'usure du temps, conjuguée à l'impact profond de la défaite référendaire, a fait son œuvre, et qu'il n'y a pas de relève à l'horizon. Ces propos pessimistes, on les retrouve jusque dans la bouche du premier ministre (qui confiait au magazine *Le Point* qu'il ne verrait sans doute pas l'indépendance de son vivant), et jusqu'au cœur de l'intelligentsia péquiste. Lors des «chantiers de réflexion» organisés par le ministre Laurin, une partie des 80 participants proposait tout bonnement l'abandon du terrain «miné» de la souveraineté, la mise au rancart du discours nationaliste et la fermeture du contentieux Québec-Ottawa, au profit d'approches «pragmatiques» axées sur l'utilisation maximale de la juridiction provinciale.

*   *

*

Pourquoi un politicien aussi habile que M. Lévesque a-t-il opté pour la voie la plus risquée, alors qu'il aurait pu (il l'a déjà fait) calmer les ardeurs de ses partisans, lesquels sont d'ailleurs divisés sur la question?

Certains avanceront une explication machiavélique: M. Lévesque, étant presque assuré d'être battu de toute façon, préférerait être défait sur son option (ce serait plus honorable) que sur son gouvernement. Mais la politique n'est pas faite que de calculs. Il y entre aussi, surtout dans un parti comme le PQ, des convictions. M. Lévesque en a. Peut-être veut-il lui aussi sortir du cercle vicieux où l'a emprisonné une stratégie «étapiste» qui le force à gouverner en chef provincial alors que tout — la nature même de son parti et ses propres aspirations — le pousse à promouvoir une forme quelconque de souveraineté. Mettre cartes sur table, en avoir le cœur net... Dans son entourage, on dit que c'est là une considération déterminante.

Mais ne concluons pas trop vite: M. Lévesque, tout comme d'ailleurs plusieurs gros canons du parti, a déjà commencé à édulcorer l'idée, et l'on voit actuellement se former l'embryon d'un nouvel étapisme: ainsi, M. Lévesque affirme qu'aucun changement ne s'amorcera sans la majorité absolue des voix. Cet engagement est parfaitement démocratique mais il aura aussi un effet rassurant, car il est mathématiquement impossible que le PQ recueille un tel pourcentage du vote aux prochaines élections. (Cela impliquerait une augmentation de 10 p. cent par rapport au score du parti en 1976, alors qu'il était au meilleur de sa forme, et les libéraux, au plus creux de la vague.) Le mot indépendance redevient tabou, et dans les cercles dirigeants du PQ, on lance de nouvelles définitions de la souveraineté, qui serait maintenant la somme de certains pouvoirs acquis à la pièce, et qu'il faudrait «identifier» (comme s'ils ne l'avaient pas déjà été)... On parlera aussi de «la capacité pour un peuple de définir les conditions de son interdépendance» (?)... Va-t-on recommencer à jouer sur les mots?

18 février 1984

LE JOUR J
EST ARRIVÉ

Mauvaise semaine pour les francophones hors-Québec: l'injustice historique à leur endroit ne sera pas réparée. Le projet Pawley, c'était trop peu trop tard, mais quand même mieux que rien... Et, coïncidence symbolique, le lendemain de la mise au rancart du projet Pawley, ils perdent leur plus grand défenseur en la personne du premier ministre Trudeau.

Mauvaise semaine pour Brian Mulroney: il est maintenant évident qu'il a été incapable de faire l'unité de ses troupes sur la question du bilinguisme, et ses députés du Manitoba, tout à l'euphorie de leur sordide victoire, le défient ouvertement. Et la démission du premier ministre le surprend au moment où, profitant d'un bref ajournement de la session, il se faisait dorer au soleil de la Floride, soulevant en même temps le spectre d'une campagne électorale qui sera beaucoup plus dure pour lui au Canada anglais si son adversaire est John Turner, l'un des fils de l'establishment traditionnel, plutôt que le suppôt honni du French Power et du «socialisme».

Mauvaise semaine pour les députés libéraux du Québec, dont les sièges seront moins sûrs avec un leader d'une autre province, face à un chef *tory* né à Baie Comeau... Et à qui M. Trudeau n'a même pas fait l'honneur de leur réserver la primeur de sa décision. Ils l'auront appris comme tout le monde, par la radio, dans la solitude de leurs comtés respectifs.

Mauvaise semaine pour les journalistes, qui avaient fait le guet mercredi dernier autour de la colline parlementaire, pour buter sur un premier ministre qui les narguait de toute sa hauteur en leur disant de repasser l'an prochain. Il les aura déjoués jusqu'à la fin, avec une annonce inopinée en pleine poudrerie... Et — dernière coquetterie — un 29 février en plus! Un jour qui ne revient que tous les quatre ans... (Heureusement: trop de journées comme celles-là me feraient perdre trop de paris. Avec le temps, j'en étais venue à me persuader que M. Trudeau resterait à son poste et je regrettais même de n'avoir pas parié là-dessus quelque chose de sérieux, une bouteille de champagne par exemple. Ce qui prouve que l'intuition n'est pas une qualité nécessairement féminine.)

Il faut dire toutefois, à la décharge des journalistes qui se sont fourvoyés dans leurs prédictions, que M. Trudeau lui-même, à ce qu'il dit en tout cas, a hésité jusqu'à la fin. Qu'est-ce qui aura fait pencher la balance? Le saura-t-on jamais?

*   *

*

C'est en l'observant à travers le prisme du Canada anglais qu'on pouvait peut-être le mieux saisir la vraie nature de Pierre Trudeau. Au Québec, les cartes sont brouillées, il y a eu trop de passions, trop d'affrontements.

Mais cet homme, décrit par d'autres, vu à travers les yeux des autres, retrouve son identité réelle. Si certains, ici, le voient comme un être hybride et sans racines, les Anglais des autres provinces, eux, ne s'y sont jamais trompés et ils ont toujours su qu'il n'était pas des leurs. Tout en lui vient de Montréal, de la formation du cours classique, de la culture française, de la tradition catholique, de cette bourgeoisie montréalaise sans équivalent dans les autres villes canadiennes: le style, ce mélange d'extrême réserve et de brio flamboyant, l'élégance, l'humour, l'urbanité, la culture cosmopolite, l'habileté dialectique, et surtout l'approche intellectuelle, plus cartésienne que pragmatique.

Pour qui l'observe à Vancouver, à Toronto, à Régina, cela saute aux yeux: Pierre Elliot Trudeau est un Canadien français, plus précisément un Montréalais francophone. Un Canadien français parfaitement bilingue, un genre de Canadien français que ses origines sociales distinguent et qui ne correspond pas au stéréotype, mais qui incarne, hors du Québec, la *différence*.

Une «différence» que Christina McCall-Newman a bien décrite dans *Grits*. On y voit, par exemple, les rapports malaisés de Trudeau avec les milieux d'affaires torontois, et à quel point la carrière politique de Trudeau a été orientée en fonction du Québec et de ce qu'il percevait, à tort ou à raison, comme les intérêts des Canadiens français. En ce sens, ces derniers ont eu raison d'en être si fiers: ce premier ministre qui dépassait de si loin, par la seule force de son intelligence, les autres politiciens, était des leurs.

Dans un premier temps, lors de la grande vague de la trudeaumanie, cet «exotisme» fut un formidable atout mais ensuite, cela devint son talon d'Achille. Trudeau est trop français, trop catholique, trop «socialiste».

Ce qui, outre bien sûr les programmes sociaux, la législation protégeant les libertés individuelles et le développement de la technocratie, aura marqué son règne: l'entrée en force, à divers échelons de l'administration publique et jusqu'au cœur des chasses gardées anglophones qu'avaient si longtemps constitué les ministères économiques et financiers, de Canadiens français et plus particulièrement de Québécois francophones. C'est un phénomène qu'on mesurera mieux dans quelque temps, lorsqu'apparaîtra clairement cette donnée fondamentale qu'a si longtemps cachée la présence de M. Trudeau et de ses ministres québécois au gouvernement, soit le déplacement du pouvoir (économique et politique) vers l'Ouest.

M. Trudeau était certainement plus conscient que quiconque de la fragilité de cette façade qui ne correspondait plus au poids réel du Québec. Aussi, avant de partir, aura-t-il tout tenté pour assurer la pérennité de ses politiques linguistiques. L'obstination avec laquelle il a piloté sa charte des droits s'explique probablement en partie par le désir qu'il avait d'inscrire ses politiques de bilinguisme officiel dans une constitution qui serait à l'abri des législatures provinciales (et de ses propres successeurs au fédéral). Les articles concernant les droits linguistiques sont en outre les seuls à échapper à la «clause nonobstant» qui lui a été imposée dans le cours des négociations avec les provinces, et qui permet aux gouvernements provinciaux de soustraire leurs lois à la juridiction de la charte.

Dans le cours de cette action, l'homme et son gouvernement sont violemment entrés en conflit avec le gouvernement du Québec. C'était inévitable. Il s'agissait de l'affrontement de deux nationalismes absolument contradictoires par leur nature même. D'un côté, celui qui voulait «redonner» tout l'espace canadien aux francophones et offrir aux Québécois plus de mobilité, et dont toute la dynamique, axée sur la protection des minorités, allait contre l'autonomie des gouvernements provinciaux, celui du Québec comme celui du Manitoba. De l'autre côté, le nationalisme autonomiste, dont le mouvement indépendantiste est l'expression ultime et qui, considérant que le Québec est le seul endroit où peut s'épanouir la francophonie parce que c'est là seulement que les francophones sont majoritaires, veut au contraire concentrer les pouvoirs au Québec.

Jeudi, 1er mars. Un jour comme un autre. Le 1er mars, banalement, revient chaque année. Le Canada va retomber sur ses pieds, les choses vont rentrer dans l'ordre. La période Trudeau avait quelque chose d'anormal. Qui dit anormal dit exceptionnel. Place maintenant à l'ordinaire, à la médiocrité.

1er mars 1984

LE NOUVEAU VISAGE DU CANADA

La violente réaction anti-française qui se manifeste au Manitoba cache une autre réalité: la popularité du bilinguisme au Canada anglais. Un bilinguisme à l'anglaise, c'est-à-dire à l'état de pratique et non de théorie constitutionnelle, et ayant davantage à voir avec l'épanouissement individuel qu'avec la notion de droits collectifs.

Ainsi au moment même où se raidit la résistance à la promulgation du français comme langue officielle au niveau des provinces, le Canada anglais se transforme sous nos yeux en un pays dont les futures élites seront bilingues.

Le phénomène existe dans toutes les villes, y compris dans les châteaux-forts conservateurs de l'Alberta: à Toronto, Winnipeg, Saskatoon, Régina, Edmonton, Calgary, Vancouver, des milliers d'élèves de familles anglaises sont inscrits dans des classes dites d'immersion, où tout l'enseignement est donné en français. L'immersion est un exercice pédagogique délicat, difficilement applicable aux enfants qui n'ont pas de support culturel à la maison. Mais faite dans de bonnes conditions, et appliquée — comme c'est généralement le cas — à des enfants de foyers instruits, l'immersion peut donner à l'enfant une excellente connaissance de la langue seconde.

Selon Statistique Canada, il y aurait actuellement 106 000 élèves dans des classes d'immersion française, dont 17 000 au Québec. (Ces chiffres excluent l'Alberta qui a une méthode de calcul différente.) L'augmentation a été de l'ordre de 400 p. cent en sept ans, de 15 p. cent entre 1981 et 1982, et le nombre d'écoles offrant des programmes d'immersion est passé pendant la même période de 544 à 662.

Pourquoi ce mouvement? La source en est évidemment le *role model* formidable qu'a constitué un Pierre Elliott Trudeau, vu comme le Canadien idéal maîtrisant parfaitement les deux langues... Ce qui procurait aux intellectuels du Canada anglais, dans leur désir éperdu de se démarquer des États-Unis, la définition tant recherchée de l'«identité canadienne».

L'impact a été si fort qu'il sera maintenant impossible que le premier ministre canadien soit unilingue anglais. Même ceux qui se contentent de viser un poste de ministre font en général l'effort d'apprendre le français. On a vu ce qu'il en a coûté à John Crosbie d'avoir pris la chose à la légère. S'il avait été bilingue, c'est lui qui serait aujourd'hui à la tête du Parti conservateur.

L'impact des politiques fédérales de bilinguisme, même si elles ont achoppé, sauf au Nouveau-Brunswick, sur le refus de définir des droits collectifs et de les inscrire dans des textes, a été tel que la langue française est devenue synonyme non seulement de culture mais de réussite.

Le bilinguisme paie, donnant accès aux meilleurs emplois. Le dernier rapport du Conseil économique du Canada montrait d'ailleurs que les Canadiens bilingues ont un revenu de 11 p. cent supérieur à celui des unilingues. (Chez les femmes l'écart est de 12 p. cent.) Bien sûr, d'autres facteurs sont à l'œuvre: le taux de bilinguisme s'accroît avec la scolarisation, et l'on connaît l'étroit rapport entre l'instruction et le revenu.

Il y a aussi, faut-il dire, une dimension d'ordre social à cette ruée vers les classes d'immersion. Dans des villes comme Toronto et Vancouver, l'immigration du tiers-monde a été telle que la majorité des enfants d'âge scolaire parlent une autre langue que l'anglais à la maison. Les classes régulières ont des taux d'immigrants si élevés que la qualité pédagogique a été affectée. La classe d'immersion, fréquentée par des Canadiens anglais de vieille souche, tous petits Blancs de la classe moyenne, est une façon de contourner le problème. (Ce n'est qu'au Québec que le secteur privé est vraiment développé. La classe d'immersion, offerte par le secteur public à une clientèle de milieu bourgeois, est un peu l'équivalent de l'école privée.)

Ces classes sont en outre devenues l'un des rares secteurs d'emploi ouvert aux jeunes enseignants francophones à qui le Québec n'offre plus d'avenir.

À ne pas oublier: quand on parle des minorités françaises, il ne faut plus seulement penser aux vieilles communautés étanches de Saint-Boniface ou de Sudbury, mais aussi aux migrants québécois, aux «exilés» de fraîche date. Le *boom* pétrolier en avait attiré beaucoup en Alberta. Nombre de travailleurs francophones traversent la frontière ontarienne. À Vancouver, il y a des Québécois partout, dans la restauration, la coiffure, l'industrie du bois, etc. Dans plusieurs cas, ces Québécois ou leurs conjoints ne parlent pas anglais. Des services minimaux permettent d'alléger leur enfermement: un bulletin de nouvelles en français à Radio-Canada, des indications bilingues au bureau de poste, la possibilité d'être occasionnellement servi en français, tout ce qui, aux yeux d'un Québécois vivant entièrement en français, semble insignifiant, a de l'importance pour ceux qui sont perdus dans une mer anglophone et incapables de communiquer normalement avec autrui.

Mais au fait, comment se fait-il que le système scolaire dont ils sortent ne leur a pas enseigné au moins les rudiments de la langue seconde?

À Montréal, les statistiques sont troublantes car pour la première fois dans l'histoire, les anglophones sont maintenant plus nombreux à être bilingues que les francophones: 65 p. cent contre 62 p. cent.

Même dans les secteurs où l'on s'attendrait à ce que les francophones aient une connaissance convenable de l'anglais (les communications, l'information, les relations internationales, etc.), il y a maintenant une surprenante proportion d'unilingues ou de gens qui baragouinent l'anglais juste assez pour commander un café. De toutes parts, on entend dire que les étudiants, même dans des disciplines où les principales recherches se font en anglais et en américain, refusent, soit par paresse soit par incapacité, de lire en anglais. Pendant ce temps, les campus des cégeps et des universités anglaises de Montréal se peuplent d'anglophones bilingues.

Voilà l'autre dimension du phénomène. Elle est extrêmement inquiétante, car elle signifie que les francophones continueront d'être économiquement déclassés, dans la mesure où le bilinguisme, même s'il n'est pas exigé à l'embauche, est un atout considérable dans presque tous les secteurs du travail.

Il n'allait pourtant pas de soi que la promulgation du français comme langue officielle au Québec dût entraîner la déperdition de la langue seconde. On peut très bien vivre dans une société francophone et promouvoir le bilinguisme individuel.

A-t-on oublié que les premiers penseurs du mouvement indépendantiste, les Bourgault, Chaput, d'Allemagne, de même que les Lévesque et les Parizeau, parlent tous un anglais impeccable? Et que même les partisans de la francisation du système scolaire ont toujours été en faveur de l'enseignement le plus poussé possible de la langue seconde à l'intérieur des écoles françaises?

Mais quelque part en cours de route, cette perspective s'est perdue... Comme si, une fois éliminée l'ancienne contrainte qui faisait de la connaissance de l'anglais la condition *sine qua non* de la promotion sociale, c'est la voie naturelle du moindre effort qui avait pris le dessus.

3 mars 1984

MONSIEUR PERFECTION

OTTAWA — Tout était prêt, organisé jusque dans les moindres détails, parfaitement bien rodé: la mise en scène, sobre mais télégénique; les caméramen avertis à l'avance que le candidat entrerait par la porte de droite et sortirait par l'allée du milieu; la petite armée déjà partiellement en place d'organisateurs et de conseillers, discrets mais efficaces; le discours et la prestance, projetant l'image de l'administrateur responsable mais humain, beau mais aguerri, bilingue mais enraciné ailleurs qu'au Québec, avocat mais versé en économie, ferme mais démocrate.

Les thèmes: il y en avait pour tout le monde — les femmes, les jeunes, les vieux, les milieux d'affaires, le Canada français, les provinces anglaises. Le curriculum vitae: impeccable, avec les trois mots magiques (boursier Rhodes, Oxford, Sorbonne), et avec tout ce qu'il faut de prouesses athlétiques et de participation aux bonnes œuvres.

Les appuis: idéalement bien répartis, venant tant de l'Ouest (on parle de Lloyd Axworthy du Manitoba), que de l'Est (André Ouellet, l'homme-clé de l'organisation québécoise, est derrière lui), Turner lui-même ayant des racines à travers le pays puisqu'il a passé son enfance à Ottawa, fait ses études universitaires à Vancouver, débuté sa carrière d'avocat et de politicien à Montréal, et qu'il est aujourd'hui le fils chéri des milieux d'affaires de Toronto. (Ottawa, Vancouver, Montréal, Toronto... Et où croyez-vous qu'il est allé choisir son épouse? À Winnipeg! Il ne lui manque plus que de la parenté à Halifax.)

*   *
*

Tout était parfait. Le candidat aussi, le candidat surtout. Presque trop. Si John Turner s'était présenté au leadership du Parti conservateur, ce lancement de campagne lui aurait nui. Justement parce que c'était trop parfait, trop réglé, trop *slick* comme disent les Anglais. C'est une chose que Brian Mulroney avait appris à ses dépens en 1976: son organisation sentait à plein nez le luxe, le succès, l'argent, l'odeur de la victoire... et à ce premier essai il avait perdu. Au deuxième sprint, l'an dernier, Mulroney mena une petite campagne *low profile...* et gagna.

Mais les libéraux sont plus sophistiqués que les conservateurs, et, ayant depuis longtemps l'expérience du pouvoir, ils sont habitués aux machines qui marchent bien. Celle de Turner est partie d'un seul coup, sans un raté.

Comme l'écrivait hier Jeffrey Simpson dans le *Globe and Mail*, à partir d'aujourd'hui, il ne pourra que redescendre car jamais n'aura-t-il été aussi populaire qu'hier matin. Dorénavant, et jusqu'à la mi-juin, il sera la principale cible des attaques, dans la mesure même de l'immense longueur d'avance qu'il a sur les autres candidats.

Les médias, qui préfèrent avec raison s'attaquer aux forts plutôt qu'aux faibles, ont d'ailleurs ouvert le bal la semaine dernière, en faisant grand état des mésaventures financières de certaines firmes auxquelles il avait prêté son nom. Confronté à ce dossier lors de sa conférence de presse d'hier matin au Château Laurier, il a pris le taureau par les cornes et répondu aux questions avec aplomb et sans détour. Virilement, comme dirait Claude Ryan. La faillite de ces compagnies à capital de risque, dit-il, l'a familiarisé avec les problèmes des PME, et ce sont des investisseurs prêts à prendre des risques, justement, dont le Canada a besoin.

Le Manitoba? Mine de rien, en deux ou trois phrases, il a gagné quelques milliers de votes au Canada anglais et donné un croc-en-jambe à un Brian Mulroney déjà enfoncé dans ce guêpier. Se désolidarisant de la politique de Trudeau à laquelle Mulroney s'était rallié au grand dam d'une partie de son caucus, Turner dit respecter l'autonomie provinciale à ce chapitre et préférer un règlement politique à un règlement judiciaire.

L'administration Trudeau? À mots couverts mais quand même transparents, il prend bien soin de s'en dissocier sans pour autant blâmer qui que ce soit des erreurs qui ont rendu les libéraux impopulaires. Sous sa gouverne, laisse-t-il entendre trop subtilement pour qu'on puisse déceler là un manque de loyauté envers l'actuel chef du parti, mais assez ouvertement pour que ce soit clair, le bureau du premier ministre sera moins fermé, et fonctionnera par consensus et non par confrontation. Chaque premier ministre a son propre style, dit-il modestement.

17 mars 1984

TURNER OU
LA PEUR DE L'ÉCHEC

Rien n'est plus traître que la télévision. Elle met en relief ce qui, dans d'autres contextes, passerait inaperçu. C'est par la télévision que j'ai trouvé ce qui clochait dans la personnalité publique de John Turner. La faille cachée de cette armure parfaite.

Vendredi dernier, j'étais à la conférence de presse qui a marqué, à Ottawa, le lancement de sa campagne au leadership libéral. Vu de loin, dans cette grande salle remplie de gens en effervescence, présidant à l'échange questions-réponses, Turner avait de l'assurance, de l'aisance, de l'autorité. Il connaissait plusieurs journalistes par leur prénom. Il débitait avec concision et fermeté les phrases-choc par lesquelles il établissait son «image». C'était, écrivais-je le lendemain, parfait. (Politiquement parfait, s'entend). Presque trop. Il y avait quelque chose qui clochait, mais je ne savais pas quoi.

Le même soir, je regarde le même homme interviewé au *Journal* de la CBC par Barbara Frum. Quinze minutes en gros plan. Il est nerveux, tendu. Il a la bouche sèche. Étonnant chez un homme qui a été si longtemps en politique et qui a l'habitude des représentations publiques. Et tout à coup je me rends compte qu'à chaque question, il répète mot pour mot ce qu'il a dit le matin. Non seulement reprend-il les mêmes thèmes mais il utilise la même formulation, le même vocabulaire. Il s'exprime brusquement, en phrases saccadées qu'il termine abruptement comme s'il n'avait plus rien à dire ou comme s'il avait peur d'en dire trop ou comme si quelqu'un lui avait dit qu'à la télévision il faut être concis ou comme si tout avait été répété mot à mot.

Cette insécurité, ce manque d'aisance, m'avaient échappé le matin à Ottawa mais, sous la loupe impitoyable de la télévision, me sautaient aux yeux. Durant sa conférence de presse, il avait parfois souri, lancé quelques blagues. Mais au petit écran, la tension était si forte qu'il ne pouvait même pas se détendre assez pour esquisser un sourire... même pas lorsque, dans l'une des rares phrases qui n'avaient pas été dites telles quelles le matin, il parla de sa mère. (Pour dire qu'il est depuis longtemps conscient des injustices faites aux femmes, car sa mère a été la première femme au Canada à occuper un poste important dans la fonction publique et elle recevait les deux tiers du salaire qu'un homme aurait eu dans la même fonction.)

N'est-ce pas là le comportement d'un homme tout entier tendu vers un but mais profondément habité par la peur de l'échec? Une peur qui le fait s'accrocher au texte qu'il a répété avec ses collaborateurs, et qui lui interdit, en situation de représentation, la détente et la spontanéité, de même que toute incursion en terrain inconnu?

Si l'on se réfère à des sources écrites, et notamment aux nombreuses allusions à Turner dont est émaillé le *Grits* de Christina McCall-Newman, la peur de l'échec — qui est, ultimement, la peur de ne pas être aimé et qui s'exprime par une conformité quasi-obsessionnelle aux attentes des autres — semble avoir été une constante chez John Turner.

Sa mère, devenue veuve alors qu'il n'avait que deux ans, était une femme instruite, énergique et ambitieuse. De son fils unique, écrit Mme McCall-Newman, «elle exigeait l'excellence, et elle l'obtint.» À 20 ans, il s'était déjà bâti le *curriculum vitae* exigé des boursiers Rhodes: parfait équilibre de succès académiques, d'exploits sportifs et d'engagement social.

L'un de ses anciens collègues d'Oxford le décrit ainsi: «Turner n'était pas un homme brillant, mais il avait du succès dans ses études et dans la vie sociale à cause des efforts incessants qu'il y mettait. Il semblait toujours hanté par la peur terrible de faire ou de dire ce qu'il ne fallait pas. Il s'amenait chez moi une fois par mois environ, et nous passions d'amicales heures ensemble... Ensuite, j'ai essayé de me rappeler quelle conviction au juste il avait pu exprimer durant toutes ces conversations, mais rien ne me revenait à l'esprit, sinon des boutades sur le golf ou les voyages. Il ne disait jamais rien qui risque d'offenser qui que ce soit. C'était comme si tout en lui était tendu vers l'avenir, vers la grande carrière qui, même alors, était attendue de lui.»

Un témoignage analogue, de la part d'un député libéral qui l'a côtoyé au moment où il était ministre des Finances: «À 12 ans, ce gars-là était programmé pour être premier ministre... Je lui ai déjà dit que les gens l'aimeraient mieux s'il était plus spontané. Son regard bleu s'est fixé sur moi, et j'ai eu l'impression qu'il allait écrire «Être plus spontané» en grosses lettres sur une carte et l'introduire dans la machine de son cerveau.»

À l'époque, Brian Mulroney disait plus gentiment la même chose: «Turner est si coulant (*so smooth*) qu'il n'y a pas une erreur qu'on puisse lui reprocher.»

Comme ministre, et même dans des situations difficiles (il était à la Justice durant la Crise d'octobre), Turner s'est toujours arrangé pour éviter les échecs et pour ne pas se compromettre, tout en se révélant par ailleurs un gestionnaire compétent et consciencieux. En 1975, alors que la conjoncture économique — et son propre jugement comme ministre des Finances — exigeaient des contrôles qui risquaient cependant de le rendre impopulaire, il se retira de la vie publique où il n'avait alors rien à gagner... d'autant moins que Trudeau, le suprême rival qui l'avait éclipsé au précédent congrès de leadership, était bien en selle et ne faisait rien pour le retenir, et que la cote du gouvernement était au plus bas.

En 1968, Pierre Trudeau lui avait arraché le tapis de sous les pieds. Mais il était encore jeune, il pouvait attendre. Cette fois, c'est sa dernière chance. D'où, peut-être, cette tension extrême, cette peur de l'échec qui croît dans la mesure justement où le but se rapproche...

20 mars 1984

LES HANDICAPS
DE JEAN CHRÉTIEN

OTTAWA — Une soixantaine de partisans venus de Sha-winigan pour prêter au candidat un appui sonore et enthou-siaste. Sur la tribune, une quarantaine de députés de l'arrière-banc libéral (mais seulement trois ministres) entourant le candi-dat. Le candidat: voix de stentor, accent rocailleux, protesta-tions d'amour-passion pour le Canada, quelques grosses bla-gues ici et là... Le candidat a l'air, il faut bien le dire, davantage d'un encanteur que d'un premier ministre.

Même si l'on avait choisi un décor auguste — c'est dans cette salle lambrissée du parlement qu'a été amorcée le proces-sus de rapatriement de la constitution dont M. Chrétien aime bien prendre le crédit —, c'était une manifestation plutôt sim-ple, presque paroissiale. Et c'est ainsi, fidèle à cette image de bonhomie qu'il promène partout au Canada depuis 20 ans, que Jean Chrétien lança sa campagne au leadership.

Une campagne qu'il est loin d'être sûr de gagner, car trop de choses jouent contre lui. Il se présente comme «le candidat de la continuité» au moment même où l'électorat — y compris bien des libéraux — ne rêve que de changement. Il se réclame de Pierre Trudeau au moment même où tout le cabinet est ébranlé parce qu'une partie des ministres préfère suivre, sur la question névralgique du Manitoba, le futur chef non encore élu plutôt que leur chef actuel... lequel, en annonçant son retrait pro-chain, semble ainsi avoir perdu le contrôle de fer qu'il exerçait jusqu'ici sur son cabinet.

Autre handicap, Jean Chrétien est Québécois et franco-phone au moment où le Canada anglais ne rêve que d'un rapa-triement du pouvoir au Canada anglais, d'un retour à la nor-male qui balaiera le French Power d'Ottawa, et le premier cri-tère du choix des délégués libéraux, au congrès de la mi-juin, sera de se donner un chef capable de gagner les prochaines élec-tions. Et c'est au Canada anglais que ce chef devra avoir ses racines.

Au sein même du parti, la règle implicite de l'alternance
entre anglophones et francophones joue contre lui, et M. Chrétien n'aura vraisemblablement ni la stature ni le poids politique
nécessaire pour la briser. Certains s'étonnaient hier de ce qu'a-
près avoir été si longtemps ministre, Jean Chrétien n'ait pas
réussi à rallier derrière lui davantage de «personnalités» et que
même au sein de sa base québécoise, il compte moins d'appuis
que John Turner. Cela ne peut s'expliquer uniquement par
l'opportunisme qui pousse les politiciens dans les bras du candidat favori au départ, ni par le fait que les jeunes députés francophones les plus fringants tiennent mordicus à la règle de l'alternance — laquelle, croient-ils, pourrait un jour jouer en leur
faveur après le règne Turner. Il y a d'autres raisons.

L'une de ces raisons, c'est que Jean Chrétien a l'air de tout
sauf d'un premier ministre. Ce jugement, passablement
répandu chez les libéraux, n'est pas nécessairement le fait de
gens qui mésestiment ses qualités. Presque tout le monde, dans
les milieux parlementaires, le trouve sympathique et chaleureux. On loue son ardeur au travail et sa ténacité, de même que
son flair politique. On dit de lui qu'il a été un ministre efficace.
(Il a dirigé huit ministères, fut le premier francophone aux
Finances et ramena la paix sur le front pétrolier: un record
appréciable.) Certains disent même qu'il serait plus intelligent,
plus brillant que John Turner, même s'il a par ailleurs la réputation de ne pas étudier ses dossiers en profondeur.

Mais tout cet acquis se brise sur la barrière du langage et
du style. Le langage n'est pas un ornement superflu — encore
moins chez un premier ministre. C'est non seulement la
«vitrine» d'un pays ou d'un peuple, mais aussi le canal essentiel
de l'expression de la pensée. Ce langage et ce style, qu'il a
démagogiquement exploités sur les tribunes politiciennes, font
maintenant partie de sa personnalité publique, et cela risque de
lui nuire terriblement maintenant qu'il veut aller plus haut.
Même le texte vraisemblablement «travaillé» qu'il livrait aux
journalistes, quand il a annoncé sa candidature, était pénible à

lire: «...prêt à assumer la lourde responsabilité de (*sic*) premier ministre... le défi lancé à la nouvelle génération de (*sic*) leadership...» Le style aussi est problématique: trop populiste, et frisant la vulgarité. Or, les Canadiens — et les Québécois encore moins — n'aiment pas les chefs populistes.

M. Chrétien, qui est plus raffiné, dans ses rapports privés, que l'image créditiste qu'il projette, est très sensible à ces critiques et affirme à qui veut l'entendre que c'est parce qu'il préférait le charger du dossier capital de la constitution que le premier ministre Trudeau ne l'a pas nommé, comme lui-même l'aurait souhaité, aux Affaires extérieures. Quand on soulève cette question devant lui, il affirme, comme lors de sa conférence de presse, que «ce style, que certains trouvent trop proche du peuple, est très utile pour rendre les gens confortables (*sic*)», ou affirme que tout cela reflète l'opinion d'«une petite gang de snobs de Montréal».

Même s'il martyrise la langue anglaise encore davantage que le français, ces considérations semblent moins importantes au Canada anglais, où l'on est moins sensible aux questions de style et de langage. Encore qu'il faille savoir de quel Canada anglais il s'agit. M. Chrétien serait, disent tous ceux qui l'ont suivi en tournée, particulièrement populaire dans l'Ouest, en Alberta notamment, dans des milieux semi-ruraux où l'on aime le style populiste. M. Chrétien y a remporté nombre de succès de foule, soit parce qu'il tranche avec l'image du libéral classique (considéré dans ces milieux comme trop «sophistiqué»), soit parce qu'il représente l'image caricaturale du Canadien français (lui-même amuse les foules en se décrivant comme un vrai *pea soup*), soit tout simplement parce que l'homme a une présence sympathique et que c'est un orateur coloré. Mais il n'est pas dit que tous les Canadiens anglais soient sur la même longueur d'ondes, ni que tous ceux qui ont applaudi à ses discours seraient prêts à le propulser à la tête de leur pays.

22 mars 1984

ROCKY IV

Quelqu'un qui n'aurait pas su où était la salle de bal du Reine Elisabeth l'aurait facilement trouvée: il suffisait de suivre les affiches de John Turner qui jalonnaient les murs, comme autant de miettes de pain dans l'histoire modernisée et politisée du Petit Poucet.

C'était mercredi soir dernier. La publicité de la soirée avait quelque chose de féérique, annonciateur de mille félicités: *Wonderful Wednesday*, que ça s'appelait.

La version française imaginée par le traducteur de l'organisation Turner était encore plus lyrique: «La plus belle rencontre»... Rien de moins. Pas une rencontre quelconque, même pas une belle rencontre parmi d'autres. La plus belle de toutes les rencontres qu'on peut faire dans une vie! C'est sûr que je n'allais pas rater ça.

Je m'en allais donc d'un bon pas vers le Reine Elisabeth où notre John Turner national devait inaugurer l'étape montréalaise de sa campagne au leadership...

Chemin faisant, qui vois-je, sortant du Ritz avec un grand sourire aux lèvres? Nul autre que Roger Nantel, le vice-président aux communications du Parti conservateur de Brian Mulroney. Pourquoi ce sourire? Roger Nantel, tout «bleu» soit-il, participait-il lui aussi à l'euphorie de ce *Wonderful Wednesday*?... En un sens oui, mais c'était pour une autre raison que la venue à Montréal de John Turner: les sondages du matin venaient de confirmer une nième fois l'avance considérable des *tories,* qui continuent d'avoir le vent dans les voiles malgré l'entrée en scène de John Turner. Roger Nantel, comme les autres conservateurs de l'Atlantique au Pacifique, ne marchait pas. Il flottait. Il flottait sur un petit nuage rose, vers un horizon lumineux.

Arrivée au Reine Élisabeth pour «La plus belle rencontre». Dans la salle de bal, quelques centaines de gens portant le visage du candidat sur la poitrine, et dont on peut présumer que la majorité sont des libéraux — mais on ne demande pas de carte de membre à l'entrée —, se promènent autour du bar payant ou errent dans la salle en quête d'une connaissance ou d'un événement.

Il y a là, dans les proportions requises, tout ce qu'il faut pour que l'assemblée ait l'air représentative du peuple au grand complet: des francophones, des anglophones, des vieux, des jeunes, des femmes, des hommes, des blancs, des noirs, quelques saris et quelques asiatiques, bref un bon pot-pourri, au sein duquel circulent, l'air affairé, les organisateurs et les vétérans du parti.

Il y a deux catégories de gens: ceux qui connaissent du monde et qui sont engagés dans la campagne, et ceux qui, ayant été conscrits pour l'occasion par un ami libéral, ont l'air de se demander ce qu'ils font là. Ils attendent, un verre à la main, le regard perdu vers la tribune, à l'extrémité de la salle de bal, dont le fond est évidemment tendu de rouge avec au milieu, en caractères géants, les six lettres du nom magique.

On attend. Tout à coup, *bang*! Je n'exagère pas. Ça a vraiment commencé par un terrible *bang*, suivi d'une succession de *boum-boum-boum* assourdissants.

Que se passe-t-il? Il se passe que le candidat vient de faire son entrée dans la salle au son d'une invraisemblable musique paramilitaire dont mes confrères m'apprendront qu'il s'agit du thème du film *Rocky III. Rocky,* cette série à laquelle j'ai eu la chance d'échapper, est me dit-on, l'histoire d'un boxeur, avec Sylvester Stallone dans le rôle-titre.

Ce thème musical nous accompagnera durant une bonne partie de notre plus belle rencontre. Moi, pour une occasion pareille, j'aurais préféré quelque chose d'un peu plus romantique ou d'un peu plus *soul,* mais il faut ce qu'il faut, et ce qu'il fallait apparemment c'était donner l'image du boxeur qui s'en va vers la victoire. *Boum-boum-boum,* John Turner — ou ce qu'on en devine, à l'épicentre d'une concentration de caméras et de micros qui se déplacent lentement dans la foule — John Turner donc, s'avance vers la tribune. *Boum-Boum-Boum,* c'est *Rocky IV.* La musique est lourde, carrée, saccadée, macho-macho-macho.

— Quelle musique lugubre, murmure une dame derrière moi.

C'est bien vrai. On dirait la version sportive du *Dies Irae.*

Silence. Le candidat va parler. Auparavant, on chante le *O Canada* en chœur, mais après les gros tambours de *Rocky,* ça fait un peu anti-climax.

Enfin, le discours tant attendu, le discours qui va marquer la plus belle rencontre.

Le candidat va-t-il encore une fois s'enfarger dans les fleurs du tapis que constituent la langue, les minorités, le Manitoba, la Loi 101 et le reste? Non, car il n'y a pas de tapis, c'est-à-dire pas de possibilité, pour les journalistes, de poser des questions embêtantes.

Le discours est prononcé. Une suite d'aimables clichés et de propos convenus, prévus, prévisibles. Il n'y a rien à redire là-dessus. Ni pour, ni contre, rien à dire. Mais de là à penser que cette rencontre-là va rester gravée dans nos mémoires, alors là j'ai quelques doutes. Les autres aussi apparemment, car la moitié-arrière de la salle est engagée dans un intense placotage qui couvrirait pratiquement la voix du candidat si elle n'était aussi forte et virile.

On applaudit poliment. Les Montréalais savent vivre, et les libéraux savent se tenir. Mais ô destin cruel, c'est lorsqu'il rend hommage à Pierre Trudeau que John Turner reçoit les seuls applaudissements qui semblent charrier quelque chose, quelque chose comme une conviction, une émotion. Le reste de la rencontre a la chaleur et la couleur d'un lavabo. Du lavabo fret et blanc dont parlait Robert Charlebois.

13 avril 1984

270

L'AVANTAGE
D'ÊTRE SECOND

À deux semaines du congrès de leadership libéral, il n'y a qu'une chose dont on soit sûr: c'est que Jean Chrétien s'en tirera avec les honneurs de la guerre. Sans doute les délégués lui préféreront-ils John Turner, mais le simple fait que l'on puisse aujourd'hui en douter constitue en soi une victoire morale considérable pour un homme que la plupart considéraient perdant au départ.

Les derniers sondages disent que les libéraux ont plus de chances de battre les conservateurs avec Turner qu'avec Chrétien. Sans doute est-ce cet élément qui viendra à bout des indécis. Mais les mêmes sondages disent aussi que chez les libéraux (par opposition à l'ensemble de l'électorat), c'est Jean Chrétien qui est le plus populaire, et à chaque question des sondeurs, on constate que là où Turner devance Chrétien, c'est par quelques points seulement.

Autrement dit, on prévoyait que John Turner l'emporterait facilement, et que la campagne serait symbolique. Or, la course est devenue serrée. Le favori a si peu progressé, et l'*underdog* tellement avancé, par rapport aux prévisions, que la campagne de Chrétien est la seule à donner aujourd'hui l'impression d'avoir «décollé».

Bien des facteurs ont joué en faveur de M. Chrétien. Le plus évident: les gaffes d'un adversaire parachuté en terrain inconnu après une trop longue absence de la politique, et qui a perdu pied à plusieurs reprises, d'autant plus qu'il a été soumis à un éclairage intensif de la part de la presse.

M. Turner semblait si fort au départ que c'est vers lui qu'ont convergé, instinctivement, tous les regards critiques. Il n'avait pas encore annoncé sa candidature que déjà la presse torontoise scrutait les états financiers des conseils d'administration dont il était membre. Le reste de la campagne fut «couvert» dans le même esprit, un peu comme si le seul candidat sérieux en lice — et donc le seul dont il fallait fouiller le passé et analyser les positions — était M. Turner...

Sa campagne eut donc l'allure d'un cercle vicieux: pour peu que le candidat se laisse aller à s'exprimer un peu spontanément, ses moindres gaffes étaient mises en relief; il réagissait en se repliant et en évitant les contacts; en réaction, les journalistes s'irritaient de son mutisme, et M. Turner se voyait obligé de réagir contre l'image de sphinx empesé qu'on lui accolait; il se prêtait à des dialogues informels et hop, à la première erreur le cycle infernal recommençait.

Pendant ce temps, la campagne de Jean Chrétien progressait librement, sans entraves et en toute impunité.

Évidemment, M. Chrétien était loin d'être aussi vulnérable: de toute sa vie, il n'a jamais fait autre chose que de la politique, et il connaît bien la presse parlementaire d'Ottawa avec laquelle il a de bons rapports, d'autant plus qu'il est plus facile d'accès, plus détendu que son adversaire.

Sa connaissance intime des rouages de la vie politique et son flair de politicien le guident. Il sait comment éviter une question, comment désarmer l'adversaire (ou le journaliste trop inquisiteur) ou comment charmer. Comment aussi, à l'endroit des délégués, «tordre des bras» sans trop déplaire, et exiger ses dûs. Car en 20 ans de pouvoir, l'homme a été bien placé pour dispenser des faveurs.

Il est quand même étonnant que la presse n'ait pas mis le même zèle à scruter les positions et les erreurs passées de M. Chrétien, qui n'a quand même pas un dossier vierge, après avoir exercé des responsabilités publiques pendant tant d'années!

À la mi-campagne, le *columnist* Jeffrey Simpson le signalait d'ailleurs dans le *Globe and Mail*: «La presse, du moins au Canada anglais, a été plus tendre envers M. Chrétien qu'envers M. Turner. La presse nationale connaît mieux le premier, le trouve plus facile d'accès et le fait bénéficier du statut de l'*under-*

dog. On a souvent l'impression que la presse a deux sortes de critères dans cette campagne: la rigueur pour M. Turner et le laxisme pour M. Chrétien. Ce dernier, pourtant, a tendance à livrer le même refrain (*I love Canada*) sur chaque tribune, mais c'est toujours M. Turner que l'on accuse de n'avoir pas grand-chose à dire. Il est vrai que M. Turner ne dit pas grand-chose, mais c'est également le cas de M. Chrétien, une fois écarté le brassage patriotique.»

C'est aussi l'avis de M. Anthony Westell, directeur de l'École de journalisme de l'Université Carleton: «La presse a été plus sévère envers Turner parce qu'il est arrivé sur la scène comme le Prince charmant que tous avaient envie de faire trébucher.»

31 mai 1984

LE CREUX
DE LA VAGUE

Au moment où s'ouvre son congrès bi-annuel, force est de constater que jamais le Parti québécois ne s'est trouvé en pire position. Même au moment des dures défaites électorales de 1970 et 1973, les péquistes avaient moins de raisons de désespérer, car tous sentaient que l'avenir jouerait en leur faveur, et le malheur ne faisait que renforcer la solidarité et raffermir les convictions.

Mais aujourd'hui... Le gouvernement est au pouvoir, mais en quel état! Aucune législation un tant soit peu stimulante ne s'annonce à l'horizon, sinon un projet de réforme du mode de scrutin contesté de l'intérieur et dont le besoin, jusqu'à présent, ne s'est guère manifesté dans la population. Les initiatives des derniers mois — du projet de réforme scolaire à la loi sur les pourboires, en passant pas l'affaire des ordinateurs — ont toutes mal tourné. La série noire des «partielles» continue et les péquistes en sont au point où ils craignent de perdre le comté de Marie-Victorin, qui avait toujours été d'autant plus sûr qu'il est voisin de celui du premier ministre. Personne ne prend très au sérieux le plan de relance économique, et même ses largesses se retournent contre le gouvernement, comme on le voit dans l'affaire de Cadillac Fairview où la subvention gouvernementale pour la salle de l'OSM est de plus en plus contestée, parce qu'elle favorise un projet commercial discutable et controversé.

Et à l'heure même où le parti tente de regagner les faveurs de la jeunesse en assaisonnant son programme de quelques idées à la mode (pacifisme, écologie, tiers-mondisme, etc.), il se heurte à la colère des jeunes chômeurs qui n'ont que faire des «projets globaux de société» quand ils n'ont pas assez d'argent pour se nourrir.

Pour couronner le tout, il y a eu le choc de l'agression du caporal Lortie, sept ministres sont à l'hôpital, le ministre de l'Industrie et du Commerce se débat dans des rumeurs de mini-scandale, le député Gilles Grégoire n'en finit plus de prolonger son agonie politique en éclaboussant tout le monde.

Le parti n'est pas en meilleur état. La campagne de financement a mal marché, entre autres raisons parce que ses militants les plus acharnés, ceux sur lesquels on compte pour la tâche ingrate de solliciter des contributions, sont désenchantés. Tel est le prix que paie le PQ pour sa politique de confrontation avec les syndiqués du secteur public, car c'est dans ce milieu précisément, chez les enseignants en particulier, qu'il comptait ses meilleurs militants. Sans doute le PQ aura-t-il encore leur vote aux prochaines élections... mais il faut des militants pour «faire sortir» le vote!

Enfin, l'audacieux projet d'une aile fédérale allant combattre Ottawa sur son propre terrain, projet sur lequel les péquistes avaient transféré une partie de leurs espoirs déçus au provincial, et qui avait fait les beaux dimanches de plusieurs conseils nationaux, vient de s'effondrer dans l'indifférence générale.

*   *

*

Mais ces malheurs pourraient n'être que conjoncturels. La politique est un domaine mouvant où tout change et où tout s'oublie. Voyez ce qui se passe au fédéral. Il y a quelques mois les libéraux étaient au plus creux de la vague, et voici qu'ils remontent au point de devancer les conservateurs.

Le problème du PQ est toutefois plus complexe, et plus grave en un sens, car ce n'est pas un parti comme les autres. C'est un parti qui trouvait sa raison d'être dans le projet indépendantiste. Or ce projet qui, jusqu'au référendum, avait servi de moteur et de ciment au parti, est en train de chavirer. Le mot n'est pas exagéré, car même le sondage commandité par le Mouvement national des Québécois indique que l'idée d'indépendance a non seulement plafonné mais reculé.

C'est dans ce contexte que le premier ministre Lévesque, entraînant à sa suite la plupart des poids lourds du parti et du gouvernement, a choisi la voie du radicalisme, en promettant de jouer le tout pour le tout aux prochaines élections et en éliminant le volet «association économique» qu'il considérait pourtant, il n'y a pas si longtemps, comme absolument essentiel, tant sous l'angle de la «faisabilité» de l'indépendance que sous l'angle de la stratégie.

Ce virage est d'autant plus surprenant qu'il y a deux ans et demi à peine, le même René Lévesque semonçait violemment ses partisans et les forçait à recommencer leur congrès parce qu'ils avaient adopté des résolutions qui allaient à peu près dans le sens de ce qui leur est aujourd'hui proposé par les dirigeants du parti!

Avant le référendum, M. Lévesque prônait les vertus de l'étapisme aux indépendantistes «purs et durs» qui n'atten-

275

daient que l'occasion de risquer le tout pour le tout. Aujour-
d'hui, ces mêmes militants sont désenchantés de l'action politique, ou alors ils sont, pour beaucoup d'entre eux, assez confortablement installés dans les bons emplois que procure un parti
au pouvoir... Et c'est ce moment que choisit le chef pour radicaliser l'option. Bizarre. À moins qu'il ne s'agisse d'une tentative
pour remobiliser des troupes qu'aucun autre objectif ne pourrait ramener à l'action politique. Ou encore du désir d'en finir
et de régler la question une fois pour toutes.

Le fait est que le PQ ne pourra plus longtemps gouverner,
en tant que parti indépendantiste, à l'intérieur du régime fédéral. Il le pourrait, théoriquement, s'il avait été capable d'accepter et d'assumer sa défaite. Mais c'est trop exiger de la part de
gens qui croient sincèrement à la nécessité de l'indépendance.
On ne peut pas leur demander de se transformer du jour au lendemain en gestionnaires sereins d'un régime qu'ils abhorrent.
Mais l'ambivalence est trop lourde pour pouvoir être maintenue bien longtemps.

9 juin 1984

ENCORE LA CONFUSION

Au sortir du congrès du Parti québécois, bien des gens —
moi la première — ne savent plus quoi penser.

Il y a, en toile de fond, cette certitude que presque tous partagent, au sein du PQ comme ailleurs: l'option indépendantiste
sera vraisemblablement une fois de plus rejetée par une majorité de l'électorat. Que le PQ ne répugne pas à l'idée de retourner dans l'opposition, cela peut toujours s'expliquer, mais ce
qui s'avale moins bien c'est qu'à la suite du référendum de

1980, donc pour la deuxième fois en cinq ans, on veuille entraîner le Québec tout entier dans une autre défaite de même nature.

Dans quel état la société s'en sortira-t-elle? Quelle sorte de force de négociation le Québec aura-t-il après, dans ses rapports avec le fédéral ou les autres provinces? Sur le plan constitutionnel, le Québec est déjà assez affaibli, on se demande pourquoi ceux-là même qui s'y disent plus attachés que quiconque iraient lui porter ce second coup.

Comme à chaque congrès, on s'est livré de toutes parts à des exercices de sémantique qui plongent tout le monde dans la confusion... mais qui, cette fois, recouvrent peut-être des dilemmes autrement plus profonds et pour l'instant inavouables.

Pourquoi ce drame à propos d'une phrase (un vote pour un candidat du PQ signifie un vote pour la souveraineté) qui ne fait qu'en préciser une autre qui, elle, n'a pas été contestée mais qui signifie pourtant la même chose (une majorité de suffrages donnera au gouvernement le mandat de proclamer la souveraineté...)? Cela veut dire que si je vote pour un candidat péquiste, mon vote permettra au PQ, à supposer que la moitié de l'électorat vote comme moi, de proclamer la souveraineté. Sur le plan de la logique, il n'y a qu'un problème dans ce bout de phrase controversé, c'est qu'il réduit la marge de manœuvre que veut se garder le gouvernement, en éliminant, si on respecte le texte à la lettre, la possibilité de deux bulletins séparés, l'un portant sur l'élection comme telle, et l'autre, de type référendaire, sur le projet souverainiste.

Mais en réalité, que ces mots apparaissent ou non dans le programme du PQ, ce n'est pas cela qui va empirer les choses, car c'est toute la démarche qui est suicidaire.

On comprend ceux qui hésiteront à se réembarquer dans le bateau électoral du PQ. On comprend aussi l'amertume des ministres et députés qui, convaincus — généralement à bon droit — d'avoir fait du bon travail, n'auront même pas la possibilité d'être jugés sur leurs réalisations. On comprend que bien des péquistes, revenant brutalement sur terre, mesurent avec anxiété l'énormité du carcan dans lequel ils viennent de s'enfermer. Mais ce qui se comprend moins facilement, c'est qu'ils n'aient pas atterri avant.

Après tout, c'est lors de son précédent congrès, il y a deux ans et demi, que le PQ s'est formellement engagé à faire porter les prochaines élections sur la souveraineté, et depuis, M. Lévesque l'a réaffirmé sur toutes les tribunes. Bien avant le congrès, le conseil des ministres décrétait à son tour que les prochaines élections «porteraient principalement sur l'indépendance». Alors pourquoi cet effroi soudain, quand la démarche est enclenchée depuis des mois?

Il était évident, bien avant ce congrès-ci, que si l'indépendance est le thème majeur des prochaines élections, un vote pour le PQ sera un vote pour la souveraineté. Serait-ce qu'on se préparait à recommencer à jouer sur les mots et à faire croire aux gens qu'une campagne peut porter «principalement» sur l'indépendance sans que cela en devienne la question-clé? (Si ce ne l'était pas, alors, même avec une majorité de voix, le gouvernement n'aurait pas de véritable mandat pour faire l'indépendance.)

Les «purs et durs», au sein du PQ, ont sans doute tort de s'imaginer qu'il suffira la prochaine fois de changer la méthode et de poser franchement une question directe, toutes visières levées, pour séduire et motiver la population, et pour vaincre non seulement les résistances très profondes qu'elle nourrit à l'endroit du projet souverainiste mais aussi l'indifférence qui a gagné, depuis la défaite référendaire, même des milieux naguère acquis à la cause. Mais les «modérés» ont tort de s'imaginer qu'ils pourraient encore une fois recommencer à jouer sur les mots et à tenir deux discours différents selon qu'ils parlent aux militants ou à l'électorat. Une attitude marquée par les louvoiements et l'ambiguïté ne serait pas mieux reçue que l'affirmation haute et claire d'une option, aussi impopulaire soit-elle.

Le problème est ailleurs. Il est dans le fait qu'on veuille faire des prochaines élections une consultation sur l'indépendance sans chances sérieuses de pouvoir la gagner. Mais les péquistes ont eu deux ans pour y réfléchir. Pourquoi les dissidents qui étaient, faut-il dire, plus nombreux dans les coulisses qu'au micro, ont-ils attendu tout ce temps pour réagir?

Bien d'autres choses sont incompréhensibles. Ainsi cette rapidité fulgurante avec laquelle tout le congrès, M. Lévesque en tête, a continué à éliminer du programme tout ce qui se rapportait à l'association économique avec le Canada. Cette idée-là, M. Lévesque y tenait tellement qu'il avait baptisé le mouvement qui allait donner naissance au PQ: Souveraineté-Association. Il a longtemps dénoncé ceux qui osaient remettre ce dogme en question. Même récemment, durant la campagne référendaire, les dirigeants du parti n'en finissaient plus de dire que l'association était fondamentale, que c'était une pure question de réalisme, et que les deux volets de l'option devaient être reliés par un trait d'union. Même la question référendaire portait sur cet aspect.

Que M. Lévesque et les poids lourds du parti se soient radicalisés, c'est bien leur droit — encore qu'en général c'est l'inverse qui se produit: on devient plus modéré avec le temps —, mais on s'étonne qu'ils se soient livrés à cette révision idéologique si prestement, sans explication, sans débats, sans documents (dans ce parti si friand de documents), sans nous démontrer pourquoi il fallait maintenant changer d'idée sur une question qu'ils disaient naguère si fondamentale.

12 juin 1984

RENÉ LÉVESQUE
ET SON PARTI

«Monsieur Lévesque, si votre popularité continue à baisser, allez-vous démissionner?»

Le reporter qui a posé la question, à la conférence de presse de clôture du congrès du Parti québécois, ne manquait pas d'audace. Car ce jour-là, M. Lévesque était particulièrement agressif envers les journalistes.

Mais le premier ministre ne s'est pas fâché. Il a plutôt paru décontenancé, blessé peut-être. Comme si, pour un court instant, il perdait pied. Léger rictus, sourire de bravade: «Pourquoi me demandez-vous ça? Quelle drôle de question...».

— Monsieur Lévesque, reprend un autre journaliste, tout le congrès en parle.

Le premier ministre, s'étant ressaisi et ayant retrouvé sa superbe maîtrise de la parole, fit ensuite la réponse de convenance... Mais tous, et lui aussi sans doute, savaient que le même exercice recommencerait. René Lévesque, si longtemps adulé, devra maintenant réentendre, épisodiquement, ces interrogations sur son avenir personnel. Exactement ce qu'a vécu, ces dernières années, un Pierre Elliott Trudeau naguère adulé à qui la presse n'en finissait plus de demander quand il s'en irait, ou plus précisément quand il allait finir par s'en aller.

Devant cela, on se demande pourquoi sept hommes se battent à Ottawa pour devenir un jour premier ministre, et pourquoi tant d'hommes, au sein du PQ, veulent aussi le devenir. Car rien n'est plus ingrat que cette tâche-là.

Personnellement, il ne m'avait jamais paru concevable que M. Lévesque pût quitter la direction de son parti avant les prochaines élections... et encore, me disais-je, tout dépendant du résultat. Ce fut donc pour moi la grande surprise de ce congrès, que de voir le leadership de René Lévesque aussi largement remis en question.

Jusque-là, le rituel était toujours le même: dans les rangs dissipés des péquistes radicaux, tout un chacun critiquait abondamment «le vieux chef», mais — comment dire — ça n'était jamais vraiment sérieux. C'était comme des enfants qui, dans le secret de leur chambre, complotent et se lamentent sur l'excessive sévérité ou le mauvais caractère du «paternel». Et l'on finissait toujours par convenir qu'il n'y avait personne comme lui, et qu'il restait malgré tout le meilleur. Même l'exercice d'autoflagellation auquel M. Lévesque avait soumis son parti en 1981, en forçant les délégués à recommencer un congrès dont les résolutions lui avaient déplu et en décrétant un «renérendum» qui portait en réalité sur sa propre popularité, même cela avait été accepté. Peut-être cependant ces crises successives, entre l'homme et son parti, ont-elles laissé des marques.

Il y a des signes qui ne trompent pas. Quand la critique vient d'ailleurs que de l'aile radicale. Quand partout au sein du parti on évoque comme une possibilité concrète un renouvellement du leadership. Quand la promesse de diriger lui-même les troupes lors des prochaines élections, promesse lancée lors du discours d'ouverture du congrès, est reçue par des applaudissements plus polis qu'enthousiastes. (M. Lévesque lui-même, faut-il dire, n'avait guère l'air enthousiaste.) Quand, pour la première fois, on constate que le chef, au terme d'un congrès dont il n'a pas aimé toutes les orientations, s'abstient d'affronter son parti, comme si cette fois il sentait que le rapport de force ne jouerait plus en sa faveur. (Tous les précédents congrès s'étaient soldés par des crises ou des accès de mauvaise humeur du père-fondateur: en 1977 à cause d'une résolution sur l'avortement, en 1979 à cause de la victoire de Louise Harel sur l'un de ses hommes de confiance, en 1981 à cause de la radicalisation du programme au chapitre de la souveraineté... Cette fois, M. Lévesque, transférant sa mauvaise humeur sur les journalistes, s'est rangé du côté des délégués en disant qu'il «pouvait vivre» avec ce que le congrès a voté. Signe qu'il vaut mieux maintenant composer avec le parti?)

Ce n'est pas M. Lévesque qui a changé. C'est la conjoncture. D'abord bien sûr la mauvaise fortune du parti et du gouvernement, et le sentiment — non encore confirmé par les sondages — que le taux de popularité de M. Lévesque n'est peut-être pas plus élevé, aujourd'hui, que celui de son parti. Jusqu'à présent, M. Lévesque a toujours été plus populaire que son parti dans l'opinion publique et c'est l'un des éléments qui lui ont toujours donné une force extraordinaire vis-à-vis de ses militants. Certains croient que ce phénomène n'existe plus.

En outre, dans ce parti en difficulté, M. Lévesque est bien le bouc émissaire le plus facile à identifier, et la critique est à la mesure de l'envergure de l'homme et de l'immense autorité morale qu'il a toujours détenue.

Ensuite, il y a ce qui se passe au Parti libéral fédéral. Le fait que les libéraux, qui étaient au plus bas de leur cote de popularité il y a un an, soient en train de faire une spectaculaire remontée dans l'opinion publique, à la faveur précisément d'une campagne au leadership, est en train de devenir une véritable obsession chez bien des péquistes, qui croient à tort ou à raison que dans l'état où se trouve leur parti, seul un congrès de leadership pourrait lui redonner du vent dans les voiles. Ainsi cette militante de longue date: «Une campagne au leadership amène de nouveaux membres, des énergies nouvelles, cela fait un brassage d'hommes et d'idées...».

Brassage d'idées, dit-elle. Cela nous amène à la troisième raison qui pourrait pousser nombre de péquistes à souhaiter un congrès de leadership. Ce serait l'unique moyen pour le parti de sortir du carcan dans lequel il s'est enfermé depuis deux ans en proclamant à tous vents qu'il fera porter les prochaines élections sur l'indépendance.

À supposer que le premier ministre et son conseil des ministres veuillent faire machine arrière et recommencer à diluer leurs engagements antérieurs en tenant un discours équivoque et en jouant sur les mots, ils risquent de perdre toute crédibilité, tant à l'extérieur qu'à l'intérieur du parti.

Dans l'état actuel des choses, le parti n'est pas davantage capable de réviser son option, de présenter l'indépendance autrement: comme une option idéale mais à long terme, comme le résultat d'une démarche beaucoup plus longue et complexe... bref, de se transformer en parti nationaliste et autonomiste. Cette démarche est impossible à concevoir sans le «gros brassage» qui permettrait aux dauphins de proposer d'autres visions et au parti de mener enfin la discussion qui aurait dû l'être au lendemain de la défaite référendaire.

Rien ne dit, bien sûr, qu'un congrès de leadership serait bon pour le parti. Peut-être vivrait-il de terribles déchirements, voire une scission pure et simple, une fois parti son père-fondateur qui est peut-être le seul capable d'assurer l'unité.

14 juin 1984

FIN DE CHAPITRE

OTTAWA — Paul Anka ne s'était même pas donné la peine de mémoriser son texte. Le crâne un tartinet dégarni, il portait un «double breast» gris foncé sur une chemise blanche, il chantait comme un banal imitateur de Frank Sinatra, sans énergie, sans âme, les yeux rivés sur son texte. Quel choc!... Dans le temps, «Diana», du même Paul Anka, était en tête du *hit parade*. On chantait ça en chœur dans la cour de récréation. On apprenait à danser le *slow* sur «Puppy Love» ou bien sur «Put Your Head On My Shoulder»... Vendredi soir, chanteur vedette au grand spectacle d'hommage à Pierre Elliott Trudeau organisé par le Parti libéral à la veille de l'élection d'un nouveau chef, Paul Anka avait l'air d'un gérant de banque ou bien d'un agent d'assurances qui a réussi. Et dans la salle, ses anciens fans de l'époque se demandaient, avec quelque morosité, s'ils avaient tous changé autant.

Soirée-souvenir, soirée-nostalgie... Mais si le film célébrant la carrière de M. Trudeau était une réussite totale dans le genre — percutant, rythmé, inspiré —, le spectacle, vraiment, n'était pas à la hauteur de l'occasion. Une soirée-bénéfice d'un bingo local aurait eu, ma foi, plus de classe. Compte tenu du cadre partisan, l'exercice de déification aurait pu avoir de l'intérêt, voire charrier quelque émotion, n'eût été la vacuité de la forme.

Il a fallu supporter les lourdes épîtres farcies de clichés de quelques illustres inconnus, dont celle d'un cinéaste qui a profité de l'occasion pour se plaindre des critiques de cinéma canadiens, et il a fallu supporter ce qu'il se fait de pire dans le merveilleux monde du *show biz* canadien: la pitoyable chanson d'une écolière prénommée Myriam, survivante attardée de l'hystérie trudeaumaniaque des années 60, un numéro de danse à claquette de René Simard et de sa petite sœur, les seuls bons moments survenant grâce au monologuiste Rich Little qui fit de bonnes imitations de Nixon, Reagan et Pearson, mais qui hélas termina son numéro sur une blague d'un mauvais goût innommable: Trudeau, dit-il, accepterait un emploi de préposé aux toilettes du parlement parce que c'est dans ce domaine que les conservateurs sont à leur meilleur. Lamentable. Pour tout dire, c'est Nanette Workman qui a été la meilleure, et même les détracteurs les plus ardents de Pierre Elliot Trudeau concéderont qu'il ne méritait pas qu'on salue son départ avec de pareilles platitudes.

Jamais le vieil adage n'avait été si vrai: avec des amis pareils, il n'avait pas besoin d'ennemis!... Ainsi Pierre Elliott Trudeau termina-t-il sa carrière politique exactement comme il l'avait commencée: seul malgré les ovations et malgré l'adulation qui l'entourait, à l'écart d'un parti auquel il a adhéré sur le tard et seulement parce que c'était l'instrument du pouvoir, et à l'écart aussi des artistes de sa propre patrie. Ce spectacle en constituait une saisissante illustration: le Québec culturel, le Québec vibrant, le Québec créateur, n'était pas là.

Comme d'habitude toutefois, c'est lui, Pierre Elliott Trudeau qui a «volé le show»: une fois terminé le panégyrique, il fit son dernier discours. Pas son meilleur, mais un discours de Trudeau n'est jamais banal ni vide. À la fin d'un éloquent plaidoyer en faveur des libertés individuelles et d'un gouvernement central assez fort pour contourner les intérêts «égoïstes» des législatures provinciales, il fit monter ses trois enfants sur la scène.

«Allons enfants de la patrie, *C'mon kids*, s'écria-t-il, c'est le temps d'aller se coucher!» J'ai eu l'impression que ce n'était pas la première fois que les petits Trudeau entendaient ces mots-là, et que c'est peut-être parfois comme cela qu'il leur dit, le soir, que c'est l'heure du dodo.

Trudeau aura surpris tout le monde jusqu'à la fin. C'est sur une note de tendresse paternelle qu'il termina sa carrière. C'est également sur les visages de ses enfants que se termina le film que le parti lui a consacré. On dira que c'est facile, que c'est jouer sur la corde émotionnelle. Peut-être, mais ça au moins ce n'était pas de mauvais goût, ce n'était pas du chiqué ni du fabriqué, c'était vrai. Car à ce qu'on sache en tout cas, il y a une chose qui a remplacé dans le cœur de cet homme le goût du pouvoir: ce sont ses trois jeunes enfants, qui pour la fête des pères, vont retrouver un papa à temps plein.

Pendant ce temps, dans ce lieu d'intrigues, d'espoirs et de coups bas mais aussi de chaleureuses et profondes solidarités que constitue un congrès de leadership, le suspense continuait... Qui sera le prochain premier ministre?

Une seule chose, ici et maintenant, est sûre et certaine: cet homme, quelqu'il soit, aura l'air, après Trudeau, d'un homme ordinaire. Cela tous en conviendront: Pierre Elliott Trudeau, au faîte du pouvoir, aura été un homme seul notamment parce qu'il était exceptionnel et hors du commun.

Soirée-nostalgie, soirée de fin de chapitre... À Québec

pendant ce temps, un autre homme, exceptionnel lui aussi, songe à son avenir politique et peut-être lui aussi s'apprête-t-il à suivre les traces de son ennemi préféré. Trudeau parti, Lévesque (dit-on) songera à partir lui aussi... Je me rends compte tout à coup que j'ai vécu toute ma vie d'adulte avec ces deux hommes au pouvoir. Étrange impression de vide, l'impression de devoir se réajuster, de sauter à un autre chapitre dont on ignore l'histoire...

16 juin 1984

LA STRATÉGIE DE ROBERT BOURASSA

Lundi soir, Longueuil, école Gérard-Filion... Un autre soir d'élection partielle. Les chiffres tombaient l'un après l'autre, tous déprimants, mais n'apprenant rien à personne car la défaite était prévue. Les partisans, revenus des bureaux de scrutin où ils avaient travaillé bénévolement toute la journée, avaient le regard vide. Ils avaient les épaules basses. Ils ne parlaient pas. Que dire, de toute façon?

Lundi soir, Longueuil, un sous-sol d'église... La défaite éloigne les foules, le succès les attire comme un aimant. Si le local péquiste était à demi-désert, le local libéral par contre était bondé, et juste à voir le nombre d'autos stationnées partout autour, on savait qui avait gagné.

Pour célébrer cette victoire — la plus éclatante de toutes les victoires libérales aux partielles, car Marie-Victorin était avec Saguenay le plus grand château-fort péquiste, et se trouve en plus à deux pas du comté du premier ministre —, Robert Bourassa a fait une courte allocution. Rien de trop vibrant, ni d'emporté ni d'agressif, rien de spectaculaire. Du très très *low profile*.

286

Serait-ce que M. Bourassa a le triomphe modeste? Pas nécessairement. Ce qu'a M. Bourassa, c'est une stratégie.

Le chef libéral se fait discret, il se fait tout petit tout petit, pour un peu il raserait les murs. *Low, low, low profile...* Visibilité minimale.

Il reçoit aimablement ceux qui, tels les aspirants au leadership fédéral il y a quelque temps, sollicitent un rendez-vous. Il se permet à l'occasion de petites sorties officielles — récemment il rendait visite à son homologue ontarien —, mais on le voit peu, on l'entend peu. Il laisse à son aile parlementaire le soin de faire la «job de bras» et de harceler les ministériels. Lui se tient au-dessus de la mêlée, évitant les prises de position sur les sujets de l'heure.

Il aurait eu mille occasions de revenir au parlement: dans Marguerite-Bourgeoys, fief libéral, il n'aurait même pas à faire campagne. Il aurait été facilement élu dans Sauvé ou dans Marie-Victorin. Mais M. Bourassa n'a manifestement pas l'intention d'aller s'exposer sur les banquettes de l'Assemblée nationale.

Stratégiquement parlant, c'est exactement ce qu'il faut faire. Au parlement, l'ancien premier ministre serait systématiquement soumis au rappel des heures sombres de l'ancien régime et les péquistes seraient trop heureux de lui remettre le nez sur ses vieux péchés. Il serait plus souvent sur la défensive qu'à l'offensive... et il gaspillerait les munitions qu'il a plutôt intérêt à réserver pour la campagne électorale. Sa présence constante au petit écran de la télévision des débats risquerait aussi de soulever de mauvais souvenirs chez les plus de 30 ans.

M. Bourassa avait tout intérêt à se faire oublier. Il y a presque réussi. Pour les moins de 30 ans, c'est même un homme tout à fait neuf. À la Crise d'octobre, ils étaient en pleine puberté ou encore à l'école primaire. À peine plus vieux quand le PQ a pris le pouvoir. De toute leur vie d'adulte, ils n'ont connu qu'un gouvernement, celui du PQ, et c'est à lui qu'ils reprochent ce qui va mal. Les plus de 30 ans disent: «Encore

Boubou…».Mais pour les autres, Robert Bourassa est une nouvelle figure qui a, en plus, 15 ans de moins que René Lévesque!

La réserve du chef libéral s'explique aussi par la règle
inexorable des sondages: atteindre son sommet trop tôt avant
l'échéance est toujours dangereux. (Voir les conservateurs qui
flottaient dans les nuages il y a un an et qui dégringolent aujour-
d'hui.) M. Bourassa et son parti sont actuellement si hauts,
qu'ils ne peuvent que redescendre. D'où la nécessité de ne pas
faire de vagues.

21 juin 1984

LA VAGUE BLEUE

Où l'on voit les électeurs faire mentir le destin, John Turner trébucher et la forteresse libérale s'écrouler, tandis que Brian Mulroney séduit le Québec avec la complicité des péquistes.

DE LA GRANDE VISITE

VANCOUVER — Au marché Grandville, où Brian et Mila Mulroney «travaillent» avec un art consommé et un charme indéniable la petite foule qui se presse sur leur passage, une dame d'une cinquantaine d'années m'entend parler français avec un collègue.

«Il n'y a pas grand-monde qui parle français ici, dit-elle en se rapprochant de nous, plus intéressée, semble-t-il, à faire un brin de causette avec des francophones qu'à faire la connaissance de M. Mulroney. Elle est née au Manitoba et vit à Vancouver depuis une vingtaine d'années. Mulroney? Elle ne le connaît pas et de toute façon elle va voter libéral. Évidemment. Même au plus creux de la trudeauphobie, les minorités françaises sont restées fidèles au parti de Sir Wilfrid Laurier.

«Je ne comprends pas pourquoi Turner se présente dans Quadra, dit-elle. Ce comté-là va voter conservateur. C'est un comté tellement anglais.» C'est en effet l'un des derniers bastions «blancs» dans une ville où une majorité d'enfants d'âge scolaire parlent une autre langue que l'anglais à la maison.

Un peu plus loin, une autre dame du même âge. Plus excitée, celle-là, et les yeux brillants: *Aren't they nice?* C'est une résidente de Quadra. Qui vote conservateur comme elle respire. «Hélas, nous dit-elle, j'ai des amis qui sont en train de changer leur fusil d'épaule et ils veulent voter pour Turner. Ça m'enrage.

— Qu'est-ce que vous leur reprochez, aux libéraux?

Elle fait une moue dégoûtée:

— Leur arrogance! La façon dont ils nous traitent... (et elle refait le fameux geste du doigt levé. Souvenir cuisant du règne Trudeau.)»

Les dernières années du régime Trudeau ont laissé de si mauvais souvenirs dans l'Ouest que le Parti libéral a transformé son logo: le nom de Turner éclipse le «L» qui était jusqu'ici le signe traditionnel du parti.

Même s'il est peu connu, Turner est plus populaire que son parti. Je me demande parfois si l'étrange campagne qu'il mène, se rendant presque invisible sauf pour des mises en scène muettes et photogéniques strictement destinées à la télévision, n'a pas pour but de produire un vacuum, destiné à faire oublier le régime précédent et à allonger la distance entre lui et Trudeau.

Lors de son unique visite à Vancouver, l'avant-dernier week-end, Turner n'a guère été vu dans son comté, sauf pour une soirée mondaine. Il a préféré se promener dans le quartier chinois, qui est en dehors du comté de Quadra, et a évité toute intervention publique.

Par contraste, Brian Mulroney a été intensément présent durant les quelques heures qu'il a passées à Vancouver: trois discours devant des auditoires nombreux, dont l'un en plein cœur de Quadra.

On le connaît peu cependant. Si Turner est plus populaire que son parti, dans le cas de Mulroney c'est l'inverse. Le Parti conservateur a ici une vitalité qui se manifeste non seulement au niveau fédéral, où il détient 17 comtés sur 28, mais aussi sur la scène provinciale, à travers le parti de coalition de Bill Bennett où les *tories* sont l'élément moteur.

Mais Mulroney a un problème de crédibilité. Est-il assez sérieux, a-t-il assez de «substance», se demande-t-on, pour qu'on lui confie son portefeuille? Comparé à Trudeau, Mulroney l'emporterait haut la main parmi l'électorat traditionnellement conservateur de Colombie-Britannique. Mais comparé à Turner... Ce dernier a l'air plus vieux, plus sérieux, et répond mieux à l'image stéréotypée de l'homme qui va bien s'occuper de vos affaires, surtout depuis qu'il a promis de défaire la politique énergétique de son prédécesseur.

Les propos imprudents de Mulroney, à propos du patronage, risquent de renforcer cette impression qu'il y a peu de substance derrière l'image du beau garçon sympathique, et de compromettre son meilleur thème de campagne.

Dans l'Ouest, en effet, le Parti libéral était déjà si détesté que l'affaire du patronage aurait pu river le clou de son cercueil. Mais en quelques phrases, imprudemment lancées à un groupe de reporters, Mulroney a peut-être perdu le bénéfice de ce beau capital électoral.

Que M. Mulroney soit Québécois ne semble pas peser dans la balance. C'est un homme de l'Est, cela suffit, et peu importe qu'il vienne de Toronto ou de Montréal puisque tous les autres politiciens nationaux — Turner aussi — viennent de l'Est... comme d'ailleurs une bonne partie des citoyens de Vancouver!

Que M. Mulroney soit un Irlandais catholique et un citoyen bilingue à moitié «canadien-français» ne jouent pas non plus contre lui. Turner aussi est catholique. Ensuite, le fait d'être bilingue est maintenant reconnu comme un atout partout au Canada anglais.

Mais dans ces contrées de l'Ouest où le French Power a laissé un mauvais arrière-goût, M. Mulroney ne prend pas de risque et invoque souvent le souvenir du grand Diefenbaker dont il veut, dit-il, prolonger la lignée. Il ne doit pas parler souvent de ça à Baie-Comeau.

24 juillet 1984

UN MAUVAIS DÉBUT

VANCOUVER — Incroyable mais vrai: même dans le comté de Quadra choisi par le premier ministre, le passage de Brian Mulroney a attiré plus de monde que l'assemblée d'investiture de John Turner! Si Keith Davey, l'organisateur légendaire dont le nouveau premier ministre avait cru pouvoir se passer avait été là, il en aurait pleuré.

Quand le chef conservateur a pris la parole dans le comté de son rival, il y a deux semaines, la salle était remplie à craquer et la foule, enthousiaste. Mardi soir, au contraire, pour ce qui devait être le grand début spectaculaire de la campagne Turner dans Quadra, il y avait 500 personnes environ, réunies dans une cour d'école. Deux fois moins qu'à l'assemblée conservatrice, et pas d'électricité dans l'air. Bien des gens restaient sur leur réserve, ayant l'air d'observateurs plutôt que de partisans. Le discours du chef libéral fut écouté placidement et applaudi mollement. M. Turner a toutefois réussi à susciter un semblant d'enthousiasme en promettant que l'Ouest pèserait lourd dans son gouvernement, et que lui-même tiendrait régulièrement dans son comté des assemblées ouvertes et télévisées à l'intention de ses commettants. Il s'est également engagé à tenir des conférences bi-annuelles avec les autres leaders du *Pacific Rim*, et à promouvoir de ce côté le même type d'alliances économiques que celles auxquelles le Canada participe déjà avec les pays de l'Atlantique. La question est cruciale pour la Colombie-Britannique qui a, plus que toute autre province, l'œil sur le marché asiatique. Mais cela ne compensera pas, à court terme du moins, pour les défauts évidents de l'organisation libérale sur la Côte-Ouest.

M. Turner a été fort peu vu dans son comté, alors que le député sortant, le conservateur Bill Clarke, fait du porte à porte depuis le début de l'été. Mais pour une bonne organisation, cela n'a rien d'insurmontable. Même si le comté est conservateur depuis douze ans, le député sortant, un homme d'affaires sans éclat, n'est pas un adversaire bien dangereux, d'autant moins que la perspective d'avoir un premier ministre comme député apporte une touche de prestige additionnelle en même temps que certaines retombées financières. Ainsi, à l'Université de la Colombie-Britannique — la seule grosse «industrie» de ce comté résidentiel — on se dit qu'un député premier ministre saurait bien apporter quelques fonds additionnels à une université qui, comme toutes les autres, fait face à des restrictions budgétaires.

Mais on dirait que M. Turner accumule les petites gaffes, dans le genre de celles du «tapotage» ou des statistiques erronées, qui n'ont peut-être pas une énorme importance en elles-mêmes mais qui, ajoutées l'une à l'autre, font mauvaise impression. Ainsi a-t-il laissé passer la date où il devait choisir une résidence dans le comté pour pouvoir y voter le 4 septembre. (En vertu de la loi électorale, seuls les députés sortants sont dispensés de cette obligation.) Les médias de Vancouver ne l'ont pas avalé, et ont proclamé que le premier ministre préférait voter à Toronto. Pour contrer cette image négative, M. Turner vient de louer (pour 1200 $ par mois) un pied-à-terre dans Quadra. Mais le bail a été signé pour huit mois seulement.

Oui, Keith Davey va avoir du pain sur la planche maintenant que les libéraux viennent de le rapatrier pour sauver une campagne mal engagée. En se passant des services de l'homme qui avait si souvent mené Pierre Trudeau à la victoire, M. Turner voulait prouver qu'il pouvait à la fois rompre avec le passé et prendre l'affaire en main sans devoir se soumettre, telle une marionnette, aux décisions des experts en marketing électoral. C'était, faut-il le dire, une intention louable. Mais téméraire. Durant ses dernières campagnes électorales, M. Trudeau laissait M. Davey et ses collaborateurs diriger les opérations, réservant ses énergies pour l'exercice du pouvoir. Que M. Turner doive revenir à ce modèle en dit plus long sur la complexité de la politique moderne que sur l'homme lui-même.

2 août 1984

LYSIANE GAGNON

LE COUP
DE BOURASSA

Avec toutes ces calamités qui s'abattent sur le parti de John Turner, qui est-ce qui doit rire dans sa barbe? Qui est-ce qui doit savourer comme du miel les paroles de ceux qui lui disent que lui, il aurait gagné le débat; que lui, il aurait vite désamorcé le scandale des nominations politiques; que lui, il ne se serait pas contredit trois fois par semaine; que lui, il aurait su choisir son «staff», etc., etc., etc.?

Qui donc est le seul, dans la campagne, à jouer à qui perd gagne? Si les libéraux l'emportent, il retrouvera son siège de ministre. Sinon... Alors peut-être la défaite aura-t-elle pour lui l'odeur de la victoire.

Pour l'instant bien sûr, Jean Chrétien est le loyal serviteur de l'homme qu'il avait âprement combattu durant la course au leadership. À peine revenu de sa tournée asiatique, il a recommencé à sillonner le pays malgré la diarrhée — «toute une diarrhée», disait-il — qui l'a affecté au retour.

(Mes excuses aux lecteurs pour ce détail grossier, mais je ne fais que répéter ce que disait à un reporter notre ministre des Affaires extérieures, qui a l'élégant souci de ne rien nous laisser ignorer de sa condition intime. Décidément, le Parti libéral est descendu bien bas. Son chef actuel nous force à commenter des histoires de fesses, et son ex-futur-chef nous parle de ses problèmes intestinaux.)

M. Chrétien, donc, a trouvé le moyen d'être impeccablement loyal à son chef tout en indiquant clairement qu'il n'est pas le meilleur chef que le Parti libéral aurait pu se donner. «J'aime mieux Turner que Mulroney», dit-il en substance. C'est court mais ça dit bien ce que ça veut dire.

Qui dit qu'il n'y aura pas une autre course au leadership libéral durant les mois qui viennent, si John Turner ne réussit pas à éviter le naufrage? Qui dit que Jean Chrétien n'y songe pas?

Aussi bien se préparer mentalement: il va nous refaire le coup de Bourassa.

* *

*

C'est à Vancouver que j'ai suivi le début de la campagne électorale. Les perceptions sont différentes au Canada anglais.

Ainsi, l'affaire des nominations politiques y a provoqué un épouvantable tollé qui a occupé l'avant-scène durant les deux premières semaines. Pas un commentaire qui ne fasse allusion aux *plums* (les «bonbons») auxquels ont eu droit les fidèles de M. Trudeau. Pas une conversation qui ne comportât une allusion indignée à cette affaire. Au Québec, tant dans les médias que dans la population, on en a moins parlé.

Est-ce parce que les Québécois sont plus cyniques en matière de mœurs politiques? Est-ce parce que la plupart des «plums» sont allées à des Québécois, que l'affaire a particulièrement irrité le Canada anglais? Chose certaine, cela a été, non seulement dans l'Ouest où M. Trudeau était déjà détesté mais aussi en Ontario, la goutte d'eau qui a fait déborder le vase.

C'est M. Turner qui en paie maintenant le prix, car c'est cette affaire qui a donné le ton à sa campagne, inaugurée sur le mode défensif.

Il y a eu, deux semaines après le déclenchement des élections, un moment-clé où le vent aurait pu tourner. M. Mulroney aurait pu à son tour tomber dans le piège où il avait commencé à faire glisser les libéraux, en faisant du patronage son premier thème de campagne. Dans une conversation informelle avec des reporters, il livra spontanément ce qui est peut-être le fond de sa pensée: «Voyons les choses en face. Il n'y a pas de putain comme une vieille putain. Si j'avais été à la place de Bryce (Mackasey, dont le «bonbon» fut l'ambassade du Portugal), j'aurais moi aussi le nez dans la mangeoire.»

Ensuite, confronté avec ses propres déclarations durant la campagne au leadership conservateur, alors qu'il promettait des planques à tous ses partisans, M. Mulroney a déclaré que c'était là ce que les conservateurs voulaient entendre, mais que cette fois, s'adressant à l'ensemble de la population, il prenait la *high road* (une voie plus noble).

Ces propos imprudents, largement répercutés dans toute la presse anglophone, auraient pu faire déraper la campagne de M. Mulroney, qui jusque-là avait fait beaucoup de «millage» sur l'affaire des *plums*. Mais meilleur politicien et mieux conseillé que son adversaire, M. Mulroney s'en est tiré par d'habiles pirouettes qui ont mis un point final à l'affaire.

7 août 1984

LA NOUVELLE IDYLLE PC-PQ

Que nombre de péquistes souhaitent la défaite des libéraux, cela se comprend. Parce qu'il a été si longtemps «l'ennemi principal», tous les griefs sont dirigés contre le Parti libéral, dont la défaite constituerait pour les péquistes deux fois humiliés (au référendum et lors du coup de force constitutionnel) une bien douce vengeance...

Que, par ailleurs, les péquistes n'aient pas envie d'aller perdre leur vote en sautant dans la montgolfière du Parti nationaliste, cela aussi se comprend fort bien.

Mais que tant de péquistes sautent dans le train des conservateurs, alors là, il y a quelque chose qui dépasse l'entendement.

À la suite des Gilles Baril, Lucien Bouchard et Guy Chevrette, le ministre Clément Richard et l'ex-ministre Claude Morin viennent de donner un appui indirect mais clair aux conservateurs. (Un appui qui aura plutôt l'air, quand il sera connu au Canada anglais, du baiser de la mort, mais cela c'est le problème de Brian Mulroney. Ce dernier va finir par avoir du mal à passer à la fois pour le hérault du fédéralisme pan-canadien et du nationalisme québécois. Le double discours se pratique bien à condition que les deux auditoires soient hermétiquement séparés. Or, malheureusement pour M. Mulroney, le Canada anglais finit toujours par apprendre ce qu'il a dit au Québec et vice-versa.)

Ce qui étonne, dans cette nouvelle idylle PC-PQ, ce n'est pas l'attitude du PC. Son chef veut gagner des votes au Québec et il joue sur la corde sensible du nationalisme. Il le fait habilement, avec une démagogie qui frôle le cynisme mais c'est son droit.

La naïveté des péquistes est plus étonnante. Car si l'on pense d'abord aux intérêts du Québec, le PC a le pire dossier qui soit: les Bud Sherman et les Erik Nielsen y pèsent lourd et M. Mulroney, tout québécois soit-il (et pour cette raison justement), devra composer avec eux, au pouvoir comme dans l'opposition.

Sur toutes les questions que les péquistes ont à cœur, M. Mulroney a des positions contraires. Sur les minorités et les droits linguistiques, M. Mulroney s'est carrément situé dans la ligne de M. Trudeau, M. Turner insistant plutôt sur l'autonomie des provinces, ce qui du coup lui a fait perdre nombre de votes chez les Anglo-Montréalais obnubilés par la loi 101.

Sur le rapatriement unilatéral de la constitution, M. Mulroney était parfaitement d'accord avec M. Trudeau. Sur le droit de veto, M. Mulroney est toujours resté évasif, alors que M. Garneau, lui, voudrait au moins essayer de le «récupérer». (Évidemment, là-dessus le PQ est en terrain piégé, car c'est lui, via M. Claude Morin justement, qui est responsable de la «perte» de ce droit qu'il a bradé pour une illusoire alliance interprovinciale.)

Et la social-démocratie si chère au PQ? Sera-t-elle si bien servie par un parti qui est allé à l'école des républicains de Reagan, et dont l'un des principaux stratèges (Pat Kinsella, de la *Big Blue Machine* ontarienne), est celui-là même qui a permis à Bill Bennett de reprendre le pouvoir en Colombie-Britannique pour y effectuer la première vraie percée de la droite au Canada?

Question: les péquistes seraient-ils des unionistes qui s'ignorent? D'où les complicités discrètes et les affinités tacites entre vieux «bleus»?

Si l'on revient à l'optique indépendantiste qui est censée être celle du PQ, M. Mulroney serait-il moins ardemment fédéraliste qu'un Turner ou un Broadbent? Au contraire. L'homme est québécois, comme les autres du French Power libéral, et donc viscéralement, émotionnellement impliqué dans le débat. La politique du pire, alors? Pas du tout. Mulroney est trop enjoleur et trop louvoyant pour jeter, une fois au pouvoir, de l'huile sur le feu nationaliste.

En dehors de la problématique indépendantiste, pour des péquistes simplement soucieux de défendre les intérêts traditionnels du Québec, M. Mulroney, c'est vrai, serait un interlocuteur plus conciliant que M. Trudeau. M. Turner aussi probablement.

Quand les Claude Morin *et al* reprochent aux libéraux leur «arrogance», de qui parlent-ils au juste? On dirait qu'ils parlent de Pierre Trudeau... Comme si, même parti, ce dernier continuait à les hanter.

9 août 1984

LA BRISE BLEUE

Partout on entend cette remarque: «La campagne est ennuyante...» Ou, variante: «Il n'y a pas d'enjeu...» Ou bien: «Turner, Mulroney, c'est du pareil au même...»

J'ai observé la même réaction à Vancouver et à Montréal. Pendant des années, tout le monde a voué Pierre Trudeau aux gémonies, mais aujourd'hui tout le monde s'ennuie de lui! Là où le French Power fut si détesté, on se plaint de ce que les deux nouveaux chefs manquent de charisme, de vision, de ceci et de cela, et pour un peu certains réclameraient le retour du Prince déchu.

Au Québec, de fervents péquistes disent maintenant tout haut ce qu'ils pensaient auparavant tout bas: «Quand même, Trudeau, ce n'était pas n'importe qui!» Maintenant qu'ils sont sûrs, vraiment sûrs, qu'il ne reviendra pas, ils se permettent de le regretter!

Mais au fait, ces élections sont-elles si «ennuyantes»?

Il est vrai que les deux principaux partis disent souvent la même chose. C'est que dans notre système, dès qu'un parti s'approche du pouvoir, c'est — presque par définition — qu'il se trouve autour du centre. Les libéraux étant au centre-gauche et les *tories* au centre-droit, c'est évident qu'ils se ressemblent par bien des côtés. Et comme c'est l'économique qui est au centre des débats, on tourne autour des mêmes réalités à peu près inamovibles et qui dépendent largement de facteurs sur lesquels l'action d'un gouvernement — et à plus forte raison celle du gouvernement canadien — est relativement limitée.

Mais en réalité, cette campagne électorale est loin d'être aussi «plate» qu'on le dit. Elle contient plus de facteurs de nouveauté et de suspense que jamais: les deux gros partis ont chacun un nouveau chef, les nouveaux chefs se présentent aux antipodes de la base traditionnelle de leur parti, (Turner à Vancouver, Mulroney au Québec), il y a le phénomène nouveau de la montée des femmes dans l'univers politique et, pour la première fois depuis longtemps, les conservateurs pourraient effectuer une percée au Québec. Comme bilan, ce n'est pas mal, non?

Y en a-t-il eu beaucoup, ces dernières années, des campagnes électorales où toutes les prévisions se sont effondrées en moins d'un mois? Au déclenchement de la campagne, tous les sondages plaçaient les libéraux en avance; John Turner partait gagnant dans Quadra, Brian Mulroney partait perdant dans Manicouagan, et tout le monde croyait dur comme fer que le Québec voterait encore massivement libéral.

Quelques semaines, et hop, tout s'est renversé! Et ce n'est pas fini: il reste encore trois semaines... et d'autres glissements peuvent se produire. Comme suspense, on a rarement fait mieux!

Et puis il y a la brise bleue qui souffle sur le Québec. Cela aussi — cela surtout —, c'est nouveau. Misant sur une coalition de péquistes, d'anciens unionistes et de libéraux amers qui ne pardonnent pas aux «fédéraux» d'avoir tour à tour levé le nez sur Robert Bourassa et sur Claude Ryan, le PC bénéficie ici de l'avantage inestimable d'avoir un chef québécois qui tombe au bon moment, dans le vide laissé par Trudeau, et qui a l'air d'un libéral, atout non négligeable dans une province qui, si elle les connaissait d'un peu plus près, ne voterait jamais pour les vrais *tories*.

Depuis mon retour à Montréal, je tombe chaque jour sur des gens qui disent qu'ils vont voter bleu — et dans presque tous les cas ce sera la première fois de leur vie. Ils seraient bien en peine d'expliquer pourquoi. À cause du programme? Certainement pas. Le chef alors? Il «passe» parce qu'on le trouve «mieux» que Turner, mais il ne soulève pas d'enthousiasme. La raison est ailleurs. Elle est dans le désir confus d'un changement, d'un brassage, d'un mini-chambardement, désir ni plus ni moins articulé que le besoin épisodique de secouer les tapis, d'aérer les draps sur la corde à linge, de changer les meubles de place.

Un vote négatif en somme: «Simplement, dit un électeur, parce qu'après 16 ans au pouvoir, les gars se croient propriétaires de leur pupitre. Les autres ne casseront pas la baraque, et ils vont y aller mollo dans l'assiette au beurre.»

Tout à coup donc, dans l'été humide et malgré le désintérêt

ambiant, souffle une brise bleue... Pas un ouragan ni une marée. Plutôt un courant d'air.

15 août 1984

LES CHEFS
ET LES FEMMES

TORONTO — Le débat des chefs sur la condition féminine avait quelque chose de l'exercice scolaire: l'auditoire était soigneusement encadré, les questions avaient été préparées en «collectif», tout le monde avait l'air d'avoir appris son numéro par cœur, et les trois chefs avaient l'air d'élèves qui veulent devenir le chouchou de la maîtresse. Bref, le couvent... en plus sévère!

Comme la plupart des questions, tirées du catalogue des principales revendications féministes, ne touchaient qu'à l'avenir et non pas au passé, elles appelaient des généralités et des vœux pieux. Dans le genre: attendu que les femmes gagnent 60 p. cent de moins que les hommes, que comptez-vous faire?

Bien sûr qu'ils ont promis de faire quelque chose, et ils ont lancé en l'air plusieurs millions de dollars. J'en mets 50, disait l'un. Moi j'en mets 300, disait Broadbent, qui a beau jeu d'être le plus vertueux puisqu'il ne sera pas de sitôt au pouvoir.

Le débat aurait été plus intéressant si le panel avait abordé l'actualité politique, les dossiers et les actions passées des partis politiques en regard de la condition féminine, les contradictions entre le discours politicien et les actes.

Ainsi l'on aurait pu savoir pourquoi le NPD présente la moitié de ses candidats dans des comtés «perdus» de l'Ontario, et pourquoi plus de la moitié des 21 candidates du PC (sur 282) sont concentrées dans la province qui au départ était la moins favorable au parti. Mais cela, c'est une démarche journalistique et politique.

Or, le débat avait été organisé par une association qui ne voulait pas entrer en terrain politique! Dommage, car un débat entre leaders, en campagne électorale, c'est par définition politique, et un débat axé sur l'avenir et les «principes» risque de cacher la réalité et de servir de faire-valoir aux politiciens les plus habiles.

C'est pourquoi les trois chefs s'en sont si bien tirés. Rien n'est plus facile que de jurer, la main sur le cœur, qu'on est contre la porno et pour la paix, la maternité et la tarte aux pommes.

La procédure était si rigide que les panelistes ont omis d'interroger Brian Mulroney sur l'avortement, parce que la question avait été prévue pour le mini-débat entre MM. Turner et Broadbent. M. Mulroney, dont le parti a sur ce sujet une position peureuse et réactionnaire (le vote libre), s'en est joliment bien tiré, ce qui prouve qu'une fois de plus, le Destin ou la Chance était de son côté.

Le débat aura quand même été positif: le simple fait qu'il ait eu lieu est déjà une victoire pour les femmes, et montre à quel point la pensée féministe a fini par faire son chemin dans l'univers pourtant si masculin de la politique. Et puis l'on pourra toujours dorénavant confronter nos trois chefs avec leurs propres engagements, quand ils nous expliqueront pourquoi ils n'ont pas été capables de les tenir.

J'ai eu de ce débat la même impression qu'aux deux précédents. M. Turner est moins habile, moins fringant et plus tendu que M. Mulroney; sa cravate était mal nouée et il avait oublié de se coiffer avant d'entrer en studio, mais il a l'air plus crédible et moins démagogue.

Il était, cette fois, bien préparé, et il fut le seul à avoir l'honnêteté de parler des contraintes qui empêchent de tout réaliser d'un seul coup. M. Mulroney parle toujours comme s'il n'y avait rien de problématique, comme si tout allait marcher sur des roulettes. Un discours de vendeur de produits-miracle.

Dans une finale *punchy* qui a dû plaire aux amateurs de boxe qui trouvaient M. Turner pas assez batailleur dans les autres débats, le chef libéral s'en est pris au dossier peu glorieux du Parti conservateur, où les questions concernant les femmes ont toujours été ignorées jusqu'à ce qu'on se rende compte que c'est un bon cheval de bataille électoral.

M. Turner a fort opportunément rappelé que la dernière fois où les conservateurs ont discuté de programme — c'était en... 1982! —, un sondage parmi les délégués a montré que 72 p. cent étaient opposés à l'augmentation du budget des garderies, 75 p. cent contre l'action positive (pour les femmes et les minorités) et que 62 p. cent voulaient réduire le budget des allocations familiales.

Faites-moi confiance, disait M. Mulroney à la paneliste qui lui demandait pourquoi il fallait croire aux promesses. Eh bien... on croira quand on verra.

17 août 1984

COLOMBES
ET FAUCONS

Est-ce l'effet démoralisant des sondages qui leur annoncent la défaite? Les libéraux semblent en pleine débandade sur le terrain même où ils auraient pu faire des gains au détriment du PC, soit le thème de la paix.

C'est Iona Campagnolo qui a ouvert le bal à Vancouver. Sentant son comté lui glisser entre les mains, elle a brutalement rompu avec la politique officielle du parti dont elle est présidente, et revendiqué un gel des armements nucléaires.

Trois autres candidats, Lucie Pépin, Paul Manning et Jim Coutts, ont sauté dans le même train, le ministre Axworthy a dénoncé l'essai du missile Cruise, et le ministre des Affaires extérieures, Jean Chrétien, y est allé d'une opinion qui contredit la politique officielle du pays! (Il se dissocie de l'OTAN sur l'utilisation du nucléaire advenant une défaite dans une guerre conventionnelle. Ensuite, M. Chrétien a déclaré à deux reprises qu'il était contre le gel *unilatéral...* comme si quelqu'un de sérieux avait déjà proposé autre chose qu'un gel bilatéral!)

Moins démagogue, M. Turner a refusé d'embarquer dans ces virages improvisés et s'en est tenu à la politique de son prédécesseur, mais l'impression est catastrophique et l'opération a tout simplement eu l'air d'une tentative cynique et désespérée pour obtenir le vote des (nombreux) Canadiens qu'effraie la perspective d'un holocauste nucléaire.

Comment expliquer que les stratèges libéraux n'aient pas défini un programme cohérent sur une question aussi capitale, et ce avant le déclenchement d'élections que leur propre chef avait le pouvoir de convoquer? Pourquoi M. Axworthy, qui était au conseil des ministres, n'a-t-il pas protesté *avant* l'essai du Cruise? Comment surtout supporter l'idée que sur une question aussi vitale et aussi complexe que le nucléaire et la défense, le Canada forge sa politique au gré des humeurs du jour, dans le tohu-bohu d'une campagne électorale? C'était avant les élections qu'il fallait réfléchir à cela. Pas pendant.

Comme d'habitude, le chef néo-démocrate, Ed Broadbent, a joué les vierges offensées. Mais il a oublié de dire aux électeurs que son parti veut que le Canada se retire de l'OTAN. (René Lévesque a crié au scandale quand le congrès du PQ a voté pour une résolution analogue, en 1977, et a ramené son parti dans la voie de la raison. M. Broadbent préfère, lui, passer l'affaire sous silence, et il a la partie belle car, comme tout le monde sait qu'il ne prendra pas le pouvoir, personne ne l'interroge à fond.)

*   *

*

Un groupe de recherche pacifiste, le Centre canadien pour le contrôle des armements et le désarmement, vient de confirmer, en rendant public un rapport fondé sur des interviews avec les leaders, la parenté entre les conservateurs et les républicains. Parenté subtile et partielle, qui est loin de s'étendre à tous les domaines — à cause notamment de la forte tradition de *Welfare State* au Canada —, mais qui existe sur certains plans.

Derrière la musique de colombe qu'il joue aux électeurs, M. Mulroney est un compagnon de route complaisant de Ronald Reagan, dont il approuve sans réserve, nous apprend le Centre, la politique sur les armements nucléaires. (Bien que M. Mulroney dise ailleurs avoir approuvé l'initiative de paix de M. Trudeau.)

L'hiver dernier, sans doute pour «occuper» son rival défait, M. Mulroney avait confié à Joe Clark une «commission d'enquête itinérante» sur la paix. Le rapport a été imprimé. On n'en a jamais vu la couleur.

Les techniques électorales du camarade américain font d'ailleurs l'admiration des organisateurs du PC, qui mettent efficacement en pratique, cet été, ce qu'ils ont appris l'an dernier à l'école des républicains: contrôler la logistique, jouer sur le charme et la confiance, et s'en tenir aux généralités.

Combien coûtent les promesses que distribue partout M. Mulroney tout en s'engageant par ailleurs à réduire le déficit? M. Mulroney attend au 28 août pour nous donner des chiffres. Le 28 août, avec publication le 29: c'est deux jours avant le début du long congé de la fête du Travail qui se clôturera par le scrutin! L'impunité est garantie, car personne alors n'aura la possibilité d'évaluer le sérieux de ces données.

18 août 1984

LES DEUX BRIAN

CHARLOTTETOWN — Heureux comme un roi, se laissant porter par la vague bleue qui va presque assurément le porter au pouvoir le 4 septembre, Brian Mulroney n'a même plus besoin de renouveler son discours ou de produire des déclarations fracassantes.

Tout au long d'une tournée à Terre-Neuve où il a bénéficié de l'appui vibrant du premier ministre Peckford, M. Mulroney a partout répété presque mot à mot le même discours et les mêmes blagues, souriant aux anges et aux foules enthousiastes qui l'acclament, dans cette province pauvre où l'alliance Peckford-Mulroney fait miroiter la promesse de la prospérité reliée au contrôle des ressources *offshore*.

Terre-Neuve compte sept comtés dont deux seulement ont élu des conservateurs en 1980, mais ici comme ailleurs, le PC a le vent dans les voiles. L'appui de Brian Peckford peut être déterminant, puisque le premier ministre terre-neuvien a été porté au pouvoir non seulement grâce au vote traditionnellement conservateur mais aussi par ceux qui votent libéral au fédéral. Situation qui est loin d'être unique à Terre-Neuve... Et c'est là, justement, l'un des grands atouts de Brian Mulroney, que de jouir de l'appui — avoué ou non — de tous les premiers ministres provinciaux.

Toutes les provinces en effet, sauf le Québec, le Manitoba et la Colombie-Britannique, ont des gouvernements conservateurs. Bill Davis en Ontario et Brian Peckford à Terre-Neuve se sont faits tour à tour les mentors de leur nouveau collègue du parti fédéral, parrainant ses tournées dans leurs provinces respectives et le présentant avec enthousiasme à leurs commettants. M. Davis a mis à sa disposition sa formidable *Big Blue Machine*, et M. Peckford, ses spectaculaires talents d'orateur. «Votez pour Mulroney, dit-il, ce n'est pas une affaire partisane: le bien de la province passe avant les partis!» Or, le bien de la province, c'est cette entente signée entre les deux Brian sur les ressources au large des côtes... entente sans valeur légale, bien sûr, puisque M. Mulroney n'est pas au pouvoir, mais dotée d'une incalculable valeur électorale.

Hier soir, à l'Île-du-Prince-Edouard, c'était au tour d'un autre premier ministre, James Lee, d'accueillir son homologue fédéral. En Colombie-Britannique, le gouvernement Bennett, qui n'est pas créditiste que de nom (c'est en réalité une coalition où les conservateurs sont prédominants), n'a pas donné son appui officiel, mais c'est mieux ainsi car par ses législations répressives de l'été dernier, M. Bennett s'est aliéné bien des électeurs du centre et un appui trop ouvert de sa part aurait nui à M. Mulroney auprès de l'électorat social-démocrate.

Ce qui nous amène au Parti québécois, dont l'appui au PC constitue pour les conservateurs un atout aussi déterminant que surprenant.

Dans l'avion qui le menait, vendredi, de Montréal à Stephenville, Terre-Neuve, Brian Mulroney évoquait, sourire aux lèvres, la grosse assemblée qui avait marqué en 1968, Place Ville-Marie, le début de la trudeaumanie. Il venait de s'adresser lui aussi à la foule massée au même endroit (mais qui aurait de toute façon été amenée, faut-il dire, par la fanfare et le soleil de midi), et se félicitait d'y avoir attiré autant de gens que Trudeau en 68. Il se voyait déjà en haut de l'affiche... et ma foi, il y était déjà, car au même moment, Gallup publiait son sondage indiquant que les jeux étaient presque faits.

19 août 1984

UNE PHOTO
VAUT MILLE MOTS

À la une de l'édition de septembre du magazine *Saturday Night,* surgit sur un fond noir le visage de John Turner: un visage trop crûment éclairé, inquiet, presque hagard, dont on dirait qu'il émerge d'un cauchemar, le regard porteur d'un insondable désarroi, la bouche entrouverte sur des mots qui ne seront jamais formulés.

Photo prémonitoire, puisque ce numéro a été préparé durant la course au leadership libéral, à l'époque où l'on croyait que M. Turner pourrait gagner les élections. Il faut lire le portrait qu'en trace, avec un art consommé, le journaliste Ron Graham, pour comprendre la complexité de cette personnalité, pour comprendre en même temps pourquoi M. Turner a mal passé la rampe une fois soumis au test impitoyable de la télévision.

La télévision rejette les hommes multidimensionnels, trop portés à la réflexion, aux nuances ou au doute. Brian Mulroney en est l'exemple *a contrario:* toute sa campagne repose sur des slogans bien ficelés, sur l'image ravissante d'une famille heureuse, sur l'habile exploitation du désir de changement... D'un changement vers quoi, cela n'est jamais dit, mais le *package* est télégénique.

John Turner est trop *earnest* (bien intentionné) trop sérieux, trop précautionneux, son histoire personnelle est trop complexe, il est trop sensible et trop vulnérable pour s'adapter à ce style de campagne, à un moment surtout où tout joue contre lui — la désorganisation du parti, mais surtout une opinion publique en quête de changement.

Rien ne lui aura été épargné: d'abord le ridicule, à cause de cette fameuse taloche qui a enclenché la série noire. En politique, le ridicule tue. Et après avoir si longtemps voulu défaire ce que Pierre Trudeau avait fait, après avoir tant joué sur le thème conservateur du déficit, le voici maintenant forcé de reprendre un à un les thèmes de son prédécesseur (l'initiative de paix, la tradition social-démocrate, etc.), tout en entendant monter des rangs libéraux de désespérés S.O.S. vers l'homme qu'il avait cru remplacer.

24 août 1984

LA CÔTE-NORD
SUR LA CARTE

HAVRE SAINT-PIERRE — Sheldrake, Rivière-au-Tonnerre, Magpie, Rivière Saint-Jean, Havre Saint-Pierre... La caravane du PC roule au bord du fleuve devenu mer, le long des plages désertes qui surgissent, dans ce décor d'épinettes, comme autant de surprises.

Étrange pays, beau et ingrat, qui recèle les plus belles plages du Québec, toutes de sable fin, mais qui est trop loin — et bien trop froid — pour attirer les touristes. Occupant, sur la carte géographique, une place énorme, mais en dehors de la carte parce que si loin... En dehors de la carte? Plus maintenant.

Partout, sauf à la réserve de Mingan où les Montagnais vont voter libéral, la caravane de Mulroney arrête pour donner aux caméras leur ration quotidienne d'images pittoresques.

«On n'a jamais vu autant de monde à Magpie!» murmure un jeune homme, les yeux agrandis par l'excitation. Si Brian Mulroney gagne ce comté — ce qui est, semble-t-il, acquis —, ce ne sera pas seulement parce qu'il promet à ses citoyens l'attention exceptionnelle et particulière d'un premier ministre, mais aussi parce que sa seule présence apporte, dans cette terre isolée, un extraordinaire souffle de vie.

Quand, devant une salle comble et ravie, le pro-maire de Havre Saint-Pierre a remis au chef conservateur une peinture représentant l'archipel de Mingan, il est monté de l'auditoire une belle grande clameur joyeuse. Mingan, comme toute la basse Côte-Nord, était enfin sur la carte.

Dans ce comté, tout isolé soit-il, on suit les sondages. On sait que Brian Mulroney va devenir premier ministre. On sait ce qu'un premier ministre peut faire pour son comté. Les jeux sont faits. L'homme qui, sur la tribune, montrait fièrement à 50 journalistes et cameramen de la presse nationale l'humble peinture locale de l'archipel de Mingan, cet homme-là était déjà premier ministre...

Les gens heureux n'ont pas d'histoire. Brian Mulroney mène prudemment la dernière étape de sa campagne, il se laisse porter par la vague bleue et, par mesure de précaution, évite les contacts avec la presse, se contentant de répéter son discours standard, auquel sa femme Mila réagit comme si c'était la première fois qu'elle l'entendait, riant avec toutes les apparences de la spontanéité aux blagues cent fois, mille fois répétées. Hier pourtant, on sentait chez le chef *tory* une sorte de relaxation, celle qui vient avec l'assurance de la victoire.

Les gens heureux n'ont pas d'histoire, seulement de petites histoires, des anecdotes. Dans un centre d'accueil, une vieille dame demande à Mila Mulroney si elle est la fille du candidat. Celle-ci, se tournant vers son mari, le lui répète à voix haute. Tout le monde rit. Ce sera une nouvelle blague au répertoire.

À l'Auberge des Gouverneurs de Sept-Îles, le personnel de la réception porte des macarons Mulroney. Ici, même Robert Lemieux — l'ancien avocat des felquistes — va voter pour lui.

Pas pour le programme, ni pour le parti, encore moins pour le fédéralisme. Mais, comme il dit, pour le «chum». Ils étaient en Droit à la même époque et ont ensuite été voisins de vestiaire au Palais de justice. Les deux hommes se sont revus depuis que Lemieux, «décrochant» de la grande ville et de la politique, s'est installé à Sept-Îles, il y a dix ans.

«On a pris une couple de brosses mémorables!» (M. Mulroney est au régime sec depuis plusieurs années, et il a même cessé de fumer au début de la campagne électorale. Entre les apparitions publiques, il mâchonne de la gomme à la nicotine pour en finir avec son ancien vice.) Quand Me Lemieux a appris que M. Mulroney se présentait dans Manicouagan, il lui a envoyé un petit mot: «Très honoré que tu aies choisi Manicouagan. Tu vas passer comme une balle, ici comme ailleurs.»

Les journalistes de passage à Sept-Îles ont essayé de l'interviewer, mais Robert Lemieux s'esquivait: «Je ne fais pas de politique. Et puis je ne voudrais pas nuire à Brian. Tu comprends, le pauvre, il a déjà assez de l'appui du PQ. Si le Canada anglais allait en plus s'imaginer qu'il a l'appui du FLQ!»

22 août 1984

UN GARS POPULAIRE

Dans l'avion qui va de Sept-Îles à Montréal, le petit Mark, le dernier-né des Mulroney, fait le pitre à l'intention des journalistes. «Cabotin comme son père!» s'exclame un scribe en riant. Cabotin, oui, mais avec du charme. Comme le père.

C'est l'un des mystères de la politique que cet homme ait pu mener une campagne aussi réussie, et n'ait pratiquement soulevé aucune critique, tout en s'organisant pour ne rien dire. À la fin de cette campagne, tout le monde aura l'impression de le connaître mais, en réalité, on ne le connaîtra guère mieux qu'au début.

D'un endroit à l'autre, il répète exactement la même chose. Les mêmes thèmes, réduits à leur expression la plus simple, ficelés pour la télévision. Les mêmes blagues. La blague sur le «ciel libéral» (où le régime Trudeau-Turner a envoyé ses amis). La blague sur le poste de gentilhomme à la verge noire (dont a hérité un ancien député libéral). La blague sur les libéraux, seul gouvernement au monde à perdre de l'argent dans des loteries. La blague sur les libéraux qui veulent faire du neuf avec du vieux. («Moétou chu nouveau», dit Serge Joyal, à qui M. Mulroney prête sa voix et son accent.)

J'ai entendu ces blagues-là à Vancouver, à la mi-juillet, et je les ai réentendues un mois après, à Terre-Neuve, à Charlottetown et à Yarmouth. (Sur la Côte-Nord, dans son propre territoire, il s'est davantage laissé aller. Il était chez lui. Fier de montrer la côte à la presse nationale qui le suivait, et fier de montrer la presse nationale aux gens de la côte. Il vivait les plus beaux jours de sa vie: le pouvoir était là, tout près, encore magnifique et paré de toutes les couleurs du désir. D'ici peu, le pouvoir, devenu réalité, sera plus pesant, moins séduisant.)

Une autre phrase qu'il n'en finit plus de répéter: «*I'm not afraid to inflict prosperity on* (écrire ici le nom de la province où il se trouve). Je n'ai pas peur d'infliger (?) la prospérité (ici ou là)»… Façon de dire qu'avec lui, il y aura des ententes fédérales-provinciales sur les ressources.

Ce qui nous ramène à la «recette» du succès de Brian Mulroney, qui est l'art de se faire des amis. C'est un art que tous les bons politiciens maîtrisent, car pour faire son chemin en politique il faut s'appuyer sur des réseaux: collègues d'université, associés professionnels, compagnons de golf et de bar, etc. Tous les bons politiciens sont également, presque par définition, des gens aimables, avec du charme et de l'entregent, capables de se lier facilement avec autrui. Mais ces attributs, M. Mulroney les possède et les exploite avec plus de facilité que d'autres — et plus systématiquement aussi, car il entre là-dedans autant de calcul que de spontanéité. Ainsi, si l'homme est naturellement gentil et chaleureux, comme le sont d'ailleurs souvent les Irlandais de classe ouvrière, c'est son ambition qui lui a appris, tout au long de sa carrière, qu'il en allait de son intérêt de garder le contact téléphonique avec Untel ou Untel. La combinaison parfaite, autrement dit, des affaires et du plaisir (réel) qu'il éprouve à rencontrer des gens.

Dans l'avion, le même avion nolisé, qui nous mène de Yarmouth à Sept-Îles, M. Mulroney se permet un brin de causette avec les journalistes — qu'il évite en général, histoire de ne pas se faire embarquer dans un échange questions-réponses qui pourrait lui nuire.

Comme son fils le fera le lendemain, il cabotine et se met sur la tête une casquette aux couleurs du *Blue Nose*. Il parle de tout et de rien, il sourit, il s'attarde auprès de ceux dont les articles contiennent le plus de réserves, il a le tutoiement facile.

C'est lui-même qui lance la conversation sur Robert Lemieux, l'ancien avocat des felquistes qui vit depuis dix ans à Sept-Îles. «Robert, un gars sympathique...» dit-il.

Me Lemieux l'appuie. C'est un «chum». Comme Paul Desmarais de Power Corporation. Comme Lucien Bouchard ou Rodrigue Biron du PQ. Comme probablement une jolie brochette de libéraux provinciaux. Il aurait des amis chez les trotskystes que ça ne m'étonnerait pas.

27 août 1984

LES DERNIERS
FIDÈLES

Hier soir au Palais des congrès, devant des sympathisants sincères et désillusionnés, le Parti nationaliste tentait d'endiguer la marée bleue qui déferle sur les péquistes. Mais ni l'éloquence du poète Gaston Miron, ni la bonne humeur de l'écrivain Denise Boucher, ni les plaidoyers de la poignée de ministres péquistes restés fidèles à ce parti pourtant né d'un vote formel du congrès du PQ, n'arrivaient à donner à cette assemblée pourtant relativement nombreuse quelque chose qui ressemblât à l'ombre d'un semblant d'espoir.

Dans plusieurs comtés, on prévoit que les votes péquistes pencheront du côté du PC, avec des franges «rhino» ou NPD. Le PN n'en finit plus de compter ses déserteurs. Même les péquistes qui l'appuient du bout des lèvres, comme le ministre Landry, s'empressent de faire l'éloge des conservateurs dès qu'ils ont le dos tourné, et presque tous les gros canons du PQ flirtent ouvertement avec les Clark, les Lasalle et les Mulroney, laissant Denis Monière et ses troupes faire tapisserie, tout seuls avec leurs principes et leurs convictions.

Comme tous les partis dont la campagne ne décolle pas, le Parti nationaliste croit que l'indifférence des électeurs à son endroit s'explique surtout par le fait qu'on ne parle pas assez de lui dans les médias d'information.

L'allégation est inexacte à plus d'un titre. Il suffit de lire les journaux pour savoir que le PN a reçu, dans la presse nationale, la part qui correspond à son importance objective — et peut-être même davantage, compte tenu de sa faible pénétration.

Il est en outre tout à fait faux que l'éclairage des médias suffise à mettre une formation politique «sur la carte». L'expérience montre qu'une formation politique, aussi marginale soit-elle au départ, peut faire son chemin dans la population même si elle ne reçoit pas un traitement royal dans les médias... à condition qu'elle corresponde à un besoin.

On n'a qu'à se rappeler le cas du RIN ou des autres groupes indépendantistes du début des années 60, qui réussissaient rarement à percer dans les médias. Dans ces milieux minoritaires, on se plaignait alors abondamment du fait que les médias ne s'intéressaient aux indépendantistes que lorsqu'il se passait quelque chose de très spectaculaire, comme une grosse «manif». Et pourtant, en dehors des canaux traditionnels de communications, ces idées cheminaient partout, séduisaient les jeunes, les intellectuels, les «leaders naturels» dans divers milieux et même les politiciens professionnels... Pourquoi? Tout simplement parce que même sans argent, même sans moyens, les indépendantistes de l'époque répondaient aux aspirations latentes d'une population foncièrement nationaliste qui, sous la poussée de la Révolution tranquille, désirait s'affirmer et investir les lieux de pouvoir dont elle avait été exclue.

Mais qui donc parle du PN? Qui s'enthousiasme à son sujet? C'est la conjoncture qui explique son faible impact. C'est parce qu'il ne correspond pas à une aspiration assez communément répandue. Si le besoin se faisait sentir d'un «bloc québécois» à Ottawa, cela se saurait! (L'information ne circule pas seulement par les journaux, mais par le bouche à oreille.)

Tout indique au contraire que l'ère du Bloc populaire et du Crédit social est révolue. Les Québécois ne veulent pas à Ottawa d'un groupe parlementaire limité au Québec et par définition exclu du pouvoir, dont la seule politique serait la dénonciation et la revendication stérile, et, qui plus est, sur une base purement ethnique. Ils veulent participer au pouvoir, ou à tout le moins voter pour un parti susceptible de former une opposition sérieuse et crédible dans la mesure où elle a des racines dans d'autres provinces. La minorité indépendantiste, elle, a toujours été partagée sur cette question, et nombreux sont ceux qui ne voient pas l'utilité d'une participation parlementaire au fédéral, puisque c'est au provincial exclusivement que peut s'articuler la démarche souverainiste.

Assis entre deux chaises, entre le nationalisme traditionnel et l'indépendantisme, version moderne du créditisme des années 60, incapable de séduire les indépendantistes et incapable de convaincre les nationalistes fédéralistes de sa bonne foi, le PN ne peut même plus compter sur le sentiment anti-Trudeau et anti-libéral, car c'est à travers le PC — qui, lui, a de vraies chances de battre les libéraux — que ce sentiment s'incarne.

28 août 1984

MAIS QUE SE PASSE-T-IL?

RIMOUSKI — À l'œil, au son, on aurait dit le PQ. Le PQ des beaux jours. Beaucoup de bleu sur les pancartes, de la musique québécoise, et plein de gens, vieux et jeunes, dont on sait d'instinct, juste à les voir, qu'ils votent PQ au provincial. Nous sommes à l'aéroport de Mont-Joli. Il est passé minuit. L'avion nolisé du chef conservateur a du retard. Sur la piste, les reporters locaux — la plupart venus de Rimouski, qui est à une heure de route — attendent depuis deux heures. Il y a de l'excitation dans l'air frais du bas du fleuve.

«Ce n'est pas seulement le fleuve qui sera bleu le 5 septembre!» me dit Harold Michaud de CFLP.

Le cortège se dirige vers l'aérogare. Et soudain, comme un flashback tout droit sorti des belles années du PQ... l'accueil. La petite aérogare est bondée. Des sourires, des mains tendues, de la musique, des jeunes qui esquissent des mouvements de danse tout en applaudissant ce futur premier ministre qui vient de l'autre bord du fleuve. Un accueil joyeux, chaleureux, enthousiaste, au rythme de «J't'aime comme un fou» que Charlebois hurle dans les haut-parleurs. Le gros de la foule est là depuis 21 heures 30. «On a dansé, on s'est amusés, dit une jeune fille, ça valait la peine d'attendre!» Le maire est là. La candidate aussi, Monique Vézina, qui vient du mouvement coopératif et de la mouvance péquiste.

«Lâchez pas!», me lance une femme qui croit que je fais partie de l'entourage conservateur... Peut-être parce que je souriais en regardant cela. C'était plus fort que moi, cela me rappelait trop de choses.

Tout cela est pourtant totalement irrationnel et à l'envers du bon sens. Le PC n'a rien, mais vraiment rien à voir avec le PQ. Un gouvernement fédéral plus conciliant envers les provinces, dirigé de surcroît par un Québécois, risque au contraire de tuer ce qui reste de l'option souverainiste au Québec.

Alors quoi? Que se passe-t-il? Serait-ce que les Québécois — les indépendantistes comme les autres — auraient le secret désir d'en finir avec les affrontements, les divisions, les déchirements? Serait-ce que Brian Mulroney avait deviné juste en misant sur un désir de «réconciliation nationale», comme il dit? Et l'homme étant Québécois, la dimension nationaliste est sauvée. C'est un peu comme un syndicat épuisé par trop de grèves et de lock-out, qui de guerre lasse s'en remet à un médiateur, un médiateur qui est un cousin de la famille et qui a des parents dans les deux camps.

Ainsi, dans le vacuum créé par le départ de Pierre Trudeau et par la grande désillusion péquiste, vint s'installer Brian Mulroney. À un moment où tout le monde se plaignait de la morosité du décor politique — dans une province qui a toujours aimé la politique —, la percée triomphale du PC crée de l'excitation, et ramène cet ingrédient essentiel à l'activité politique: le plaisir.

Le PC est à la mode. Au Québec, où le parti n'existait plus depuis cent ans, il a pris les couleurs locales et ne ressemble guère au vrai PC, au vrai parti tory pesamment établi au Canada anglais. Encore que ce parti soit peut-être en train de se transformer, parce que la campagne actuelle lui attire des blocs d'électeurs nouveaux: les minorités ethniques et les *yuppies* (les jeunes urbains en ascension sociale). C'est particulièrement évident à Toronto. Avant-hier, le chef conservateur a sillonné la ville et la banlieue, et toute une foule néo-canadienne naguère libérale se pressait sur son passage. Dans la soirée, il s'est adressé à quelques centaines d'Italiens torontois (dont beaucoup parlaient italien entre eux, ce qui indique qu'ils sont de la première génération d'immigrants). Réception en plein air, fromage et Donini... Sur la tribune, Mila Mulroney est plus élégante et plus sophistiquée que Margaret Trudeau ne le fut jamais, et son mari a l'air d'un libéral. Le PC est devenu un parti bon chic bon genre. En surface au moins, le PC n'est plus le parti du fortrel, des barons des Plaines et des unilingues incultes. Il s'urbanise et se «cosmopolitise». Changera-t-il en profondeur ou ne s'agit-il que d'un nouveau maquillage? On le saura plus tard.

30 août 1984

LA BABY BLUE
MACHINE

PLESSISVILLE — Brian Mulroney, flanqué de son candidat Marcel Masse, se dirige vers le centre communautaire au rythme de la chanson-thème des Bleus. Dans la foule qui se presse derrière lui, deux dames sont en grande conversation.

«Alors, raconte l'une, je lui ai serré la main et je lui ai dit Brian, la prochaine fois, ça va être «oui», pis un vrai oui à part ça!

— Heille, as-tu vu? La femme là-bas, c'est la sœur de Tremblay, l'organisateur libéral!

— Ouais. Les libéraux… Lui pis les autres qui ont voté non… Je l'ai pas encore avalé. Mais juste de penser que Brian va tous les faire battre à plate couture, ça me console.»

Une pause, pendant qu'elles jouent des coudes pour se frayer un chemin jusqu'à la salle où se tient l'assemblée. Et puis: «Il est Irlandais. Ça se voit dans sa face. Un Irlandais, une fois qu'il est ami avec toi, c'est pour la vie.»

Toujours le même scénario. Les autocars transportant les gens des médias arrivent sur les lieux les premiers, pour que les cameramen puissent installer leurs appareils. Ensuite arrive l'autocar… qui transporte Mulroney et ses principaux conseillers, et dont la partie arrière a été transformée en compartiment privé.

En attente: les partisans locaux, avec pancartes, dépliants et supporteurs. L'emplacement, le minutage, le rituel, tout a été parfaitement réglé. Mulroney descend le premier, suivi de Mila. Elle est encore sur la marche de l'autobus, saluant gracieusement de la main droite, qu'il est déjà happé par la foule.

Une autre belle réalisation de la *Big Blue Machine*, made in Ontario et exportée ensuite avec succès en Colombie-Britannique et au niveau fédéral. Les hommes de la BBM, qui encadrent Mulroney au Québec comme ailleurs, ne comprennent pas un mot de français, mais qu'importe. Les techniques électorales sont partout pareilles, ou presque.

Parfois, quand le torrent péquiste se mêle à la marée bleue, dans ce qui est en train de devenir l'un des cas les plus curieux de transfert d'affectivité dans la politique contemporaine, parfois donc les hommes de la BBM ont l'air plutôt perplexes et trouvent l'affaire un peu exotique.

La *Blue Machine* qui germe au Québec, ce curieux mélange d'anciens bleus, de vieux créditistes, de péquistes d'âge moyen, de jeunes qui flairent le vent et de libéraux désaffectés, n'a rien de commun avec la politique conservatrice du Canada anglais. Pour l'heure en tout cas, c'est la *Baby Blue Machine*. Elle ne marche pas toute seule encore mais elle apprend vite.

Différence culturelle: partout au Canada anglais, les (nombreuses) blagues de Mulroney sur le patronage libéral sont toujours de gros succès de foule. Au Québec, elles n'attirent que de faibles applaudissements un peu gênés.

Ce qui «prend», au Québec, c'est autre chose. Et cela, ce n'est pas la *Big Blue Machine* qui a pu y penser. Sans doute est-ce plutôt le produit du flair de Mulroney et de ses lieutenants québécois, les Roy, les Pageau, etc.

En français, la chanson-thème du PC a des mots-clés: québécois, solidaires, changement. Pas un mot sur le Parti conservateur. Tout est axé sur le chef québécois. Dans ses discours, Mulroney reprend les mêmes thèmes nationalistes: «Je vous parle comme Québécois pure laine, comme un fils de la Côte-Nord... Nous, Québécois, ne sommes pas les otages d'André Ouellet, nous sommes des hommes et des femmes libres et nous le prouverons le 4 septembre, etc.» Il termine en parlant de débâcle et de printemps, les thèmes péquistes par excellence.

Il réserve toujours quelques mots à l'éloge du fédéralisme et de notre «cher Canada», mais c'est souvent dans la portion anglaise de son discours. Le «cher Québec fort» dans le «cher Canada uni», c'est de fait un retour au thème de la campagne du «non», celui du «Québec ma patrie, Canada mon pays»...

L'ironie de cette campagne est que ce thème attire aujourd'hui les partisans du «oui».

31 août 1984

DU ROUGE
AU BLEU

Quelle campagne fertile en rebondissements! En juillet, les sondages mettaient les libéraux en avance, et un mois après, annonçaient un gouvernement conservateur majoritaire. MM. Turner et Mulroney avaient tous deux lancé leur campagne sur le thème conservateur du déficit, et un mois après, c'était à qui se montrerait le plus fidèle à la tradition social-démocrate canadienne. (Ce qui montre, et c'est heureux, qu'une majorité de l'électorat résiste à la tentation de la *Reagonomics.*)

Au départ, on croyait que le PC se heurterait à la forteresse rouge du Québec. Or, ses murs s'écroulent. On voit maintenant que la Grosse Machine Rouge du Québec n'était qu'un mythe, dans la mesure où elle n'avait jamais eu de véritable adversaire, protégée qu'elle était par la présence de Pierre Trudeau.

La percée conservatrice au Québec, c'est bien sûr le grand *happening* de la campagne. Fort habilement, la *Baby Blue Machine* du Québec a misé sur les thèmes nationalistes susceptibles de lui attirer le vote péquiste, de même que sur le désir latent de réconciliation qui existe dans une population trop longtemps déchirée entre Québec et Ottawa.

Par rapport au PQ, le PC tombait à point: le gouvernement québécois, enfoncé dans le cul-de-sac que constitue sa promesse de faire les prochaines élections sur l'indépendance, avait besoin d'un changement sur la scène fédérale — n'importe lequel, à condition que cela lui permette de dire qu'une conjoncture neuve appelle une autre stratégie. En ce sens, une victoire conservatrice constituera pour le PQ la porte de sortie idéale par rapport à ses propres engagements.

Au Québec francophone, le PC a misé sur l'image de son chef québécois et sur le thème de la solidarité au-delà des partis, tout en flattant les nationalistes, qui en échange ont mis à sa disposition, dans plusieurs comtés, leur machine, leurs partisans et l'ardeur générée par leur haine inassouvie des libéraux fédéraux qui les ont si souvent nargués.

Au Québec anglophone, M. Mulroney tenait un autre langage, exploitant cette fois la profonde amertume due à la loi 101 et au règne péquiste. Jeudi dans le West Island, il a insisté sur le rôle qu'il avait joué au référendum dans le comité du «non», et sur ses engagements par rapport aux droits linguistiques des minorités.

Dans les autres provinces, la campagne conservatrice exploitait d'autres thèmes: le ressentiment contre le French Power, le culte de la libre entreprise, l'horreur du patronage (surtout quand il profite aux Québécois: cela n'est pas dit en toutes lettres mais c'est en filigrane), et — seul thème exploité partout car ce sentiment prédomine d'un océan à l'autre — le désir de changement.

Pour les libéraux, l'univers a basculé. On a beau jeu aujourd'hui de refaire l'histoire et de dire que l'erreur de John Turner fut de déclencher les élections cet été au lieu d'attendre à novembre.

S'il l'avait fait, on lui aurait reproché de rester au pouvoir sans avoir été élu. S'il avait tenté de changer les choses pour se démarquer de l'ancien régime, s'il avait amorcé des virages politiques et amené au cabinet de nouvelles figures (non-élues), on lui aurait reproché de ne pas avoir de mandat populaire. S'il s'était contenté de gérer prudemment l'héritage de Trudeau, on l'aurait accusé de ne rien apporter de neuf. D'un côté comme de l'autre, il perdait.

Sans doute les libéraux étaient-ils de toute façon voués à la défaite: le désir de changement était trop fort. On voit maintenant que la hausse de popularité due au renouvellement du leadership libéral n'était qu'un phénomène superficiel. Les erreurs de la campagne libérale ont simplement renforcé le courant, et peut-être fait la différence entre un gouvernement majoritaire et un gouvernement minoritaire.

Cette fois, ce fut au PQ d'y aller de son petit «coup de la Brink's». À cinq jours du scrutin, le ministère du Revenu a fait «couler» à la Presse canadienne de l'information confidentielle sur les rapports d'impôt de députés libéraux fédéraux. L'initiative ne peut être le fait du premier commis venu. Elle est très clairement de nature politique et vient probablement d'un assez haut niveau. Comment expliquer en outre que ces dossiers personnels aient été regroupés par allégeance politique? L'existence même de ce «rapport» inquiète.

En dévoilant des informations confidentielles à des fins partisanes, le ministère du Revenu vient de mettre le pied dans la boue. Et pourquoi pas, la prochaine fois, une «fuite» de la Régie de l'assurance-maladie, qui nous apprendrait que telle candidate s'est fait avorter ou que tel candidat a eu des traitements psychiatriques?

Le ministre Dean a promis une enquête. Qu'il la fasse et qu'il rende public le rang du ou des responsable(s) de cet odieux précédent.

1er septembre 1984

FIN DE PARTY

Triste fin de régime... C'est dans un sous-sol d'église déprimant, et devant des partisans moins nombreux qu'on ne l'aurait prévu, que Pierre Trudeau a donné les derniers sacrements à ses troupes en danger.

À l'heure prévue pour le début de l'assemblée, il restait encore bien des chaises vides dans la salle. Quand MM. Trudeau et Chrétien sont arrivés, le moral des troupes, jusque là plutôt moroses, est remonté de plusieurs crans, les partisans se sont massés au pied de la tribune... Tru-deau, Tru-deau, scandaient-ils, mais cela sonnait comme autant de S.O.S.

Jean Chrétien, qui ne s'est pas rendu compte que la campagne référendaire est terminée, s'est lancé dans une violente diatribe contre les «séparatistes».

Dommage que M. Chrétien brouille ainsi ce que son message pouvait contenir d'intéressant. Quand il loue la tradition sociale de son parti, quand il dit que son parti est le seul où les francophones ont toujours été à l'aise, quand il rappelle que le gouvernement Trudeau a été l'un des seuls en Occident à avoir traversé la crise sans céder à la tentation de sacrifier les programmes sociaux, le ministre a raison. Mais ce n'est pas là-dessus que les électeurs vont voter.

Il y a dans l'électorat une sorte de fureur, celle d'un ressentiment trop longtemps contenu. Les libéraux ont été trop forts trop longtemps, trop de gens ont été obligés de composer avec eux et de les flatter pour obtenir ceci et cela, et ils ont fourni à trop de citoyens trop de motifs de frustration.

L'agressivité, si longtemps refoulée à défaut de solution de rechange, s'exprime d'un seul jet, par le canal d'un PC enfin crédible. Pour plusieurs, c'est l'heure de la vengeance — contre le «coup de force constitutionnel», contre la victoire du non (même si, ironiquement, Brian Mulroney en fut l'un des artisans tout autant que les libéraux!), contre le chômage, contre tel contrat perdu, contre l'arrogance du pouvoir.

La femme trop longtemps «prise pour acquise» se révolte et crie qu'elle n'est la propriété de personne, même pas de ce mari qui l'a pourtant fait vivre, et elle pense à tomber dans les bras du gars qui vient d'emménager dans sa rue, un garçon correct, prévenant, moins arrogant, qui a des relations partout et qui lui jure ses grands dieux qu'il va continuer à payer l'hypothèque mais qu'avec lui elle aura plus de liberté et moins de scènes de ménage. Elle pourra même continuer à flirter avec le cousin René, pourvu que ça n'aille pas trop loin.

Quand ce fut au tour de Trudeau de parler, il fut, contrairement à ce que certains prévoyaient, parfaitement correct envers son successeur John Turner, qu'il mentionna courtoisement à deux reprises. Et il fut, tel que prévu, parfaitement rationnel. Ce n'était pas le meilleur discours de sa carrière, loin de là, mais on l'écoutait en se disant que jamais nous n'entendrons, dorénavant, de discours politiques aussi logiques, aussi rationnels, aussi parfaitement intelligents. Finis, dans notre univers politique, les purs plaisirs de l'esprit.

Le changement, disait-il, fort bien... Mais le changement pour quoi? Vers quel but? Est-ce bien dans l'intérêt de ceux-là mêmes qui en ont envie? Discours plus cérébral que passionnel.

Peut-être était-ce moins par conviction que par loyauté envers ses fidèles partisans que M. Trudeau avait accepté de sortir de sa retraite.

L'homme est plus fédéraliste que libéral, et l'avenir de son propre projet politique lui importe certainement davantage que celui de son parti. Or, quel fédéraliste se réjouirait de voir, le 5 septembre, la carte du Canada toute peinte en bleu, avec, seule et unique tache dissonante, le Québec tout en rouge? Cette différence, signe d'exclusion et de solitude, aurait tôt fait d'être exploitée par le PQ.

Et puis après tout, Brian Mulroney n'est-il pas à Pierre Trudeau un successeur bien plus logique que John Turner? Québécois et «biculturel» comme lui, et comme lui soucieux des droits linguistiques des minorités, et raisonnablement «libéral» quant au reste...? L'hypothèse a du sens. À moins que Pierre Trudeau ne se dise, sûr que personne ne peut le remplacer parce que personne ne l'égale: après moi le déluge...

3 septembre 1984

ET MAINTENANT,
LE POUVOIR...

L'impression de jouer dans une pièce trop longtemps répétée... On a voté, hier, en connaissant à l'avance le résultat de l'opération, que les sondages annoncent depuis un mois. Bien sûr, l'électorat, passant enfin à l'action, aurait pu faire mentir les prévisions, mais il aurait fallu pour cela que M. Mulroney rencontre, sur le chemin de la victoire, l'improbable obstacle assez puissant pour endiguer la vague bleue.

Les sondages ont ceci d'ennuyeux qu'ils brisent le suspense et gâchent le plaisir de l'attente, encore qu'il reste toujours, jusqu'au dernier moment, autant d'inconnues qu'il y a de circonscriptions, car les données des sondages ne portent que sur les tendances générales.

Antidémocratiques, les sondages? Au contraire. Les sondages pré-électoraux sont un miroir tendu à la collectivité. Chacun de ses membres voit comment les autres s'apprêtent à voter. Cela influence l'électeur, risque d'accroître le courant de sympathie envers le présumé gagnant, de nuire aux tiers-partis jugés trop faibles? Oui, mais bien d'autres facteurs que les sondages — ses amis, son compte en banque, le temps qu'il fait — influencent l'électeur. Et cette mineure distorsion du principe de libre choix peut-être bénéfique dans la mesure où il dispose de plus d'éléments d'information avant de se décider.

Exemples: si un électeur québécois tenait avant tout à ce que la province participe au prochain gouvernement, il lui aura été fort utile de savoir quel parti était en avance dans l'opinion publique; s'il hésitait entre le NPD et le Rhino, en se demandant si un vote NPD n'est pas un vote «perdu», le fait de savoir que le NPD restait bien en selle aura pu le faire pencher de ce côté.

*   *

*

327

Les sondages ont un autre avantage. Celui de permettre au parti qui formera le gouvernement de s'y préparer et d'éviter l'improvisation.

Le Front populaire de 1936 en France en fournit un exemple *a contrario* particulièrement éloquent. C'était avant l'époque de la sociologie électorale. Les partis et les hommes faisaient campagne dans le brouillard, sans guère savoir, sinon par intuition ou par le bouche à oreille, où ils en étaient dans l'opinion publique. Or, des trois partis qui formaient la coalition du Front populaire (le Parti communiste, le Parti radical et la SFIO de Léon Blum), tous — et Léon Blum le premier — croyaient que c'est aux Radicaux qu'incomberait la responsabilité de former le gouvernement. Surprise: ce fut la SFIO qui arriva première au scrutin. Du jour au lendemain, Blum dut prendre les rênes du gouvernement sans s'y être le moindrement préparé. Le bref règne du Front populaire se ressentit fortement de l'improvisation qui avait marqué cette prise de pouvoir inattendue.

Cela ne se produira pas ici et maintenant. Brian Mulroney a brillamment réussi cette première étape — la plus longue et la plus périlleuse: la conquête du pouvoir. Il a eu tout le loisir, sachant depuis longtemps par les sondages qu'il s'acheminait vers la victoire, de se préparer à la seconde étape, la plus importante car c'est sur celle-là que l'Histoire le jugera: l'exercice du pouvoir.

On verra ce que donnera la rencontre des «dinosaures» du vieux parti *tory* avec les nationalistes bleus du Québec. Peut-être aussi verra-t-on éclater au grand jour la sourde lutte de pouvoir entre l'Ontario (dont la machine électorale aura joué un rôle déterminant dans cette campagne électorale) et le Québec (où M. Mulroney a trouvé des appuis déterminants lors de la course au leadership). Le futur premier ministre n'a pas fini de mettre ses talents de médiateur à l'épreuve.

5 septembre 1984

LE FRENCH
POWER N'EST
PAS MORT!

Les *Red Necks* qui se croyaient à jamais débarrassés du French Power ont dû frôler la crise cardiaque. C'est en français que Brian Mulroney a commencé son discours télévisé du 4 septembre: «Mes chers amis... *My dear friends...*», et ensuite, il est revenu au français, passant plus tard — mais en second lieu — à l'anglais.

Était-ce voulu ou non? Cela tenait-il surtout à l'atmosphère de Baie-Comeau, au fait qu'il voulait d'abord remercier les électeurs de son comté? De toute façon, cela a peu d'importance. Ce qui compte, c'est le caractère symbolique de l'incident: Trudeau parti, c'est un autre Québécois — et un Québécois qui parle français comme il respire — qui le remplace... et qui hérite en même temps d'une très large partie du vote francophone. (Les Acadiens des Maritimes et les francophones de Saint-Boniface, rompant avec leur longue tradition d'allégeance libérale, ont, comme les Québécois, voté dans le sens du courant majoritaire.)

Le PC s'appuie aujourd'hui sur une représentation parfaitement équilibrée, qui en fait le seul parti national au Canada, les libéraux étant retranchés dans l'Est du pays, et les néo-démocrates restant concentrés dans l'Ouest. En ce sens, tant le NPD que le PLC apparaissent aujourd'hui, encore plus crûment qu'auparavant, comme des partis régionaux. Mais dans cette conjoncture nouvelle, le Québec a admirablement tiré son épingle du jeu.

Une fois de plus, et cette fois de façon particulièrement éclatante, l'électorat québécois a été perspicace et opportuniste dans le bon sens du terme, sachant exploiter la conjoncture politique dans le sens de ses intérêts. En sautant non seulement à temps mais aussi avec la force du nombre dans le convoi gagnant, le Québec s'assure une place de choix dans la nouvelle configuration du pouvoir.

Le Québec enverra au gouvernement d'Ottawa presque autant de députés que l'Ontario, et autant de députés que les quatre provinces de l'Ouest réunies.

Cela veut dire que les Québécois, de même d'ailleurs que l'ensemble des francophones, ont fait en sorte de rester au pouvoir, à tout le moins de conserver une participation maximale au pouvoir.

Il n'est pas sûr, toutefois, que la députation québécoise ait autant d'influence, au sein du nouveau gouvernement, que son poids le laisserait supposer.

Cette députation est formée soit de nouveaux venus dépourvus d'expérience parlementaire, soit d'«anciens bleus» qui n'ont pas tous l'envergure nécessaire pour s'affirmer sur la scène nationale. Quand on pense que Roch LaSalle et Marcel Masse sont les seules «vedettes» dotées d'une véritable expérience politique, il n'y a pas de quoi célébrer. On n'a guère eu l'occasion de juger de la valeur d'autres «vedettes» comme Robert de Cotret, dont le séjour au sein de l'éphémère gouvernement Clark n'a pas laissé de souvenir.

Chez les nouveaux venus, qui formeront le gros des troupes conservatrices à Ottawa, on dit qu'il y a plusieurs personnes de talent, qui se sont fait valoir avantageusement dans leur milieu. On verra combien d'entre eux franchiront avec succès l'épreuve de la transplantation. Il y a loin en effet de la Caisse populaire du bas du fleuve à la Chambre des communes et aux dédales du mandarinat fédéral.

Autre question: combien, parmi les nouveaux élus québécois du PC, sont capables de fonctionner efficacement en anglais? (Le problème se posait avec moins d'acuité chez les Libéraux à cause des racines urbaines et montréalaises du parti.)

Le système de traduction et d'interprétation simultanée permet à un député de suivre les activités parlementaires sans dire un mot d'anglais, mais sa participation restera alors limitée et sans effet d'entraînement, et il ne pourra jamais être ministre.

* *
*

Ces considérations font partie des innombrables problèmes que le futur premier ministre aura à résoudre dans la formation de son cabinet. Son premier problème, le plus gros — c'est le cas de le dire — c'est qu'il aura trop de députés sur les bras. Cette flamboyante victoire est à double tranchant, comme le fut celle de Robert Bourassa en 1973, qui hérita de 103 députés dont un trop grand nombre dut poireauter sur l'arrière-banc sans espoir de promotion.

M. Mulroney aura cependant l'inestimable avantage de ne rien devoir à personne, dans la mesure où toutes ses dettes — qui sont nombreuses — finissent par s'annuler les unes les autres tant elles se contrebalancent mutuellement.

Il doit beaucoup à tous ces premiers ministres provinciaux qui l'ont parrainé, appuyé et accompagné avec enthousiasme dans ses tournées électorales... Mais comme, à la seule exception du Manitoba néo-démocrate et de la Colombie-Britannique (dont le gouvernement provincial l'appuyait cependant tacitement), ils l'ont tous appuyé, cela veut dire qu'il a des dettes partout et nulle part. (L'Ontario prédominera sans doute cependant parce que c'est de là que viennent la plupart des principaux conseillers de M. Mulroney, de même que les députés les plus susceptibles d'hériter de ministères-clés, et parce que l'appui de Bill Davis a été plus déterminant que d'autres.)

De la même façon, le Destin électoral qui l'a tant favorisé permet en outre à M. Mulroney d'être dégagé de l'obligation de composer avec l'extrême droite la plus vociférante de son parti, les Sherman et Worthington ayant été battus aux urnes.

Autre bonne nouvelle pour un chef de parti qui, aussi flexible soit-il quand il s'agit de louvoyer entre diverses tendances, adhère personnellement à des valeurs de type libéral: la députation québécoise va sans doute renforcer le centre-gauche du PC, et rejoindre, sur l'échiquier idéologique, les députés de la tendance *Red Tory*, celle qui tiendra à préserver l'héritage social-démocrate du régime libéral. Sur ce plan, la présence, comme opposition officieuse sinon officielle, d'un NPD qu'une bonne campagne électorale et d'innombrables succès d'estime ont ragaillardi, est de bon augure.

Un PC transformé par tout ce sang neuf qui lui vient des anciennes clientèles libérales, face à une opposition de centre-gauche, et le Québec qui garde sa place aux premières loges... Le tableau, pour l'instant du moins, n'est pas trop sombre.

6 septembre 1984

CONTE POLITIQUE

Répit, récréation, congé de devoirs... Je vais vous raconter une histoire sur *Ann of Green Gables*. Qui est Ann of Green Gables? Attendez.

Nous étions quelques dizaines de journalistes, en août dernier, à suivre la tournée électorale du chef conservateur Brian Mulroney dans les Maritimes. L'horaire était exténuant, nous sautions d'une ville à l'autre, de Cornerbrook à St. John à Yarmouth, en autocar, en avion, même une fois en hélicoptère... Comme dans les tournées de ce type, les «*boys (and girls) on the bus*» formaient un groupe compact, une sorte de joyeux troupeau entièrement pris en charge, nourri, logé, abreuvé, transporté, déposé à intervalles réguliers là où il y avait des téléphones et les installations requises pour transmettre les articles et les films à nos médias respectifs. La seule décision qu'on avait à

332

prendre dans la journée, c'était de déterminer ce qui, dans les discours toujours pareils, constituait l'élément nouveau.

Tous les matins à l'aube, on recevait, l'œil encore clos, notre *wake-up call*. C'était soit Perry Miele soit Ross Reid, l'un très brun et l'autre très blond mais tous deux également charmants et efficaces, tous deux *wagonmasters* de la tournée Mulroney — autrement dit les G.O. préposés à la troupe des journalistes. «Bonjour, disait la voix, il est six heures et quart, je vais vous parler un petit peu pour vous aider à vous réveiller, comment-allez-vous-avez-vous-bien-dormi, les valises devraient être dans le lobby à 7 h, le petit déjeuner est servi au rez-de-chaussée, dehors il fait 22 degrés…» Retour à l'enfance et régression totale. Merveilleux.

A Charlottetown toutefois, il y avait un trou dans l'horaire. Un vide, un vacuum, où ni Ross ni Perry n'allaient nous prendre sous leur aile: jusqu'à 11 h ce matin-là, nous étions libres. Libres!

Personnellement, j'en aurais bien profité pour dormir, mais deux collègues américains (ah, l'entrepreneurship américain!), Kevin Klose du *Washington Post* et Charles Campbell de l'Associated Press, allaient m'entraîner sur la route de l'aventure, plus précisément à Cavendish où nous irions visiter la maison de feu Lucy Maud Montgomery, l'auteur de *Ann of Green Gables*.

Cette œuvre dont mon lecteur n'a sans doute pas, jusqu'ici, entendu parler plus que moi est, partout ailleurs que dans la francophonie, un grand classique pour enfants, un bestseller depuis des années. Tous les petits anglophones ont lu ça pendant que nous lisions les *Malheurs de Sophie* ou les «Signe de piste», et le bouquin a été traduit en je ne sais combien de langues.

Pour tout dire, *Ann of Green Gables* est si populaire aux USA que Kevin et Charles comptaient faire un petit papier là-dessus, convaincus que leurs lecteurs s'intéresseraient plus à cela qu'aux élections canadiennes.

D'après ce que m'en a dit Charles, qui s'était consciencieusement imposé la lecture de l'ouvrage, c'est l'histoire d'une petite fille adoptée et ça déborde de bons sentiments, mais Charles n'était pas sûr qu'il aurait le courage de se rendre jusqu'à la fin.

Kevin, qui a déjà voyagé dans des conditions plus difficiles, ayant été correspondant à Moscou pendant quatre ans, avait tout organisé: réveil à 7 h, location d'un taxi, beignes et café dégustés pendant que la voiture nous conduisait à travers la verte campagne de l'Île-du-Prince-Édouard jusqu'à la plage déserte où nous constatons que l'Atlantique à cet endroit est plus chaud qu'au Maine. Mais les gars traînent leur montre jusqu'au bord de l'eau, parce qu'ils ne veulent pas rater la visite de la maison, plus importante, disent-ils, que la baignade.

Avant de reprendre la route, Kevin téléphone à sa fille de 17 ans, pour lui dire qu'il se trouve à deux pas de la maison de l'auteur du conte de son enfance. Elle était, dit-il, ravie, comme je l'aurais été si, dans le temps, mon père m'avait téléphoné d'un pays étranger pour me dire qu'il était à deux pas du château de la Comtesse de Ségur...

À neuf heures, nous y sommes. Un assez joli petit «cottage» dans un parc fleuri ressemblant à un terrain de golf. La berceuse et le poêle à bois de Mme Montgomery ne me fascinant guère, je laisse mes confrères faire la visite tout seuls, pour aller acheter à la boutique de souvenirs la carte postale la plus kitsch possible.

Mais comme nous allions quitter les lieux, surprise... Assises dans le jardin en train de se faire photographier par leur guide, il y a dix touristes japonaises. Kevin les aborde, carnet en mains: «Avez-vous lu *Ann of Green Gables*?

— *Of course!* Mais bien sûr! répondent-elles toutes en chœur.»

Elles étaient fleuriste, enseignante, secrétaire, femme au foyer, l'une donnait des cours d'arrangements floraux, une autre des démonstrations de la cérémonie du thé... Un groupe de Japonaises ordinaires, venues de Tokyo expressément pour visiter la maison de Lucy Maud Montgomery, et qui venaient de dépenser 2 000 $ chacune pour aller dans un bled où il n'y a pas grand-chose à faire et presque rien à voir sauf de jolis paysages et l'édifice des Pères de la Confédération!

Incrédule, j'insiste: quels autres endroits vont-elles visiter en Amérique du nord: New York? Montréal? San Francisco? Los Angeles? Les Rocheuses?

— Non, nous sommes venues seulement pour Lucy Maud Montgomery. Nous retournons directement à Tokyo via Toronto.

Incroyable mais vrai.

Nous en riions encore lorsque nous avons rejoint à l'aéroport le groupe des collègues, à qui je m'amusais à raconter ma petite histoire. Le seul qui n'a pas réagi et qui a eu l'air de trouver parfaitement normal qu'on parte de Tokyo pour venir visiter un cottage de l'Île-du-Prince-Édouard, c'est Mike Duffy de la CBC... Parce qu'il est natif de l'Île, et qu'il a vu durant toute sa jeunesse d'innombrables touristes de partout, y compris du Japon, sillonner l'île sur les traces d'Ann of Green Gables!

Pas de rapport avec la politique, direz-vous. Attendez. Vous allez voir que le monde est petit et que la politique est partout.

Qui donc, natif comme Mike Duffy de l'Île-du-Prince-Édouard, rencontra un jour une jolie touriste japonaise venue elle aussi de Tokyo pour visiter la maison de Lucy Maud Montgomery?... Un dénommé Charles McMillan, qui épousa la visiteuse et découvrit en même temps l'économie japonaise dont il devint un spécialiste admiratif. M. McMillan allait ensuite devenir le principal conseiller politique de M. Mulroney et il est aujourd'hui à ces côtés à Ottawa. Ainsi se pourrait-il que, par le mystérieux détour de l'amour, *Ann of Green Gables* joue un rôle-clé dans l'orientation future de l'économie canadienne.

22 septembre 1984

LA LUNE
DE MIEL

Où l'on voit péquistes et conservateurs roucouler de concert et le PQ changer de cap, ce qui provoque des démissions fracassantes. Le fantôme de Duplessis réapparaît.

UN MARIAGE
D'INTÉRÊT

On dit qu'il y a lune de miel entre la population et un gouvernement qui vient d'accéder au pouvoir. Cette fois, cependant, la population étant calmement retournée à ses affaires, c'est plutôt le gouvernement Mulroney et le gouvernement Lévesque qui sont en lune de miel.

Avant même que le nouveau gouvernement fédéral ait annoncé la moindre politique, M. Lévesque n'en finit plus de célébrer son «ouverture».

M. Parizeau, qui n'a jamais, en ses huit ans aux Finances, vu quoi que ce soit de valable venir d'Ottawa, fait connaître la joie que lui inspire la «sage» décision du nouveau ministre du Sport amateur, Otto Jelinek, d'abolir la Société des paris sportifs.

Du jour au lendemain, Québec décide de mettre fin à son boycottage qui avait été décidé sous le coup de la colère après la déroute constitutionnelle, sans que la population ait jamais été consultée sur la question.

Interrogé sur le faible poids qu'aura le Québec dans ce nouveau cabinet, dont tous les gros ministères économiques — sauf un — vont à l'Ontario et à l'Ouest, M. Lévesque se dit content: «On en a déjà eu des poids lourds, mais ça n'a pas aidé le Québec.»

Au second regard, cependant, on voit que la lune de miel est inspirée davantage par le calcul que par la passion.

Ce fut, comme dans tout mariage d'intérêt, donnant-donnant. Brian Mulroney avait besoin des péquistes pour ramasser les comtés québécois, René Lévesque voulait se venger, par parti interposé, de l'ennemi libéral. C'est Me Lucien Bouchard, proche à la fois du gouvernement péquiste et de M. Mulroney pour avoir été procureur à la commission Cliche et chef négociateur dans le dossier du secteur public, qui a été l'entremetteur principal.

Depuis, c'est le roucoulement: Québec plonge dans le ravissement et M. Mulroney multiplie les égards, faisant du sénateur Tremblay son conseiller principal en matière constitutionnelle, chargeant une ancienne partisane du «oui», Mme Monique Vézina, d'adoucir les relations avec le Québec en matière de représentation internationale, téléphonant lui-même à M. Lévesque pour l'informer de la composition de son cabinet... (Mais M. Mulroney, un brin volage, en courtise d'autres: il a fait pareil avec tous les premiers ministres provinciaux.)

Mais l'intérêt du PQ va plus loin. Il s'agit de sortir de l'impasse où il s'est lui-même enfoncé en promettant de faire de l'indépendance l'enjeu des prochaines élections.

Le changement de gouvernement fédéral chambarde l'échiquier politique et «décrispe» les rapports, et cela permettra à M. Lévesque et à ses ministres d'affirmer que les choses ont changé, qu'il est possible de fonctionner dans le système au moins pour un temps, qu'il vaut mieux mettre l'objectif de l'indépendance sur la glace, le congeler en somme pour mieux le conserver, etc. Voilà la porte de sortie idéale.

Mais ce faisant, il risque de perdre toute crédibilité. Qu'un premier ministre change d'idée sur ceci et cela, c'est admissible. Mais que sur une question aussi fondamentale, il change de cap deux fois par année, c'est plus difficile à avaler.

C'est M. Lévesque lui-même qui a le premier claironné que les prochaines élections se feraient sur l'indépendance. Et sur l'indépendance «pure et dure», la formule sacro-sainte de la souveraineté-association — la seule réaliste, disait-il il y a trois ans — s'étant inexplicablement perdue dans la brume.

Le parti l'a suivi, mais c'est lui qui avait ouvert le bal, apparemment sous le coup de la colère qui l'agitait après le «coup de force» constitutionnel de M. Trudeau. Une fois la colère retombée et l'interlocuteur changé, le premier ministre trouve que le système a du bon. Que conclure? Que le régime constitutionnel du Québec doit dépendre des états d'âme et du niveau d'adrénaline de son premier ministre?

La volte-face que s'apprête à faire le gouvernement du PQ sert à la fois les intérêts du parti et ceux du Québec; en ce sens, elle est parfaitement logique. Mais certainement pas sur le plan intellectuel, ni sous l'angle de l'idéologie indépendantiste, qui reposait sur une analyse rationnelle. Ce qui était en cause, c'était le régime fédéral en tant que système et non pas la bonne ou mauvaise volonté des politiciens, la personnalité des hommes au pouvoir ou la couleur des partis. Mais il faut déduire, du discours aujourd'hui dominant à Québec, qu'une option constitutionnelle devrait plutôt être évaluée en fonction du tempérament du premier ministre fédéral. M. Trudeau était arrogant, M. Mulroney est un gars aimable. Changement de cap.

20 septembre 1984

AVOCAT AU CENTRE-VILLE

Tout le monde lui prédisait une troisième carrière internationale, mais c'est, pour l'instant du moins, au cœur de sa ville

natale, angle de Maisonneuve et Metcalfe, qu'il est revenu, au
14e étage d'un gratte-ciel assez banal. Sans gardes du corps
cette fois, sans les bataillons de conseillers qui le séparaient du
monde, et dans un modeste bureau de petite dimension, beige
et terne, un bureau symbolique car sans doute n'y passera-t-il
pas tellement de temps. Seul vestige des 16 années à la tête du
pays: un vase de roses rouges dont l'une à la boutonnière.

Le nouveau bureau de l'ancien premier ministre est
envahi par des photographes et des reporters, convoqués là par
une firme de relations publiques pour une séance de photographie, de photo seulement car M. Trudeau n'a rien de spécial à
dire. Mais sa seule présence, à titre d'avocat-conseil, est évidemment une formidable garantie de prestige pour l'étude
Heenan, Blaikie, Potvin, Trépanier, Cobbett. D'où la petite
opération publicitaire, menée rondement. À 10 hres 30, tout
était fini.

— Pourquoi avoir choisi cette étude plutôt qu'une autre?

Parce qu'elle est bilingue et biculturelle et montréalaise.
Parce que lui, Pierre Trudeau, s'intéresse au droit constitutionnel et aux applications juridiques de la charte des libertés.
«Parce que, lance-t-il du ton mi-amusé, mi-agacé qu'il utilise en
général avec les journalistes, c'est à quelques minutes de marche de chez moi et c'est près des restaurants.»

À la question naïve d'un reporter qui lui demande si ses
nouveaux associés ne se sont pas trompés en embauchant quelqu'un dont le parti n'est plus au pouvoir et s'il pourra leur être
«utile», M. Trudeau esquisse un vague sourire et réplique:
«Non, je ne pense pas que je serai tellement utile. Oui, sans
doute ont-ils fait une erreur (en m'embauchant).»

Et les élections fédérales? Qu'en pense-t-il? Apparemment
rien, puisque, prétend-il, il ne les a pas suivies. «Au début, ça
allait bien (pour les Libéraux), M. Turner se débrouillait bien,
ils n'avaient pas tellement besoin de moi...» À un reporter qui
lui demande si son contrat a été signé avant ou après les élections, il réplique par une question: «Les élections...? Lesquel-

Il faut donc, à défaut de croire en cette superbe indifférence, déduire que M. Trudeau refuse de discuter de politique, et que toute autre question sur le sujet s'attirera le même genre de réponse.

La séance est terminée. «Il est encore fendant», dit un journaliste. «Il est encore timide», dit une journaliste.

21 septembre 1984

BRIAN ET RENÉ

— Allô, Brian?

— Ah, c'est toi René, salut!

— Je voulais te remercier encore une fois pour la magnifique journée qu'on a passée, à la conférence des premiers ministres à Ottawa. C'était sacrement sympathique, littéralement envoûtant... Excuse-moi, je m'allume une cigarette.

— Tu fumes trop, René. Suis mon exemple: je ne bois plus, je ne fume plus, je ne sors plus, et tu vois comme ça me rapporte! Et à part ça, quoi de neuf?

— Oh, rien de neuf. Le train-train, la routine. Mes ministres se chicanent entre eux, il y a une grève de transports à Montréal, et puis des histoires dans deux ou trois hôpitaux... Mais c'est pas grave, on est à un an et demi des élections et on va s'arranger pour que tout soit bien tranquille avant la campagne électorale. Tout le monde aura oublié. Et toi?

— Ben ces temps-ci on est pas mal occupés, Mila et moi, avec les travaux à la maison. On change tout: la décoration, les murs, les meubles... Tu penses bien que ce que Trudeau a laissé au 24 Sussex Drive, c'est pas un cadeau. D'abord il ne fait de cadeau à personne — tu le connais, ce sacré Pierre, toujours près de ses sous, il est même parti avec les ampoules. Ensuite, il

343

avait des goûts plutôt austères. Un vrai moine. Mila et moi on va mettre du «pep» là-dedans.

— Je suis sûr que vous allez réussir et que ça va être sacrement plus joli et diablement moins broche à foin que la maudite saloperie que ce t... de c... de Trudeau nous a laissée! Ah quand j'y pense... C'est bien simple, juste à y penser mon sang bout, mes artères éclatent. En fait, je ne pense qu'à ça. Le mois dernier j'étais au Japon, hé bien, j'en oubliais de reluquer les geishas. Je ne pensais qu'à ce maudit torrieu de salaud de...

— René, pour l'amour, calme-toi! Il y a quand même une limite. Pierre c'est un bon diable au fond. Et puis le gars a tellement de classe. Moi ça m'a pris du temps à faire mon chemin à Westmount, et Dieu sait que j'ai travaillé pour. Lui il est né dedans — enfin, à côté, à Outremont. Ça paraît. J'admire ça, moi, le style, la classe... Mais changeons de sujet. René, il faut que je te dise à quel point les gars et moi ont t'a trouvé le fun, mardi dernier, à la conférence des premiers ministres. Davis, Bennett, Lougheed et toute la gang, on t'a trouvé au boutte. Franchement, on n'aurait jamais cru que tu venais d'un autre parti. T'avais l'air d'un vrai conservateur. Plus conservateur encore que nous autres! Le top du top c'est quand t'as approuvé les coupures qu'on compte faire dans les programmes sociaux, avant même qu'on ait décidé lesquelles! Je dois dire qu'on s'attendait pas à ça, mais on est bien contents. Et ton ministre Parizeau, lui et son esprit mordant — ah quel homme cultivé! Un homme impressionnant! Un monsieur! — Parizeau donc, j'avais peur qu'il s'en prenne aux coupures de Wilson dans Via Rail et le Vieux-Port de Montréal et les autres domaines qui concernent le Québec, mais non, Jacques a été au boutte lui aussi. Super-coopératif.

— C'est la moindre des choses, mon cher. Un petit coup de pouce entre amis...

— Il y a seulement Pawley qui détonne... Mais le NPD n'en a plus pour longtemps. J'ai commencé par donner une limousine à Ed, Turner en a bien une, pourquoi pas le chef du

NPD? En tout cas, Ed est aux oiseaux. Il en avait jusque-là de prendre l'autobus, surtout que les autobus sont en grève la moitié du temps.

— En tout cas Brian, laisse-moi te dire que nous autres, à Québec, on l'admire, ta gang de gars. Enfin des députés fédéraux qui se tiennent debout! Enfin des députés fédéraux qui prennent à cœur les intérêts du Québec!

— Euh... enfin, René, est-ce que tu n'exagères pas un peu? Mes députés du Québec, ils n'ont pas encore ouvert la bouche. Nielsen et moi on le leur a bien défendu.

— Ça fait rien Brian, même s'ils ne parlent pas on sent qu'ils sont là. Ça se voit dans... dans leurs yeux. C'est pas comme les maudits moutons de ce maudit t... de c... de Trudeau qui nous a rabaissés avec une sauvagerie diabolique et littéralement déprimante et que, et qui, et dont...

— Wow, René, hold your horses! Ne repars pas là-dessus! Dis-moi, qu'est-ce que tu fais à la Saint-Valentin?

— Ben j'sais pas, moi, peut-être une petite soirée tranquille avec Corinne ou bien une petite game de poker avec Jean-Roch.

— Qu'est-ce que tu dirais d'une autre rencontre comme celle de mardi? Avec la même gang? À Régina cette fois? Les 14 et 15 février?

— O.K., fine, mon Brian. Et à la Saint-Valentin en plus! Comme ça tombe bien! La fête de l'amour... Mais le 14 février, c'est loin. Si on organisait un petit quelque chose avant ça? Une soirée à Michel Jasmin Variétés, par exemple? Un show avec toi et moi en vedette comme celui qu'on a fait avec Fabius? C'est la formule idéale: il n'y a pas de journalistes, pas de questions embêtantes et personne pour te contredire, on dit ce qu'on veut et rien de plus, on écoute des chansons et Jasmin est tellement discret que c'est comme s'il n'était pas là.

— Ça me plairait bien. On pourrait chanter en chœur... Connais-tu les chansons à répondre irlandaises?

— «When irish eyes are smiling...» Et puis pour terminer,

Jasmin et moi en entonnerait: «Mon cher Brian, c'est à ton tour...» Ce serait sacrement bon et littéralement bouleversant. J'appelle Jacques pour lui dire de mettre ça en marche.

— Jacques? Quel Jacques? Parizeau?

— Non, Girard. L'ancien sous-ministre, le PDG de Radio-Québec. Un gars parfait. Lui il l'a l'affaire.

— Bon ben mon cher René je pense que je vais y aller. Roch LaSalle m'attend depuis une heure pour savoir à qui il faut donner le contrat du pont de Mississauga. Merci pour ton appel, mon vieux. Merci aussi pour la charmante invitation que Pierre Marc et toi m'avez faite d'assister à votre réception au bureau du Québec à Ottawa. Crosbie, Masse, Clark et De Cotret y sont allés, ils se sont amusés comme des fous. J'ai vu que vous ouvrez le bureau à tout le monde, maintenant, même à Gérard-D. Lévesque.

— Hé oui, j'ai décidé de me faire des amis. Mon cercle de chums s'était pas mal rétréci ces derniers temps... Dis-moi, Brian, comment t'y prends-tu, toi, pour avoir tellement d'amis dans tous les milieux? Quelle est donc ta recette?

— Rien de plus simple, mon René. Ne pas avoir d'idées, ni de principes et flairer le vent. La souveraineté, la social-démocratie, tout ça c'est des affaires pour te faire des ennemis. Mais je ne sais pas pourquoi tu me demandes conseil, tu es sur la bonne voie. Ton seul problème c'est que t'es pas assez cool.

15 novembre 1984

UNE AUTRE
VOLTE-FACE...

M. Lévesque l'a dit en toutes lettres: il jouera de bonne foi le jeu du fédéralisme au risque de prouver en cours de route que l'indépendance n'est pas nécessaire.

Ce n'est pas cela en soi qui fait problème. Depuis toujours, et en particulier depuis le référendum de 1980 et la campagne électorale de 1981 où l'option souverainiste avait été mise en veilleuse, le gouvernement péquiste a le mandat implicite de fonctionner de bonne foi au sein du système fédéral. Faudrait-il conclure des propos de M. Lévesque qu'il aurait, jusqu'à présent, fait preuve de mauvaise foi et pratiqué la politique du pire?

M. Lévesque n'a pas tort non plus de laisser entendre que le concept de l'indépendance n'a rien de sacré. Pour les indépendantistes sérieux, l'indépendance n'a jamais été autre chose qu'un moyen, un outil de développement, et non une fin en soi. S'il apparaissait clairement que le régime fédéral est préférable à tout autre pour le Québec, il n'y aurait pas de drame puisque l'objectif ultime — le meilleur intérêt des Québécois — serait sauf. (Ces considérations sont théoriques: il n'y a jamais rien de si clair en politique, car toute vision politique est subjective. Ce qui est sûr, c'est l'effet: si le nombre des indépendantistes continue de diminuer, cela voudrait dire que l'indépendance n'est pas nécessaire, car ce qui est nécessaire en politique, c'est seulement ce qui est ressenti comme nécessaire par une proportion substantielle de la population.)

Ce n'est pas non plus le désir de coopération avec le nouveau gouvernement conservateur qui fait problème: face à un interlocuteur plus conciliant, il est politiquement intelligent, de la part de M. Lévesque, d'offrir la collaboration du provincial en échange de certains accommodements. Mais qui va croire qu'un changement de gouvernement à Ottawa représente un changement dans la nature même du régime fédéral? Un changement susceptible de pousser le PQ à renverser complètement la vapeur? Qui va croire que cette «conversion» est inspirée par autre chose que l'opportunisme électoral?

Ce qui fait problème dans l'actuelle volte-face du PQ, c'est qu'il y ait volte-face et que ce soit *la quatrième en dix ans,* et ce, non pas sur des points de détail mais sur l'option fondamentale du parti. Et qu'en outre, elle se fasse, comme les autres — mais cette fois c'est trop, la coupe déborde! —, dans la confusion, que l'on joue sur les mots et que l'on tienne un double discours, disant une chose aux militants (le PQ reste indépendantiste) et le contraire à la population (le PQ est, pour l'instant, fédéraliste).

1974: introduction de l'étapisme et du concept de référendum post-électoral. 1980: introduction de la notion de «mandat de négociation» dans un référendum qui devait initialement porter sur la souveraineté-association. 1982: érosion du concept d'«association», retour à l'indépendance «pure et dure», et promesse de tout clarifier aux prochaines élections — projet confirmé au congrès du printemps dernier.

Toutes ces volte-face ont été amorcées par M. Lévesque lui-même. Sur la question de la souveraineté, le parti n'a jamais fait que suivre, même si ce fut parfois en s'emballant, les impulsions de son chef.

M. Lévesque répète que c'est une phrase votée au dernier congrès («un vote pour le PQ équivaut à un vote pour l'indépendance») qui serait la source de tous les maux, mais la vérité c'est que ce bout de phrase n'a fait qu'expliciter des engagements clairement énoncés auparavant, et à plusieurs reprises, par le chef du parti et par le conseil des ministres.

Le bouquet: M. Lévesque demande maintenant aux militants de «réfléchir», mais en secret, à huis clos, pour ne pas donner l'image de la division! Il leur dit: on fera peut-être les élections sur l'indépendance mais ce n'est pas sûr alors n'en parlez pas. Mais comment donc ferait-il pour galvaniser l'électorat sur ce thème après l'avoir enterré et en avoir fait un sujet tabou?

Le député Pierre de Bellefeuille, resté quant à lui fidèle à l'option et au programme du parti, a bien raison d'être ulcéré quand il se voit, lui, et ceux qui pensent comme lui, traité de «dissident» ou de «bavard» pour oser faire état de la ligne officielle du parti!

Pauvre parti. Son chef et ses gros canons l'engagent à mettre l'indépendance en veilleuse, alors qu'il y a un an à peine ils lui disaient de foncer toutes voiles dehors. Mais en même temps, le parti est obligé d'appliquer les résolutions du congrès et de préparer un plan de relance de l'option indépendantiste!

Qu'il chavire sous le poids de toute cette confusion, qu'il se fractionne après une défaite électorale ou à l'occasion d'un renouvellement du leadership, ce sera grave mais sans doute sera-ce la seule issue car il faut bien qu'un abcès finisse par éclater.

Plus grave encore, les citoyens ne connaissent plus l'option constitutionnelle du parti au pouvoir: est-il indépendantiste? fédéraliste? Indépendantiste au fond mais fédéraliste en surface pour plaire à l'électorat? Fédéraliste au fond mais indépendantiste en surface pour plaire aux militants? Fait-il semblant de souscrire au fédéralisme pour mieux démontrer au premier échec la nécessité de l'indépendance? Ou est-il en train d'abandonner carrément l'idée qui l'a fait naître?

Quand la finasserie est érigée en système, cela devient insupportable, d'autant plus que ces interminables louvoiements accentuent la situation d'incertitude si nocive au développement économique du Québec et que le PQ est en train de dégoûter à jamais de la politique toute une génération, en donnant, à propos de son propre idéal, l'exemple de l'incohérence et du cynisme.

Pour être allée à bonne école, cette génération, celle qui a cru au PQ, est elle aussi au bord du cynisme, et ne croit plus à la politique, douillettement installée dans les bons emplois à vie de la fonction publique ou en train de faire de l'argent dans le secteur privé. Normal? Peut-être... mais alors, qu'au moins le PQ s'abstienne de faire la morale aux autres. Car entre le cynisme idéologique et l'autre cynisme, celui des petits patroneux et du traficotage de contrats, il n'est pas sûr que le second ne soit pas moins déshonorant que l'autre.

20 septembre 1984

349

L'AILE
PROVINCIALE

Entre les fédéralistes conservateurs et les souverainistes (?) péquistes, ce n'est pas une idylle estivale, une aventure d'un soir, ni même une lune de miel ordinaire. C'est l'amour fou.

Avant-hier, le ministre fédéral Marcel Masse rencontrait ses homologues québécois, MM. Bertrand et Richard. Au terme de la rencontre, écrit un reporter, ces deux derniers en ronronnaient de plaisir.

Fait sans précédent, c'est au chef d'un autre parti, à Brian Mulroney pour ne pas le nommer, que le magazine du PQ offre sa «une», lui rendant hommage avec une flatteuse photo-couleur.

Cette semaine, c'était au tour du ministre Laurin d'y aller de son petit bouquet de fleurs. Le nouveau ministre fédéral de la Santé et du Bien-Être, M. Epp, veut rouvrir la loi interdisant, notamment, la surfacturation dans l'assurance-santé. Avant même de savoir ce qui, dans cette loi, sera révisé et dans quel sens exactement, avant même d'être sûr que cela n'annonce pas l'érosion du caractère universel et démocratique des soins de santé, M. Laurin, voyant là la fin des empiétements de juridiction, se répand en félicitations.

Drôle d'attitude pour un parti «social-démocrate»! Mais le PQ a-t-il encore une étiquette, tant sur le plan social que national? On dirait qu'il n'en a qu'une, et qui porte un seul mot: pouvoir. Le pouvoir: à garder, à tout prix.

Personne n'aurait reproché au PQ de s'engager sobrement dans une nouvelle ère de coopération. Mais pourquoi une telle frénésie, une telle absence de distance critique?

Non seulement le PQ trouve-t-il ainsi l'occasion rêvée de revenir sur ses engagements formels, mais téméraires, de faire de l'indépendance l'enjeu des prochaines élections, mais il y a plus et ce pourrait être ceci: en se collant au PC populaire et victorieux, en s'en rapprochant de si près qu'on va finir par les identifier, le PQ bénéficie de l'aura du vainqueur. Au plus bas dans les sondages, le PQ ne peut que tirer profit de l'association la plus étroite possible avec un gouvernement qui est au sommet de sa popularité.

Même s'il est assez évident qu'actuellement, le PQ a plus besoin du PC que le PC n'a besoin du PQ, M. Mulroney pourrait lui aussi trouver son profit à soutenir le gouvernement Lévesque, dans la mesure où une victoire trop massive des libéraux aux prochaines élections provinciales risquerait de sortir les libéraux fédéraux du coma. Dans la mesure aussi où l'histoire des partis politiques canadiens a prouvé qu'un parti fédéral a toujours besoin d'une base solide au niveau provincial. Or, le Québec est la seule province où il n'existe pas de parti conservateur provincial.

Chose certaine en tout cas, le PC n'a plus à se demander s'il doit ou non susciter la formation d'un parti conservateur québécois. Il y en a un qui germe!

* *
*

Il y a toujours eu de sourdes correspondances entre les Conservateurs fédéraux et l'Union nationale de Duplessis, à qui Diefenbaker devrait d'avoir balayé la province en 1958. La nouvelle «aile provinciale» du PC, c'est ce PQ qui de plus en plus ressemble à l'Union Nationale...

Cela commença par le partage des dépouilles du vieux parti défunt: les Bertrand, les Johnson, les Biron, les Fréchette et bien d'autres, se replièrent sur le PQ. Cela continua par l'érection devant le parlement de la statue de Duplessis. Cela se poursuivit par l'implantation du parti dans les régions rurales et semi-rurales, par l'abandon moral de la métropole trop cosmopolite et pas assez technocratique au profit de la petite capitale homogène et bien nourrie, et cela s'achèvera par la transformation du PQ en un parti nationaliste, vaguement autonomiste, finfinaud, expert en tactiques de toutes sortes. Il y a quand même des différences: ceux d'aujourd'hui sont plus instruits et meilleurs communicateurs.

Le processus d'*unionisation* du PQ s'achèvera le jour où Pierre Marc Johnson, fils de Daniel, prendra la succession de M. Lévesque. Le conseil national du PQ vient en effet d'adopter une formule susceptible de favoriser grandement M. Johnson: tous les membres pourront participer au choix du prochain leader, ce qui inévitablement favorisera le candidat le moins «radical» et le plus populaire dans l'opinion publique.

27 septembre 1984

LA CONFUSION

Il n'y a rien de scandaleux à être souverainiste. Il n'y a rien de honteux à être fédéraliste. Les deux options ont leurs avantages et leurs désavantages. Le Parti québécois pourrait donc être fédéraliste sans se couvrir de honte, tout comme il a été honorablement souverainiste.

Le problème, c'est qu'il veuille être les deux à la fois, qu'il joue sur deux tableaux et tienne un double discours dont les deux termes sont contradictoires.

Le problème, c'est que sur cette question si fondamentale, et sur laquelle les citoyens ont le droit de connaître la position exacte de leur gouvernement, il change son fusil d'épaule selon les circonstances et la conjoncture, sans y avoir le moindrement réfléchi, sans débat, en deux temps trois mouvements, simplement parce qu'il y a un nouveau parti au pouvoir à Ottawa. (Et aussi, et surtout, bien sûr, parce que tous les sondages indiquent qu'une forte majorité de l'électorat rejette l'option indépendantiste.)

Changer d'idée selon les circonstances, c'est de l'opportunisme. Toute action politique réaliste comporte une bonne dose d'opportunisme, c'est vrai, mais pour être efficace et respectable, l'opportunisme ne doit pas être trop visible, ni trop flagrant. En juin, le PQ était tout entier tendu vers la souveraineté, et se disait prêt à tout sacrifier, même le pouvoir, à cet idéal. Moins de trois mois après, le voici «presque» devenu fédéraliste, et chantant avec un zèle qui serait suspect s'il n'était ridicule, les louanges du nouvel interlocuteur fédéral avant même qu'on sache ce que ce dernier va faire exactement. La volte-face est aussi visible que rapide!

C'est la légèreté avec laquelle il a changé selon la couleur du temps qui lui sera reprochée, bien davantage qu'une évolution, qui, si elle s'était seulement faite avec un minimum de respect pour l'intelligence de l'électorat, aurait été acceptable.

*   *
*

Le plus drôle, c'est que plusieurs péquistes, à commencer évidemment par le premier ministre Lévesque, jouent les vierges offensées quand on a l'audace de leur faire remarquer qu'ils sont en train d'exécuter une volte-face spectaculaire et acrobatique. Voudraient-ils que cela passe inaperçu?

Selon eux, la confusion serait une invention de journaliste et la réalité serait claire, simple et facile à interpréter... Mais c'est quand chacun d'eux se met à y aller de sa propre interprétation qu'on voit à quel point tout est, en effet, confus! Car il y a là-dessus autant d'interprétations qu'il y a de péquistes!

Un lecteur, militant péquiste, nous écrit. Comment avez-vous été assez naïve, dit-il, pour croire que le PQ était vraiment souverainiste? C'était seulement du «bluff», pour renforcer la position de négociation du Québec. À l'en croire, le PQ serait donc indépendantiste en surface, et fédéraliste au fond. Un autre lecteur, artiste connu et sympathisant péquiste: le virage vers le fédéral, explique-t-il, c'est la politique du pire. Si le PQ fait loyalement l'essai du système fédéral, les Québécois verront bien, quand viendra l'échec, que ce n'est pas une question de «chauffeur», c'est le «char» qu'il faut changer. À en croire celui-ci, dont, le PQ serait fédéraliste en surface et indépendantiste au fond.

Du côté de l'aile gouvernementale, ce n'est pas plus clair. Le ministre Godin est prêt, dit-il, à renoncer à l'indépendance. Et de un. Le ministre Parizeau, lui, se dit convaincu que l'objectif de la souveraineté, carrément mentionné dans les dépliants destinés aux investisseurs, n'a plus aucun effet négatif. Et de deux. L'ex-ministre Charron, dans le journal officiel du parti, voit le salut dans le Parti conservateur. La dernière contribution vient de l'ex-super-stratège, M. Claude Morin, le même qui a si brillamment dirigé les négociations constitutionnelles de 1981 dans lesquelles la délégation québécoise s'est fait duper comme une bande d'enfants d'école, après avoir laissé tomber le droit de veto qui lui était offert au profit d'une formule qui mettait le Québec sur le même pied que l'Île-du-Prince-Édouard. Quelle est la nouvelle tactique à la mode à Québec? Faire l'indépendance «morceau par morceau». Une tranche ici, une tranche là, sans trop que ça paraisse. Les gens sont contre la souveraineté, mais si on la leur fait avaler bouchée par bouchée... La tactique du saucisson, et un référendum avant chaque tranche. Mais M. Morin prend-il les électeurs pour des imbéciles? Et prend-il des gens du fédéral et des autres provinces pour des débiles mentaux?

6 octobre 1984

NOTES
SUR LE PQ

Ce n'est pas tant le fond de la position des *lévesquistes* qui étonne que la façon dont s'effectue cette volte-face. Il suffit de vivre au Québec pour savoir que l'idéal indépendantiste appartient davantage au passé qu'à l'avenir, parce qu'il n'intéresse plus ni les jeunes ni les créateurs. Même durant la campagne référendaire, on sentait déjà une sorte d'usure au sein du camp souverainiste. Par une ironie de l'histoire, en effet, il semble que le projet indépendantiste a perdu sa vigueur et sa force d'attraction avec l'accession du PQ au pouvoir — peut-être parce que cette victoire, de même que des législations comme la loi 101, a suffi à combler l'essentiel des aspirations nationalistes.

Comment se fait-il que ce n'est qu'aujourd'hui que MM. Lévesque, Johnson et compagnie s'en aperçoivent? Étaient-ils donc si coupés de la réalité? Pourquoi n'ont-ils pas commencé leur auto-critique il y a quatre ans, au lieu d'éperonner leurs membres dans une fuite en avant qui a mené le PQ à se montrer de plus en plus radical à mesure que l'électorat s'éloignait de l'idéologie nationaliste?

En juin dernier, M. Lévesque et tous ses disciples juraient leurs grands dieux que les prochaines élections se feraient sur le thème de l'indépendance. Aujourd'hui, ils montrent la porte à ceux qui restent fidèles à ce projet pourtant clairement approuvé il y a cinq mois par les hautes autorités du parti.

Sain réalisme politique? Opportunisme normal? Même pas. La volte-face est trop spectaculaire, trop maladroite et l'opportunisme trop visible pour être efficace. De cet exercice visant à se débarrasser d'une option impopulaire dans l'électorat, le gouvernement Lévesque ne retirera qu'une perte de crédibilité.

La stratégie du premier ministre est brutale et cynique. Trop cynique pour ne pas soulever quelque dégoût dans une population pourtant déjà désabusée de la politique.

Il y avait une façon, une seule, d'enterrer dignement le projet qui avait été la raison d'être du PQ: c'était que M. Lévesque démissionne, et qu'à l'occasion d'un renouvellement du leadership, et *à l'extérieur du champ gouvernemental*, le parti s'attaque aux révisions nécessaires. Le porte-parole de la tendance majoritaire l'aurait emporté, la volte-face aurait été plus intelligente, plus graduelle et l'opportunisme électoral, moins flagrant.

M. Lévesque a préféré la démarche autoritaire, au risque de miner à jamais sa propre crédibilité. Compte-t-il s'accrocher au pouvoir? Ou se fait-il l'exécuteur des basses œuvres pour paver la voie à Pierre Marc Johnson? La seconde hypothèse est la plus charitable mais la moins vraisemblable, car les leaders autoritaires, comme MM. Lévesque et Trudeau, se préoccupent rarement d'assurer leur succession.

24 novembre 1984

DE JUIN À NOVEMBRE...

René Lévesque, le 27 janvier 1984: «Le Parti Québécois a été créé en vue d'aider au maximum le Québec à s'émanciper politiquement, à devenir un État souverain. Cela demeure sa raison d'être et cela ne doit pas changer. Je ne serais pas capable de me regarder dans le miroir et je ne serais pas là si on prétendait escamoter l'essentiel de notre programme.»

René Lévesque, le 8 juin 1984: «Le développement social et économique du Québec passera par la souveraineté ou ne passera pas du tout.» Dans le même discours, prononcé à l'ouverture du dernier congrès du PQ, le premier ministre dénonçait violemment les «professionnels du colonialisme» qui prétendent qu'il y a de l'avenir pour le Québec en régime fédéral, tout en exhortant ses militants à «partir au plus vite dans le champ pour aller vendre l'idée de la souveraineté.»

*   *

*

Il y a mille et une choses sur lesquelles il est acceptable qu'un parti change d'idée en fonction de nouvelles contraintes ou des résultats des sondages. Il peut faire volte-face sur l'opportunité de nationaliser ceci ou cela, il peut ignorer tel engagement électoral ou déposer tel projet de loi jamais annoncé mais requis par les circonstances... Mais revenir en deux temps trois mouvements sur sa propre raison d'être, sur son objectif le plus fondamental, surtout quand rien dans la réalité ne le justifie, voilà une volte-face autrement plus difficile à faire avaler.

Bien sûr, sautant sur le prétexte fourni par l'élection des «gars aimables» du nouveau gouvernement conservateur à Ottawa, le PQ tente de convaincre l'électorat que toute la conjoncture politique a été transformée; que ce nouvel interlocuteur qui parle de «coopération» et de «concertation» nous permet d'espérer un changement tel qu'il vaut la peine, pour le Québec, de prendre «le beau risque» du fédéralisme, et que tous les «malheurs» qui suscitaient la colère de M. Lévesque il y a quatre mois à peine tenaient non pas tellement au régime fédéral lui-même qu'à un diabolique complot ourdi par MM. Trudeau et Lalonde.

Mais qui donc, sauf bien sûr les partisans inconditionnels, va croire de pareilles sornettes? Qui va croire que Trudeau était le Diable et Mulroney le Bon Dieu? Et que le fédéralisme va changer de nature avec un gouvernement dont l'idéologie est moins centralisatrice?

Que dirait-on si le NPD décidait de mettre au rancart son caractère social-démocrate pour devenir, parce que c'est plus rentable, un parti capitaliste?

Le NPD aurait bien des raisons de faire cette volte-face: ses défaites successives aux urnes montrent que l'électorat est réfractaire au projet socialiste; son chef — qui jouit personnellement d'une bonne cote de popularité dans le public — serait peut-être premier ministre aujourd'hui s'il s'était trouvé à la tête d'un parti de centre. Tout le monde en outre sait que les périodes de récession économique (quand l'État n'a plus d'argent pour lancer de nouveaux programmes) sont fort peu propices au développement de la social-démocratie.

Le NPD aurait en somme toutes les raisons de se convertir. Il ne le fait pas. Pourquoi? Parce que cela ne se fait pas. Ce que le NPD — ou plus exactement un nombre substantiel de militants ici et là — essaie de faire pour se sortir du cul-de-sac, c'est de réfléchir, ardument, à la façon d'adapter son idéologie aux nouvelles réalités. Peut-être ne réussira-t-il pas. Mais il essaie.

C'est également ce que fait le Parti socialiste en France, qui a lui aussi toutes les raisons — sans cesse confirmées par les sondages — de penser que le socialisme est, sinon mort, du moins moribond. Dans les faits, le gouvernement Mitterrand pratique une politique de plus en plus libérale et de moins en moins socialiste. Le nouveau premier ministre français, Laurent Fabius, serait parfaitement à sa place à la tête d'un gouvernement de «droite» modérée. Mais jamais, au grand jamais, le PS ne serait assez bête pour aller proclamer sur la place publique qu'il met ses idéaux au congélateur et qu'il prend «le beau risque du capitalisme» sous prétexte que «les Français ne sont pas prêts à adhérer au socialisme». Ses intellectuels tentent plutôt de «moderniser» l'idéal. On n'a qu'à lire le *Nouvel Observateur,* et l'historien Jacques Julliard en particulier, pour le constater. Encore là, peut-être l'idéal socialiste ne résistera-t-il pas à la poussée du pays réel et à la fuite du temps. Mais, chose certaine, s'il y a révision, ce sera en douceur et en profondeur, la révision idéologique viendra après la révision pratique, et *sans que l'exercice du pouvoir ne soit compromis par les remises en question.* (Quelle sorte d'administration publique a-t-on actuellement à

Québec, dans un gouvernement à moitié en panne qui sera paralysé au moins jusqu'à la mi-janvier par ce psycho-drame?)

*   *

*

Les remises en question réelles, sincères et authentiques se font toujours en douceur, avec le temps. Jamais brutalement. C'est pourquoi l'électorat fédéraliste sera-t-il toujours justifié de mettre en doute la «conversion» trop soudaine de son gouvernement. C'est pourquoi il aura toutes les raisons de croire que le gouvernement Lévesque ne jouera jamais pour vrai, de bonne foi, le jeu du fédéralisme, et ne sera donc jamais capable de tirer de ce régime (qui a, comme la souveraineté, des avantages et des désavantages) les meilleurs avantages pour le Québec.

Il est faux de croire que la souveraineté se situe dans le prolongement du fédéralisme (même «coopératif») ou, autrement dit, qu'il suffirait d'être «un peu moins indépendantiste» pour se transformer en un «fédéraliste nationaliste».

Les deux idéologies supposent des mentalités et des méthodes différentes, la seconde reposant sur une autre vision de l'équation majorité-minorité, sur le rejet de l'État-nation, sur des aptitudes à la négociation et au compromis, et sur la confiance mutuelle des onze partenaires en cause (soit le fédéral et les dix gouvernements provinciaux).

Il va de soi qu'il ne s'agit pas de mondes clos et qu'on peut très bien, dans le cours d'une vie, passer d'une idéologie à l'autre, devenir indépendantiste après avoir été fédéraliste ou fédéraliste après avoir été indépendantiste. Mais cela se fait au terme d'une évolution quelconque, toute évolution s'effectuant sur une période d'autant plus longue que l'on a passé la première jeunesse.

Ainsi, de deux choses l'une: ou la pensée de M. Lévesque a «évolué», entre juin et novembre, à la vitesse de l'éclair, ce qui serait normal à 18 ans, mais pas chez un homme mûr, ou bien

M. Lévesque ne disait pas vraiment ce qu'il pensait en juin dernier. Ou bien, — troisième hypothèse qui n'est que l'envers de la seconde —, il fait seulement semblant de changer d'idée aujourd'hui.

Pour être cru, en effet, encore faut-il avoir l'air crédible.

27 novembre 1984

LE RETOUR
DU FANTÔME

Il est trois heures du matin, et René Lévesque n'arrive pas à dormir. Il étend la main vers sa table de chevet... mais où sont donc ses cigarettes? Il se lève et va les chercher dans le salon.

Tout à coup, une voix le fait sursauter. Nasillarde, caverneuse: «Par ici René...» Ne l'a-t-il pas déjà entendue quelque part?

Dans un coin du salon, un drap blanc émerge d'un nuage de fumée. Un suaire? Un fantôme? Oui, mais reconnaissable à ses deux petits yeux rusés, brillant au-dessus d'un long nez et d'une petite moustache coupée ras.

— Veux-tu une de tes Players, mon René? Je me suis permis d'emprunter tes cigarettes. Au ciel, on nous rationne le tabac. Saint Pierre est un anti-fumeur et les archanges sont toujours là à nous surveiller. Franchement, j'aimais mieux l'atmosphère au purgatoire.

— Monsieur Duplessis! Quelle surprise!

— Ben oui, c'est moi. J'avais envie de te rendre visite. J'ai beau passer mes journées à jaser du bon vieux temps avec Johnson, Bertrand et les autres, ou bien à me chicaner avec Taschereau et Godbout, à la longue un gars se tanne... Hier j'ai dit à saint Pierre: j'en ai plein mon casque, donnez-moi congé pour quelques heures, j'ai besoin de renifler l'odeur de la politique... D'autant plus qu'à vous regarder faire, les petits gars, je me sens de plus en plus chez moi chez vous. Plus je te regarde aller, mon René, plus je trouve que tu as du bon sens. Cou'donc, t'aurais pas un petit gin? Ça, c'est encore une chose défendue au ciel. Là-dessus, la Sainte Vierge est intraitable.

— Moi c'est plutôt le café, Monsieur Duplessis. Je vais vous en faire un.

* *

*

Le fantôme et le premier ministre ont bu deux cafés chacun et fumé un demi-paquet de cigarettes. L'aube pointe à la fenêtre mais la conversation va bon train.

— C'est le monde à l'envers, dit Duplessis. Te voilà fédéraliste et c'est Marcel Pepin qui est rendu indépendantiste.

— Non, non, vous ne comprenez pas. Je suis fédéraliste mais je suis souverainiste. Ou plutôt je suis souverainiste mais je suis fédéraliste. C'est clair?

Le fantôme ricane d'aise: «C'est pas clair mais quelle importance? L'idée, c'est d'être réélu. Moi, dans le temps, je leur faisais croire qu'on avait le meilleur système scolaire au monde, et ils me croyaient. Quand ça payait, je partais en guerre contre Ottawa. Quand ça ne payait plus de payer la traite aux fédéraux, je m'en faisais des alliés. Tu te souviens, en 58, j'ai fait élire les Bleus d'Ottawa au Québec... T'as fait pareil avec le petit Mulroney. C'est ça la recette. Danny Boy l'avait bien compris: égalité ou indépendance, indépendance ou égalité, pis envoille donc. Maintenir l'ambi... Comment vous dites ça, maintenant?

— L'ambiguïté, Monsieur Duplessis. Mais il y en a qui me critiquent...

— Laisse-les faire. C'est juste des maudits intellectuels. Ou bien des maudits Montréalais. Le problème, René, c'est que t'as pas encore la pogne que moi j'avais. Il n'y en a pas un qui m'aurait fait le coup de Laurin. D'abord, le gars aurait pas été élu. C'est moi qui choisissais les candidats du parti. Ceux qui étaient du genre à me contredire, je les barrais dès le départ. Choisis mieux ton monde, mon René, comme ça tu seras pas obligé de faire de purge.

— C'est une bonne idée. Mais vous savez, Monsieur Duplessis, les temps ont changé, on ne peut plus faire ce qu'on veut comme avant. Prenez les femmes. Il faut toujours en avoir une ou deux dans son cabinet...

— Ah Seigneur! Les femmes en politique! Quand je vois ça je suis content d'être mort. Comment elle s'appelle, celle qui te fait tant de misère depuis des années?

— La petite Harel?

— Oui, la belle petite noire, celle qui devrait rester à la maison pour s'occuper de son enfant au lieu d'aller traîner au parlement. Elle est partie? Bon débarras. Moi il y a longemps que je l'aurais mise à la porte! T'es trop mou, mon René.

— Il y en a une autre qui est partie. La petite Leblanc-Bantey, celle qui était ministre de... De quoi donc? J'ai oublié. Attendez, ça me revient. Le ministère de la condamnation féminine... euh, non, c'est pas ça. La conversion, la contrition, la condition... Ah, oui, voilà! La condition féminine. C'est une patente qu'on a été obligés de créer parce qu'il y avait trop de criaillages et trop de zigonage. Je lui ai dit: Partez l'âme tranquille, madame, c'est moi qui vais me charger de votre ministère... Mais qu'est-ce que vous avez, Monsieur Duplessis? Vous vous êtes étouffé? Votre café dégouline tout au long de votre suaire!

— Je suis pas étouffé, hoquète le fantôme, je suis en train de mourir de rire! Je serais mort de rire si j'étais pas déjà mort.

*   *

*

Le jour est levé et au ciel, saint Pierre regarde sa montre, se demandant si son fringant pensionnaire va respecter l'heure de rentrée. «Si ça continue, grommelle-t-il, je vais exiger son transfert en enfer. Le Christ est trop bon. Il prétend que les Québécois ont été si malchanceux qu'il faut pardonner n'importe quoi à leurs premiers ministres.»

Sur la terre, René Lévesque et Duplessis ont refait du café et entamé un autre paquet de Players.

— Lâche pas, mon René. Il y a trop de petites natures maintenant. Moi je suis resté jusqu'au bout. Et tu vois, même mort, je reviens.

— Des fois je pense à m'en aller. Mais les péquistes ne veulent pas. Je le leur demande une fois de temps à autre: voulez-vous que je parte? Et sinon, allez-vous m'obéir? Ces référendums-là, je les gagne toujours...

— Ça n'a pas changé depuis mon temps. Les gens aiment ça, un chef, un vrai chef. Et puis à part ça, comment vont nos petits gars? Le petit Bertrand? Le petit Johnson? Les vrais fils de leurs pères, hein?

— Et comment! Remarquez, comme dauphin j'aurais préféré Marois, il me ressemblait davantage. Il pensait comme moi, il parlait comme moi, il gesticulait comme moi, c'était extraordinaire. Ma copie conforme, ma copie carbone...

— Ne pense pas à ta succession, René. Ton parti ne te survivra pas. C'est comme l'Union nationale et moi: le parti d'un seul homme. D'abord, tu composes avec les idéalistes — moi ç'a été l'Action libérale nationale de Paul Gouin, toi c'étaient les indépendantistes. Ensuite tu leur règles leur compte. Bon, il faut que je m'en aille, sinon saint Pierre va me fermer la porte au nez. Salut, et puis merci pour la statue. Tu sais, ma statue de bronze que les libéraux avaient reléguée dans une cave? C'est toi qui l'a fait ériger devant le parlement. À ce moment-là, j'étais encore au purgatoire et ça m'a fait chaud au cœur. Toi aussi tu devrais penser à te faire fabriquer une statue.

— Ouais, c'est une idée que Duhaime a en tête. Mais je trouve que franchement, là, il exagère.

1er décembre 1984

363

LA VICTOIRE
ÉQUIVOQUE

À moins que quelque événement imprévu ne l'entrave, tout indique que le premier ministre Lévesque va réussir à ramasser une substantielle majorité de votes au congrès spécial du 19 janvier. Techniquement parlant, ce sera une victoire. Mais il reste à savoir dans quel état le parti émergera de ce brutal virage. Et aussi dans quel état son chef lui-même s'en sortira.

Le parti: son membership avait déjà diminué des deux tiers. Fort de 300 000 membres à l'automne 81, il en compte aujourd'hui 113 000. Dans les assemblées de comtés qui se déroulent actuellement, la participation est faible. À certains endroits, il y a eu plus de reporters que de participants, et au secrétariat du parti, on nous confirme que le taux de participation moyen est d'environ 10 p. cent. C'est beaucoup, dit-on, à comparer avec d'autres assemblées. Mais c'est fort peu, compte tenu de l'importance de l'enjeu.

Dans un parti où les militants sont déjà désabusés, le camp gagnant aura fort à faire pour «remobiliser» ses troupes. Car un parti a beau gouverner par sondages, son sort dépend toujours, en dernière analyse, de ceux qui collent les timbres, font du pointage et du porte à porte et ainsi font «sortir» le vote le jour du scrutin.

Le chef: depuis deux semaines, et même s'il vogue vers la victoire dans un cabinet uni, appuyé par la plupart des commentateurs et par les sondages qui semblent lui donner raison, M. Lévesque paraît fatigué et désemparé.

Il se contredit constamment, même par écrit. Dans un premier texte il parle de la souveraineté comme d'une police d'assurance (dont il semble souhaiter qu'elle n'aura pas à être utilisée) et dit que le parti doit jouer de bonne foi le jeu du fédéralisme. Dans un second texte, adressé celui-là à Camille Laurin, il se dit au contraire plus que jamais souverainiste, laissant entendre que cette volte-face n'est qu'une stratégie pour en venir à la souveraineté.

Quand il s'exprime verbalement, c'est encore plus confus: lors de l'entrevue d'une demi-heure qu'il a donnée au *Point* il y a deux semaines exactement, les propos du premier ministre étaient incompréhensibles. Même les téléspectateurs qui avaient déjà une bonne connaissance du sujet étaient incapables de combler les vides, de décoder le sens des points de suspension et de déceler un message politique dans des phrases inarticulées, ponctuées par des gestes qui évoquaient tantôt l'impuissance, tantôt la fureur, tantôt le désarroi, mais jamais l'ombre d'une idée claire. C'était consternant. (Il y a des hauts et des bas: ainsi, le lendemain matin, lors d'une entrevue avec des journalistes de *La Presse*, il avait l'air en excellente forme.)

Lors de ses apparitions officielles, M. Lévesque est, au dire de tous les observateurs, plus nerveux que jamais. Voici comment un commentateur de l'extérieur, Jeffrey Simpson du *Globe and Mail,* décrivait la conférence de presse commune de MM. Lévesque et Mulroney: «À la question visant à savoir quand commenceraient les pourparlers constitutionnels, M. Mulroney parla de Pâques. M. Lévesque l'interrompit pour suggérer février. Pendant que M. Mulroney laissait couler ses mots mielleux, M. Lévesque se trémoussait, fumait, grimaçait et à un moment donné, il a même arraché le microphone des mains du premier ministre fédéral.»

Sur la question politiquement délicate de la constitution, où il lui faudrait préparer ses dossiers avec soin, M. Lévesque dit ce qui lui passe par la tête. Ainsi, ce droit de veto qui avait fait, pas plus tard qu'en 1981, l'objet d'une déclaration solennelle de l'Assemblée nationale, et que bien des Québécois voudraient au moins essayer d'aller récupérer, devient tout à coup, dans sa bouche, «une absurdité». Son ministre des Affaires intergouvernementales a tenté de réparer la gaffe mais il est plus difficile à un simple ministre de réparer la gaffe du premier ministre, qu'à un premier ministre de réparer la gaffe d'un simple ministre.

Lundi dans Taillon, il livre un discours maussade et incohérent où abondent les aveux les plus troublants. Exemple:
revenant pour la nième fois sur le «complot machiavélique» de
Pierre Trudeau, M. Lévesque dit: «C'est alors que j'ai perdu
les pédales. Là, on a fait l'erreur du siècle, moi comme d'autres
j'ai charrié, Trudeau nous a mis au pied du mur, on a perdu nos
culottes, on est tous devenus fous, le parti avec.»... Devant de
pareils propos, les bras vous tombent, car enfin, M. Trudeau a
beau avoir été éminemment arrogant (quoique parfaitement
fidèle à sa propre ligne de pensée et à un projet dont il n'avait
jamais fait mystère), se peut-il que ses pouvoirs maléfiques
aient été tels qu'ils ont pu plonger un gouvernement d'hommes
adultes dans la folie pendant quatre ans? Encore heureux qu'on
n'ait pas eu la guerre, ou une nouvelle Crise d'octobre, ou une
invasion de martiens. Comment des hommes aux nerfs aussi
fragiles auraient-ils réagi?

Le lendemain, au Sommet sur les relations internationales, le scénario se répète. M. Lévesque se lance dans une autre
de ses attaques obsessionnelles contre Trudeau, puis il déclare
que son gouvernement pourrait être bientôt renversé par la
motion de non-confiance que présenteront demain les Libéraux, ajoutant quelque chose de confus sur la période des Fêtes.
Pour couvrir cette énormité, ses conseillers et lui-même affirment ensuite qu'il s'agissait d'une blague. Si c'était vrai ce
serait assez lamentable mais je doute que ce le soit, à moins que
M. Lévesque ait totalement changé sa façon de faire des blagues. Cet extrait a été reproduit mardi aux nouvelles télévisées,
et l'homme paraissait non seulement sérieux mais accablé. M.
Lévesque pressentirait-il une mutinerie ou un désastre dont la
préparation aurait échappé à tous? Ou l'homme fantasmait-il
sur son propre désir de partir? Il a d'ailleurs recommencé à parler de quitter la vie politique, comme il le fait périodiquement,
au mépris des secousses que cela fait subir au Québec.

Enfin, le langage: M. Lévesque s'est toujours permis bien
des écarts à ce chapitre, mais ces temps-ci il n'en finit plus de

dépasser ses propres records. Dans son entrevue au *Point,* les «fourrer» diversement conjugués se succédaient. Tantôt c'est le congrès qui «focaille», tantôt c'est l'avalanche des «maudits», des «culottes baissées» et autres expressions que les journaux respectables ne reproduisent pas in extenso.

N'y a-t-il personne pour conseiller le premier ministre? À trop vouloir écarter la dissidence et la critique, on s'isole. Aujourd'hui, M. Lévesque règne sans conteste mais c'est sur des groupes dociles, incapables tant de l'influencer que de lui tenir tête. Il n'y a plus, ni au cabinet ni dans son entourage, aucun homme de sa génération dont la maturité, l'envergure personnelle, le poids politique et la force morale seraient susceptibles de forcer le respect du premier ministre, exception faite de quelques rares hommes isolés dans la tempête comme Marc-André Bédard (mais il est malade).

13 décembre 1984

LE GRAND SEIGNEUR

CHARLEMAGNE, P.Q. — Une petite salle d'une petite ville, un petit dimanche matin grisâtre. Dans son comté de L'Assomption maintenant orphelin, Jacques Parizeau vient dire adieu à ses troupes.

Le PQ n'est plus ce qu'il était: il n'y avait même pas cent personnes pour marquer le départ — définitif ou temporaire? — de l'homme qui fut depuis 1969 la principale vedette du PQ après Lévesque, qui fut le ministre des Finances le plus imposant que le Québec ait jamais eu, et qui fut du début à la fin le meilleur cerveau du gouvernement péquiste.

Le meilleur cerveau: je ne veux pas dire qu'il avait toujours raison ni qu'il était sans défaut, mais c'était lui qui avait l'intelligence la plus puissante, la pensée la plus raffinée, l'esprit le plus cartésien, le discours le plus articulé et la culture la plus étendue. C'était aussi, évidemment et avec raison, le plus orgueilleux. Il n'y a eu, dans notre univers politique, que Pierre Elliott Trudeau pour l'égaler. Jamais ne verrons-nous ces deux hommes en duel dans un débat télévisé. Dommage.

M. Parizeau serre les mains qui se tendent vers lui mais même avec ses vieux compagnons d'armes, il reste réservé, cordial et hautain tout à la fois. (Un fonctionnaire de son ministère avait eu, une fois, la grossière impudence de lui demander s'il pouvait l'appeler «Jacques», Monsieur Parizeau le toisa: «Non Monsieur», répliqua-t-il.)

À la journaliste qui l'interroge sur les propos de son successeur Yves Duhaime (propos publiés dans *La Presse* de samedi, où le nouveau ministre des Finances «mémérait» contre son prédécesseur), M. Parizeau dit simplement: «Il vaut mieux que cela.»

— Allez-vous lui répondre?

— Lui répondre? Évidemment pas! dit-il avec un vague sourire où affleure on ne sait quoi au juste... Le mépris? L'indifférence? Le désabusement? De toute façon, s'il avait été là, ce pauvre Duhaime se serait vu, dans ce regard, comme un garçon trop inintéressant pour qu'on ait envie de polémiquer avec lui. Pire encore: grand seigneur, et comme pour lui montrer, à ce politicien banal qui titube dans ses bottes, ce que c'est que l'élégance intellectuelle et le savoir-vivre, M. Parizeau laisse tomber avec un bon sourire: «Les Finances, c'est un ministère très très difficile. Je suis sûr qu'il le prendra bien en mains.»

* *
*

En 1974, M. Parizeau était contre le virage «étapiste» piloté par Claude Morin et appuyé par René Lévesque. Mais alors aussi, il avait renoncé à son droit de parole en s'inscrivant au congrès comme journaliste (il était éditorialiste au *Jour*) plutôt que comme délégué. Au plus fort de la discussion, M. Parizeau, dans la section réservée aux médias, se balançait furieusement sur sa chaise, en lançant autour de lui des regards indignés, mais tout le temps du congrès il se tint coi. En 1981, lors du fameux débat sur l'«association» qui allait tant irriter René Lévesque, Jacques Parizeau s'avança au micro des «pour», apparemment dans l'intention d'exprimer une opinion contraire à celle de René Lévesque. L'assemblée, déjà survoltée, l'ovationna, donnant ainsi à son intervention le sens d'un défi que lui-même, peut-être, n'avait pas en tête. Il sembla perdre pied et déclara s'être trompé de micro.

En s'abstenant une fois de plus d'incarner au congrès la fraction contestataire, M. Parizeau est donc fidèle à lui-même: jamais n'a-t-il voulu paraître déloyal envers le chef élu du parti encore moins envers le premier ministre… et cela, même quand il se vit imposer une question référendaire qui lui déplaisait souverainement, même quand M. Lévesque eut l'indélicatesse politiquement explosive de déclarer que le Budget de son ministre des Finances avait été préparé «en catastrophe».

M. Parizeau vise-t-il la chefferie? L'a-t-il jamais visée? Où s'en va-t-il? Se met-il en réserve de la République? Ou était-il simplement en train, dimanche matin, de couper le dernier fil qui le retenait à ce parti déjà «unionationalisé» en qui bientôt les Parizeau ne se reconnaîtront plus?

Une fois livré son discours, un discours à son image, parfaitement intelligent, logique et digne, où jamais n'affleura l'ombre d'une attaque personnalisée, M. Parizeau s'attarda pourtant longuement devant l'auditoire qui l'applaudissait sous le feu des caméras de la télé. Il salua trois fois, en s'inclinant lentement avec solennité, comme un acteur le soir de la dernière, puis, franchissant sans mot dire les barrages de journalistes, disparut dans la petite Renault qui le ramena à Montréal, à Outremont du côté de Côte-des-Neiges, chez lui.

*   *

*

Parizeau parti, les journalistes courant à sa suite, la salle sembla soudain désertée, et l'assemblée du comté commença, avec ses 70 membres et sous la présidence ô combien symbolique de l'ancien ministre unioniste Robert Lussier.

Vidé de son sang, le PQ se retrouvait réduit à la caricature de lui-même, réduit à ce qui reste quand l'essentiel a disparu. L'essentiel: non pas seulement l'idéal, mais l'idée, la capacité de générer et de manipuler des idées.

Ce qui reste: la procédure. La procédure est au PQ ce que la potion magique fut à Obélix: ils sont tombés dedans quand ils étaient petits. Même s'il ne restait plus que trois péquistes au monde, ils trouveraient encore le moyen de faire de la procédurite. (Un de mes collègues prétend d'ailleurs que chaque péquiste se met au lit le soir avec un code Morin sous l'oreiller.)

Point d'ordre, question de privilège, alternance des «pour» et des «contre», amendement, sous-amendement et question préalable... Le bon docteur Lussier, pas assez *péquisisé* et plus familier avec le stéthoscope qu'avec le code Morin, a la mine égarée d'un notable de campagne soudain débarqué au beau milieu d'une réunion du Conseil central de la CSN au 1212 rue Panet. Le bon Docteur, incapable de trancher, s'en remet à l'assemblée, qui vote à tour de bras sur divers points de procédure. On finit par voter sur le fond: 26 pour le nouveau virage fédéraliste et 44 pour l'orthodoxie, mais c'est un grain de sable dans le moteur du gros *blender* bleu qui effectue ces temps-ci à travers la province la fusion des restes de l'UN et des restes du PQ, le tout lié par le jus tout frais du PC.

Une militante désabusée: «Ce qui me démoralise le plus, c'est que je me demande... si jamais on formait un nouveau parti, est-ce qu'il finirait par devenir comme celui-ci?»

18 décembre 1984

MÉNAGE
À TROIS

Avec un gouvernement en proie aux dissensions internes, le Québec vivait, dimanche, en équilibre instable, mais cela ne paraissait pas trop. À la radio, se déroulait un débat aussi courtois que soporifique entre le parrain des Révisionnistes, le ministre Johnson, et le saint patron des Orthodoxes, l'ex-ministre Camille Laurin.

Ce même dimanche midi, le Ritz Carlton, dont le bar a vu passer tant de politiciens et où Brian Mulroney a depuis longtemps établi ses quartiers, le Ritz donc semblait couler des heures calmes dans son décor élégant, mais ce calme était trompeur car dans l'hôtel, le thermomètre politique avait monté de plusieurs degrés: au premier étage, Brian Mulroney, oubliant ses amours avec le PQ, flirtait avec Robert Bourassa.

Mais M. Mulroney peut tout se permettre: c'est actuellement l'homme politique le plus populaire au Québec. Flottant sur la vague bleue qui lui a donné 58 députés, maître du pouvoir et du patronage et encore en lune de miel avec l'électorat, il tient le haut du pavé et peut dispenser ses faveurs à qui bon lui semble et selon ses propres intérêts.

Au PQ qui l'a aidé à faire élire ses «bleus» au Québec, M. Mulroney a gracieusement fourni l'alibi qui lui permet de prétendre que la conjoncture politique a changé au point de justifier «le beau risque» du fédéralisme. Il a mis de l'huile et du miel dans la machine complexe des relations fédérales-provinciales. En route pour Sept-Îles en décembre dernier, il s'est arrête à Québec pour rendre visite à René Lévesque. Il fait semblant de croire que le PQ va vraiment devenir fédéraliste: «C'est le gouvernement légitime du Québec. Je présume de sa bonne foi.»

Il n'y a pas que les péquistes qui essaient de bénéficier de l'aura du chef conservateur. Les libéraux y ont tout intérêt car ils ont besoin de ce vote «mou» qui pourrait bien aller à un PQ «unionationalisé» ou à ce nouveau parti conservateur provincial que certains ont déjà commencé à mettre sur pied.

Aussi ce déjeuner en tête à tête au Ritz avait-il été préparé de longue main, de manière à bien montrer que M. Mulroney n'entend pas se laisser enfermer dans une liaison exclusive avec le PQ, et que s'il y a mariage ce sera un ménage à trois. De manière aussi à donner un bon coup de pouce à un Robert Bourrassa qui n'aura pas trop d'atouts dans son jeu s'il veut séduire l'électorat, surtout face à un PQ doté d'une nouvelle image et d'un leader neuf.

*   *

*

Aux conférences de presse en bonne et due forme, M. Mulroney préfère ce qu'on appelle les *scrums*: micros tendus à bout de bras, les journalistes s'agglutinent en gros tas autour de l'homme politique, risquant à chaque instant de se faire assommer par les lourdes caméras qui surplombent la masse compacte de chair humaine; c'est à qui jouera assez des coudes pour arriver au premier rang, et c'est à qui réussira à placer — ou plutôt à hurler — sa question. À ce petit jeu, ce sont les plus musclés qui gagnent, ou alors ceux qui ont la voix la plus stridente.

La formule du *scrum*, qui fait le bonheur de la télé et le désespoir de la presse écrite, empêche les journalistes d'interroger l'homme politique méthodiquement, mais dans la même mesure, elle est bénéfique à l'homme politique, qui peut plus facilement se soustraire aux questions embarrassantes.

C'est donc dans un *scrum* que M. Mulroney s'est présenté aux côtés de M. Bourassa après leur rencontre à huis clos, comme il l'avait fait en décembre dernier avec M. Lévesque. Un *scrum* plus civilisé cependant que ceux auxquels on se livre habituellement dans les couloirs des parlements: il y avait une distance respectueuse entre les deux hommes et les journalistes, et ça se bousculait un peu moins.

Autre avantage corollaire pour M. Mulroney, qui mesure six pieds et deux: comme le *scrum* se fait debout, c'est toujours lui qui domine. À ses côtés, René Lévesque a l'air tout petit, et Robert Bourassa, un peu maigrichon. (Mais le PQ n'a pas dit son dernier mot: imaginez, juste deux minutes, le couple Mulroney-Johnson!)

Mais le spectacle fut réussi. Les deux hommes étaient à leur meilleur. M. Mulroney fut même plus précis que d'habitude et déclara sans équivoque, au grand plaisir de M. Bourassa (lequel toutefois sut cacher sobrement son ravissement), qu'il s'opposait à ce projet embryonnaire de parti conservateur provincial. M. Bourassa put jouer la carte de l'économie, et M. Mulroney s'empressa de faire l'éloge de son interlocuteur en disant qu'il était heureux d'avoir pu bénéficier de ses conseils d'«expert».

M. Mulroney pansant des plaies partout où il passe, M. Bourassa eut enfin l'occasion de se présenter dignement aux côtés d'un premier ministre fédéral. (On se souvient de sa cauchemardesque rencontre avec Pierre Trudeau, en 1976, alors que ce dernier l'avait inondé de son mépris.)

*   *
*

Les liens de MM. Mulroney et Bourassa remontent à la Commission Cliche. C'est M. Bourassa, alors premier ministre, qui avait nommé le jeune avocat conservateur à cette commission qui le fit connaître du grand public. On dit que M. Mulroney fut le premier à téléphoner à M. Bourassa au lendemain de sa défaite en 1976, pour lui dire qu'il sympathisait avec lui, étant lui-même sous le choc de sa propre défaite au congrès de leadership conservateur de l'hiver précédent.

Mais il faut dire que M. Mulroney a des amis partout. Le lendemain de son déjeuner avec M. Bourassa, il s'en allait rendre visite à Louis Laberge de la FTQ, qui vient de lui tomber publiquement dans les bras. Le soir même, c'était au tour des copains du Canadien, et même le sombre Gérald Larose de la CSN s'apprête à recevoir la grande visite d'Ottawa.

Le *scrum* est terminé. Deux journalistes s'attardent en causant dans le lobby du Ritz. Brian Mulroney traverse le lobby, flanqué du patron de l'hôtel, Fernand Roberge — un autre de ses innombrables amis, un vrai «bleu» celui-là, qui a dirigé le recrutement des candidats de l'été dernier. Le premier ministre serre la main du journaliste et lui demande s'il a passé de bonnes vacances au Mexique (un vrai politicien n'oublie jamais ce genre de petit détail). À la journaliste, il souhaite la bonne année en l'embrassant sur les joues — familiarité qui, venant de tout autre politicien, à plus forte raison d'un premier ministre, serait suprêmement déplacée, mais avec lui, Dieu sait pourquoi, ça passe.

Les deux journalistes en profitent pour poser quelques questions. Ils n'apprendront rien, bien sûr, sinon que tout baigne dans l'huile, que c'est l'ère du *peace and love* entre les fédéraux, les provinciaux, les patrons et les syndicats, que Lévesque est un bon gars et Bourassa un chic type, et que tout le monde il est beau, tout le monde il est gentil.

15 janvier 1985

LA MORT D'UN PROJET

Le congrès spécial du PQ, et son issue prévisible, marque bien plus qu'une étape dans la vie du parti: la fin d'une époque et la mort du grand projet politique qui avait mobilisé les éléments les plus dynamiques de toute une génération.

«Mort» est-il un trop gros mot, dans un contexte où les indépendantistes les plus optimistes se contentent de prédire que leur rêve se réalisera peut-être... mais dans deux, trois, quatre générations?! Je tiens, quant à moi, pour «mort» ce qu'on croit ne jamais voir de son vivant.

Mais quand même. Il y a, dans la soudaineté avec laquelle les péquistes mettent au rancart l'option qui constituait la raison d'être de leur parti, quelque chose d'invraisemblable.

Jamais n'aura-t-on vu tant de gens changer d'idée si vite: il aura suffi d'un prétexte commode — l'élection d'un gouvernement plus aimable à Ottawa — pour que l'on se rende à l'argument suprême des sondages, et que tous ces caribous se transforment en kangourous. (Dans le nouveau lexique péquiste, les souverainistes affirmés sont des «caribous», en souvenir des pauvres bêtes qui ont sombré dans la Caniapiscau en crue, les autres étant quant à eux qualifiés de «kangourous» voulant cacher leur idéal dans leur poche.)

Oh bien sûr, on gardera l'idéal «à long terme», bien enchâssé dans le premier article du programme du parti, encadré comme on encadre la photo d'un mort à qui l'on jure fidélité éternelle et qu'on oublie ensuite au mur du salon. Il n'empêche que malgré ce double langage qu'il continuera à tenir (un langage pour les militants à qui l'on dira que cette volte-face mène par d'autres chemins à l'indépendance, et un langage pour l'électorat, à qui l'on dira que le PQ agira de bonne foi au sein du système fédéral), le PQ est en métamorphose profonde.

Ce qui disparaît aujourd'hui, ce n'est pas l'engagement théorique en faveur de la souveraineté, qui restera formulé dans le programme du parti. Mais les mots ne sont que des mots quand ils portent sur le très long terme, quand ils ne sont plus animés par le souffle du désir et de la volonté. Ce qui disparaît aujourd'hui, en effet, ce n'est pas l'idée en soi, c'est ce qui la portait, ce qui lui donnait vie.

*　*

*

Par ailleurs, la métamorphose du PQ n'est peut-être que l'aboutissement inéluctable d'un enterrement en cours depuis plusieurs années.

Le dernier sondage CROP-*La Presse* montre le recul saisissant de l'idée de souveraineté: seulement 4 p. cent souhaitent l'indépendance complète, alors qu'en juin 1979, et même auparavant (si l'on en juge par les élections de 1966), ce pourcentage tournait autour de 9 p. cent. Seulement 15 p. cent se disent en faveur de la souveraineté-association: presque deux fois moins qu'à la veille du référendum.

Plus encore, depuis deux ans environ, on assiste au renversement de la tendance traditionnelle selon laquelle on s'idendifiait au gouvernement du Québec plutôt qu'à celui du Canada: en 1979, en 1980, de forts pourcentages estimaient que c'était à Québec qu'on s'occupait le mieux de leurs intérêts; mais en février 1983, un autre sondage CROP montrait un renversement qui depuis s'est accentué. (Notons que ce renversement s'est effectué sous le régime Trudeau, et après le «coup de force» constitutionnel; il ne s'explique pas par la lune de miel avec le gouvernement Mulroney.)

Plus de gens qu'auparavant (75 p. cent, par rapport à 66 p. cent en 1979) estiment qu'il y a «surtout des avantages» à faire partie du Canada, et il y a même une majorité absolue (52 p. cent) à souhaiter que le Québec soit simplement «une province comme les autres».

Ce changement d'attitude se répercute sur le plan linguistique: chez les répondants francophones, seulement 20 p. cent (et seulement 27 p. cent parmi les électeurs péquistes) tiennent à l'affichage unilingue français. Entre l'affichage bilingue où le français prédominerait (c'est la formule de l'ancienne loi 22) et l'affichage où les deux langues seraient sur un pied d'égalité, 34 p. cent choisissent cette dernière formule, tandis que seulement 28 p. cent tiennent à la prédominance du français et les autres préfèrent laisser le libre choix aux commerçants.

* *

*

Il est évident que l'idée d'indépendance a perdu du terrain sous le régime péquiste. Le paradoxe peut n'être qu'apparent et tenir au fait qu'en se faisant élire, en tant que parti francophone farouchement nationaliste, le PQ désamorçait en même temps ce noyau complexe d'aspirations et de frustrations qui constituait le moteur de l'idéologie indépendantiste... encore qu'il soit vraiment impossible de savoir ce qui se serait passé si le PQ avait choisi d'autres stratégies.

Il se peut que le résultat ait été le même, et que d'autres forces, plus profondes que celles qui originent de l'action politique, aient été à l'œuvre dans la société. On peut penser au contexte international, à l'élévation de la scolarité, à l'introduction d'idéologies et de courants sociaux reposant sur le pluralisme et sur d'autres solidarités, aux nouvelles préoccupations économiques, au «rejet de l'État» etc., autant de facteurs qui pourraient avoir diminué le nationalisme revendicateur fondé sur l'homogénéité ethnique et sur le concept de l'État-nation.

* *

*

Dans l'ensemble, le tableau que donne du Québec le sondage CROP-*La Presse*, à l'heure même où son parti gouvernemental effectue sur lui-même, une chirurgie sans précédent (qui à certains égards n'est pas sans évoquer l'auto-mutilation, car Dieu sait dans quel état le parti sortira de la salle d'opération), ce tableau donc est un tableau extrêmement serein. Les Québécois semblent confiants dans l'avenir, confortablement installés dans un *statu quo* constitutionnel éclairé par la lune de miel avec le nouveau gouvernement conservateur (pour tout dire, c'est à M. Mulroney, bien avant MM. Lévesque et Bourassa, qu'on fait le plus confiance pour défendre les intérêts du Québec dans la négociation d'un accord constitutionnel!)

Tolérants, voire affectueux, envers les politiciens qui, comme M. Lévesque, les ont servis pendant tant d'années, les

Québécois semblent toutefois vouloir un changement de gouvernement à Québec, de même qu'un renouvellement du leadership au PQ, et favoriser en Pierre Marc Johnson un type d'homme qui ressemble, par la sobriété et l'attitude conciliante, bien plus à MM. Bourassa et Mulroney qu'à M. Lévesque, mais cela n'a pas l'allure d'une vague irréversible. Peut-être le renversement des libéraux à Ottawa a-t-il assouvi certaines volontés de changement?

19 janvier 1985

QUITTER LA MAISON?

La salle de l'Union française, rue Viger, garde entre ses vieux murs bien des traces de désespoir politique. C'est là que, le 29 avril 1970, les péquistes montréalais célébrèrent, dans les larmes mais aussi dans la chaude camaraderie des débuts, leur première grande défaite électorale. C'est là qu'ils revinrent, à l'automne 1978, célébrer le 10e anniversaire de leur parti. Cette fois, le PQ était au pouvoir, mais ses militants les plus indépendantistes restaient en quelque sorte dans l'opposition, s'inquiétant des dilutions qu'à la veille du référendum, le gouvernement apportait au concept de souveraineté-association.

C'est souvent à l'Union française que les militants montréalais, du PQ ou d'autres formations, se réfugient les soirs d'élection, après de longues journées de travail sur le terrain, pour y fêter d'amères défaites qu'on transforme, dans les meilleurs des cas, en «victoires morales». Pourquoi là plutôt qu'ailleurs? Peut-être parce que c'est une salle qui convient mieux à l'opposition qu'au pouvoir, une vieille salle avec une modeste tribune et des planchers qui craquent, sans prétention ni décorum, où l'on peut se laisser aller, où même les hommes se permettent de pleurer.

C'est donc là, évidemment, que les dissidents péquistes se retrouvèrent, samedi dernier, après avoir quitté le Palais des congrès où leur parti venait de s'amputer lui-même de l'option qui était sa raison d'être.

Mais les temps ont changé, les gens ont vieilli, les passions se sont refroidies. Quand nous sommes arrivés à l'Union française — c'était après le discours de M. Camille Laurin — les groupes qui s'y attardaient, causant autour du bar ou assis dans la salle en petit cercles, ces groupes-là, donc, n'étaient pas aussi accablés qu'on aurait pu le prévoir. Déçus, amers, oui, mais on ne sentait pas dans l'air ce désespoir qui, il y a quelques années et en pareilles circonstances, se serait abattu sur cette salle.

Le résultat du vote n'avait surpris personne. Il n'y avait pas eu de choc. On était même plutôt content de voir que les dissidents avaient réussi à rallier au moins cinq p. cent de plus de voix que ce qu'on prévoyait. Une autre «victoire morale», en somme, pour des gens qui en avaient connu d'autres et que le temps avait endurcis.

D'ailleurs, dans cette salle, il n'y avait pas que des dissidents. Le PQ est un parti d'engagements, d'émotions et de convictions, et donc un parti d'amitiés et de souvenirs communs. Les liens sont trop forts pour se déchirer complètement, même autour d'un enjeu aussi crucial. Rue Viger, Denis B., qui fut des débuts du PQ et qui, aujourd'hui fonctionnaire, a laissé la politique (il était inscrit au congrès comme observateur), marchait dans la neige en direction de l'Union française. D'accord avec les dissidents? «Non, dit-il, mais je vais rendre visite à mes amis.» Thérèse Guérin, une indépendantiste de la première heure, ancienne militante au RIN, était là elle aussi. Elle était déléguée. Dissidente? «Non, dit-elle, j'ai voté avec Lévesque parce que notre base s'est rétrécie et qu'il faut l'agrandir.» Mais comme tant d'autres, elle a des amis dans les deux camps.

Chez les ministres démissionnaires, ceux qui avaient payé

de leur personne en se mettant au blanc sur la toute première ligne de feu, après avoir renoncé aux avantages du pouvoir et abandonné des ministères qu'ils aimaient, chez ceux-là la tristesse était plus visible. Durant toute la durée de la conférence de presse suivant leur sortie du congrès, Denise Leblanc-Bantey et Jacques Léonard avaient les larmes aux yeux. Laissant à un Camille Laurin plus flegmatique le rôle de porte-parole, ils regardaient devant eux, vers ce désert où tout serait à recommencer à partir de zéro ou alors — s'ils restent au PQ — vers d'autres guerres intérieures, les pires... car qu'y a-t-il de pire que la guerre entre gens d'une même famille?

Partir? Quitter le PQ? Il ne semble pas que les dissidents soient près de s'y résoudre, même si le premier ministre Lévesque les a clairement invités à passer la porte, même si l'aile dure du camp des révisionnistes, celle des Duhaime, des Chevrette, leur a fait savoir brutalement, la veille du congrès, qu'aucun compromis n'était possible.

Partir? Pourquoi partir? «Ce n'est pas nous qui avons commencé la chicane, dit Isabelle Fecteau, anciennement membre de l'exécutif national; ce n'est pas nous qui avons mis tout en désordre. Pourquoi serait-ce à nous à faire le ménage?»

Partir? Pourquoi partir? Louise Harel se le demande elle aussi: «La situation n'est pas du tout comparable à celle qui prévalait quand Lévesque a démissionné du Parti libéral. À ce moment-là, l'option souverainiste avait le vent dans les voiles et les gens avaient le goût de la politique. Aujourd'hui, l'heure n'est pas à l'engagement politique.»

Pierre de Bellefeuille, que sa démission des rangs des *backbenchers* péquistes a projeté dans l'action, est plus optimiste. Lui a carrément rompu les ponts. Denis Vaugeois le suivra. Mais pas tous, loin de là.

Rester? Pourquoi rester? Pour deux raisons: parce que le PQ est leur maison, parce qu'ils en furent dans bien des cas les premiers habitants, et qu'ils ont droit à l'héritage au moins autant que les autres, puisqu'eux sont restés fidèles à l'option qui avait fait naître le parti. Et aussi parce que dehors, en dehors de la maison, c'est le désert. Compte tenu de la désaffection politique ambiante, compte tenu du peu d'effet d'entraînement qu'a aujourd'hui l'option souverainiste, un nouveau mouvement aurait toutes les caractéristiques du groupuscule; il serait marginal et probablement submergé par des marginaux.

*   *

*

Défaite pour les uns, victoire pour les autres... mais cette victoire n'était pas de celles qu'on célèbre. L'éprouvante dureté de l'exercice, cette division dans la famille qui a dressé contre lui ses lieutenants de toujours, les Parizeau et les Laurin, René Lévesque la portait sur son visage, un visage bronzé mais fatigué, au moment où il livrait aux congressistes un discours digne et las, au moment où il se prêtait, résigné, presque passif, à l'interrogatoire insolent de jeunes journalistes qui lui demandaient combien de temps il «s'accrocherait» au pouvoir.

Mais René Lévesque n'était pas le seul à avoir vieilli. Le parti au grand complet semblait alourdi, assagi, tempéré par la maturité. Même les moins vieux avaient vieilli et ne voyaient plus le monde en noir et en blanc. Dans les rangs des observateurs, se retrouvaient nombre de gens de l'autre génération, celle des enfants de René Lévesque, qui avaient, comme Denis B., donné leur jeunesse au PQ et qui, dans la trentaine, s'étaient réorientés vers des emplois apolitiques dans la fonction publique ou vers d'autres univers. Témoins à la fois sympathiques et nostalgiques de la mutation du PQ, détachés mais encore concernés, ils regardaient ce parti comme on regarde la maison de ses parents quelques années après l'avoir quittée, en mesurant le temps passé, en voyant combien l'on a vieilli.

Sortant de l'Union française, deux dissidents se serrent la main: «À la prochaine... Il faudra que tu viennes manger à la maison. On reparlera de politique...

— Non, dit l'autre, on parlera d'autre chose: de voyages, de musique, de sport, de cinéma... Pas de politique!»

22 janvier 1985

LA
SUCCESSION

*Où l'on voit le père-fondateur du PQ céder sa place, et
le clan des fils passer à l'action, tandis que les
Libéraux trépignent d'impatience et que Brian
Mulroney sourit aux anges.*

PIERRE MARC
JOHNSON

Deux dames causaient un jour devant moi de Pierre Marc Johnson.

— Comme il est bien élevé, ce jeune avocat…

— Pas seulement avocat, ma chère. Il est aussi médecin!

Silence rêveur. Y a-t-il une mère canadienne-française qui n'ait souhaité que son fils soit avocat ou médecin? Reine Johnson, elle — la chanceuse — en a un qui est les deux à la fois!

— Médecin et avocat, reprend la première… Ah, comme sa mère doit être fière de lui!

Silence ravi. Un ange passe, portant sur ses ailes l'image du fils idéal ou, à défaut, du gendre rêvé.

* *
*

Que, dans une société qui reste matriarcale, Pierre Marc Johnson ait réussi à toucher tant de cœurs de mères constitue déjà un fort bel atout. On connaît mal ses idées, mais on connaît l'homme. Mieux encore, on connaît sa famille!

Comme Obélix dans la potion magique, il est tombé, étant petit, dans la politique. Il en joue comme un ancien élève des sœurs joue du piano, avec naturel et subtilité. C'est un politicien de la seconde génération: tout le côté ratoureux que Daniel le père portait sur le visage et qui lui avait valu déjà une réputation d'opportuniste invétéré, a été, chez le fils, intériorisé, intégré, raffiné. Le père était velléitaire et rusé, le fils est flexible et nuancé. Le père était un avocat de province, le fils est urbanisé jusqu'au bout des ongles. Le père sentait la politique à 20 pieds, le fils en fait sans en avoir l'air. Là où un Bernard Landry moins policé ne peut s'empêcher de proclamer ses ambitions, Pierre Marc Johnson serait plutôt du genre à vous demander, si jamais vous lui parliez du leadership: «Le leadership? Mais quel leadership?».

Pour lui, la partie sera terriblement serrée, dans la mesure où René Lévesque semble ne pas vouloir céder son poste à quelque rival que ce soit, surtout pas à celui qui est en avance. (Un indice: aucun des nouveaux ministres ne fait partie de l'écurie Johnson, exception faite de Jacques Rochefort, qui doit probablement sa nomination au fait qu'il fallait un Montréalais dans un cabinet où la représentation montréalaise a diminué de moitié. Autre indice: c'est Bernard Landry, l'autre aspirant qui traîne de l'arrière, que M. Lévesque nomme vice-premier ministre quand il s'en va.)

Placé dans l'inconfortable situation du dauphin étant devenu, dans l'opinion publique, plus populaire que le chef, il lui sera de plus en plus difficile de garder au neutre la machine électorale qu'il a lui-même bâtie au fil des années au sein du parti. Cette machine dont les lieutenants, convaincus que seul Johnson peut leur garder le pouvoir aux prochaines élections, s'agitent frénétiquement... mais dangereusement, car en pareille matière, l'impatience est mortelle, rien ne comptant plus que la loyauté due au chef élu.

D'où, bien sûr, cette tension visible qui l'habitait lors du dernier congrès, alors que tous les yeux étaient fixés sur lui, guettant un signe, n'importe quel signe. Il n'y en eut pas. Protégé des journalistes par les cordons qui entouraient les délégués et par une cohorte de fidèles collaborateurs qui lui faisaient écran tout en «soignant» ceux qui pourraient un jour être de quelque utilité (délégués, militants, journalistes, etc.), Johnson resta, contrairement à son habitude, parfaitement immobile, ne quittant sa chaise que pour aller faire au micro une intervention impeccable et applaudie.

Le lendemain, il félicitait en privé l'un de ses opposants dont il reconnaissait, beau joueur, la valeur des propos. C'est d'ailleurs l'une de ses caractéristiques que ce charme avec lequel il désamorce la confrontation et séduit l'adversaire, sans jamais par ailleurs donner l'impression d'être flagorneur. Question d'élégance, de style, de classe.

Il a appris le monde à Brébeuf et à l'Université, mais c'est dans sa famille qu'il a appris les règles de base de la politique. Comme son père, il maîtrise l'art de l'équivoque et il a la mémoire politicienne, celle des noms, des prénoms, des liens, des événements. Dans le cours d'une conversation, un permanent syndical lui avait un jour parlé des coliques de sa petite fille. Une semaine plus tard, autre rencontre fortuite. «Dites-moi, s'enquiert Johnson, comment va Catherine? Sa gastro-entérite est-elle guérie?»

Il est, dit-on, sensible à la critique et, comme tous les politiciens, veut être aimé. Généralement cordial (mais réservé: avec lui, pas de tutoiement ni de tape dans le dos), il peut être cinglant et hautain, pour peu qu'il se trouve sur la défensive. Mais, se protégeant à tous égards, il s'est le plus souvent organisé pour ne jamais se trouver au centre d'une crise. (Lors des lois anti-syndicales de 1982, Lévesque, Bérubé et Laurin ont été brûlés en effigie... Pas lui, bien qu'il ait été ministre des Affaires sociales.)

Contre l'intrusion destructrice de la politique (qu'il a trop bien connue dans son enfance), il se protège aussi. Ses sentiments réels, comme sa vie familiale, restent du domaine privé. Entre son intimité et sa vie publique, il dresse une barrière étanche, autre trait d'une éducation bourgeoise et urbaine, et peut-être aussi d'une sensibilité qui, trop exposée, le rendrait vulnérable.

Capable de sommets dans la démagogie mais jamais cependant vulgaire ni ridicule, il évite comme la peste les passions extrêmes. (Le seul comportement qu'il pousse à l'extrême c'est la prudence. On ne sait si c'est l'effet de la faiblesse, ou du calcul, ou d'une conscience aiguë de la complexité des choses. Que ferait-il en situation de crise, obligé de trancher dans le vif? Est-ce un vrai leader ou n'en a-t-il que l'apparence?)

À 20 ans, il était déjà conservateur, et son premier réflexe, alors qu'il militait au sein des associations étudiantes des collèges classiques, fut de s'opposer (comme l'Union Nationale de l'époque) à la création des cégeps. Il a toujours, depuis, tourné autour du centre: cédant tantôt aux syndicats, tantôt au patronat, la pilule suivant le bonbon, mais le tout administré avec le sourire réconfortant de celui qui, sans y adhérer totalement, comprend les sentiments de l'interlocuteur.

Un écueil le guettait dans le fait qu'il pourrait être considéré, à 38 ans, un peu trop jeune pour la fonction de premier ministre... mais Dieu, qui veille sur la carrière des enfants sages, lui a évité l'écueil en faisant grisonner prématurément ses cheveux. Ainsi Pierre Marc Johnson est-il, en plus d'être acocat *et* médecin, jeune *et* vieux à la fois, assez jeune pour avoir l'air dynamique, assez vieux pour inspirer confiance.

Il a tout son temps devant lui. Le pire qui puisse lui arriver, c'est d'atteindre son but dans la quarantaine. Le pire qui aurait pu lui arriver, c'eût été que son frère fût élu à la tête du Parti libéral. La victoire de l'un signifiait ipso facto la défaite de l'autre, car il était exclu que deux frères puissent jamais devenir respectivement premier ministre et chef de l'opposition. La défaite de Daniel au PLQ permettait la victoire de Pierre Marc au PQ... Cruelle saga familiale qui, en d'autres temps, aurait inspiré Sophocle.

26 janvier 1985

LA POLITIQUE
DU CONSENSUS

Le piétinement auquel s'est livré le gouvernement Mulroney dans le débat sur les allocations familiales, constitue une bonne illustration du nouveau modèle politique qui est en voie de se répandre au Canada.

C'est la politique du consensus, inspirée du régime conservateur en Ontario, qui dure depuis 40 ans et fait l'envie de tant de politiciens. Cette politique repose sur le refus forcené du dogmatisme et de la confrontation... en quelque sorte, la «dépolarisation permanente».

C'est — mais en beaucoup plus pragmatique — le modèle de concertation auquel le PQ rêve depuis quelques années, mais que le premier ministre Lévesque a toujours été incapable de mettre en place parce que sa personnalité s'y prête mal, et parce que son gouvernement a gardé l'habitude très cartésienne, très française, de vouloir systématiser la concertation, d'élaborer des théories et des modes d'emploi. C'est le modèle que pratique avec un art consommé Brian Mulroney, et auquel aspire Pierre Marc Johnson.

Il s'agit en somme d'être le moins «idéologique» possible, d'emprunter à plusieurs courants, de s'adapter le plus étroitement possible à l'opinion publique telle que perçue par les sondages et la consultation, de multiplier dans tous les milieux les amis et les alliés... il s'agit en somme d'être tout à tous, de représenter le plus large éventail imaginable d'électeurs, et de séduire le plus de gens possible... et, ce faisant, de couper l'herbe sous le pied de l'adversaire. Dans un pareil régime, il reste peu de place pour l'opposition.

Ainsi, dans le débat avorté sur l'universalité, les conservateurs ont-ils adopté une ligne si sinueuse, qu'au bout du compte on ne sait plus guère où ils se situent. Jouant à la fois sur le thème (conservateur) du déficit et sur le thème (libéral) du caractère «sacré» des programmes sociaux, Michael Wilson penchant à droite et Jake Epp à gauche, Mulroney faisant la balance en se contredisant lui-même au besoin, et accouchant finalement d'une politique incomplète et velléitaire, dont on ne peut carrément dire qu'elle est vraiment réactionnaire ni vraiment progressiste, les Conservateurs ont fini par mélanger tout le monde et par confondre l'adversaire sans s'aliéner trop de gens.

Le long règne de Bill Davis en Ontario a représenté l'ultime réussite de cette politique. La longévité de ce gouvernement s'est expliquée non seulement par son pragmatisme, mais aussi par l'extrême habileté avec laquelle il intégrait ses adversaires et distribuait une partie du patronage à ceux qui faisaient partie ou auraient pu faire partie de l'opposition.

Brian Mulroney est allé à l'école de Bill Davis. Il l'a assidûment courtisé, dès après sa victoire au leadership du PC, jusqu'à ce que le puissant premier ministre ontarien lui accorde ce qu'il avait toujours refusé à son prédécesseur Joe Clark: son appui et sa bénédiction de même que sa machine bien huilée et politiquement sophistiquée. À la fois pour suivre l'exemple ontarien mais aussi parce que ce comportement correspond à sa propre nature d'homme conciliant, sociable et grégaire, Brian Mulroney a endossé la politique du consensus comme un vêtement fait sur mesure pour lui.

Il aménage, modère, rencontre, consulte, joue sur deux, trois, quatre tableaux. Tantôt c'est une rencontre avec Louis Laberge, où il s'engage à ne pas privatiser Air Canada. Tantôt c'est un discours dans la mecque du capitalisme new-yorkais, où il séduit les gens d'affaires par un discours reaganien. Tantôt il nomme à l'ONU un homme de gauche, tantôt il confie à un homme de droite le ministère de la Défense. Il sympathise avec les pacifistes. Et avec les fabricants d'armes. Avec le Pentagone. Et avec les écolos. Avec les nationalistes francophones. Et avec la minorité anglo-québécoise. Il serait copain-copain avec Gilles Rhéaume tout autant qu'avec Éric Maldoff.

C'est un comportement politique plus anglais que français. Même si, pour réussir une carrière politique en France, on doit toujours en posséder une bonne dose, le pragmatisme n'est pas la vertu française par excellence. Mais ce comportement a beau ne pas s'inscrire dans la tradition québécoise, où la passion, la conviction, l'idéologie et l'affrontement ont souvent sous-tendu l'action politique, il a été bienvenu à l'heure où les Québécois, excédés par deux décennies de hauts cris et de querelles sans issue, aspiraient justement à la tranquillité. Enfin, un leader courtois, qui n'insulte pas ses adversaires, qui essaie de rallier tout le monde et qui croit aux compromis...

* *

*

Maintenant, demandez-vous qui, au Québec, ressemble le plus à Brian Mulroney. René Lévesque est trop brouillon, trop ombrageux, trop agressif, pour pouvoir piloter une politique axée sur le consensus et la négociation permanente.

Robert Bourassa serait davantage un homme de compromis, car il est flegmatique et pragmatique. Mais à 49 ans, il a certaines certitudes et un passé à défendre, et il a aussi des caractéristiques d'intellectuel: sur les dossiers qu'il a personnellement étudiés, comme l'énergie ou le marché commun, il a des idées et des projets précis.

Bernard Landry a essayé de jouer, lors de la crise interne du PQ, le rôle du grand rassembleur, mais il est trop bouillant, trop spontané, trop batailleur, pour soutenir pareil rôle sur une longue période. Qui donc veut être tout à tous? Pierre Marc Johnson évidemment, qui constamment joue sur plusieurs tableaux à la fois, évitant les conflits et les controverses de même que les engagements trop précis. Il ne perd jamais son sang-froid (en public du moins) et réussit à tenir plusieurs discours à la fois, et à cultiver des liens dans des milieux opposés.

* *

*

La grande question, bien sûr, est celle-ci: combien de temps peut-on pratiquer impunément la politique du consensus? Ne vient-il pas un moment où il faut choisir, où les conflits entre intérêts divergents deviennent irrépressibles? Où les luttes entre classes et groupes d'intérêt renversent les consensus superficiels?

Où est la marge entre la flexibilité et l'hypocrisie, entre le compromis et la compromission, entre l'écoute de la population et la servilité par rapport aux sondages? En Ontario, la recette a fonctionné longtemps. Est-ce parce que c'est l'Ontario? Est-ce que cette recette peut être appliquée ailleurs?... Les prochaines années seront riches d'enseignements à cet égard.

31 janvier 1985

LE PLQ
DE 1985

À comparer avec un Parti québécois idéologiquement effondré et soumis aux humeurs fluctuantes d'un chef imprévisible, le Parti libéral donnait, lors de son congrès d'orientation, l'image d'un parti uni, idéologiquement cohérent, et doté d'un chef certainement pas charismatique mais du moins calme et rationnel.

Pour l'observateur, il était assez clair que le Québec est dans la voie de la continuité, et qu'une victoire du PLQ n'entraînerait pas de grand chambardement.

Si l'on en juge par la quasi-unanimité avec laquelle ils l'ont réaffirmé ce week-end, les libéraux au pouvoir maintiendraient l'essentiel des orientations du gouvernement actuel — lesquelles n'étaient d'ailleurs, dans une large mesure, que la poursuite d'initiatives libérales. (Où l'on voit que la continuité ne date pas d'hier!) En effet, quand le PQ est arrivé au pouvoir, l'État avait déjà pris toute l'importance qu'il a aujourd'hui et la francisation de la société avait été amorcée par la loi 22. Le PQ a pour ainsi dire complété le travail avec l'assurance-automobile, le zonage agricole et la loi 101. (De fait, les deux premières législations avaient déjà été mises en chantier par des ministres libéraux et auraient sans doute fini par voir le jour de toute façon)

Quant à la langue, M. Bourassa et son parti ont bien l'intention de ne plus rouvrir cette marmite dangereuse qui leur a coûté le pouvoir en 76. Il n'y avait pas un mot sur la loi 101 dans le projet de programme. Pour le symbole, et pour rassurer son électorat, le député Reed Scowen a présenté un bloc de résolutions visant à garantir les droits de la minorité… Des résolutions si modérées qu'un congrès péquiste aurait pu les adopter telles quelles, exception faite d'une mention sur l'affichage.

De toute évidence, les prochaines élections se joueront sur la crédibilité des hommes et des partis bien davantage que sur les idées.

Les différences s'amenuisent de plus en plus entre un PQ devenu fédéraliste de facto, sinon de cœur, et un PLQ qui pour récupérer l'électorat francophone, jouera la corde nationaliste — ses affiches, naguère rouges, sont maintenant à moitié bleues, du bleu «Québec» et du parti de Mulroney, et le traditionnel «L» rouge apparaît maintenant sur fond de drapeau fleurdelisé!

Plus encore: si les péquistes de 1985 adoptaient aujourd'hui un nouveau programme politique, il y a gros à parier que ce serait celui-là même que les libéraux viennent d'entériner, car il s'agit d'un programme social-démocrate revu et corrigé à la lumière de la crise, de la dette publique et du courant néolibéral qui circule partout en Occident, y compris au PQ et même au sein du Parti socialiste français: réduction de la bureaucratie mais maintien des grands programmes sociaux, meilleure place à l'initiative individuelle et à l'entreprise privée reconnue comme première créatrice d'emploi, fiscalité à l'avenant, etc.

Ironiquement, en démocratisant le financement des partis politiques, le PQ a régénéré son adversaire. Désormais incapables de s'appuyer sur la grosse «caisse occulte» garnie par les compagnies, les libéraux ont découvert le militantisme nécessaire pour aller chercher des «petits dons». Une campagne de financement populaire est un facteur de mobilisation interne et un puissant canal de propagande. (C'est aussi un indice du degré de popularité d'un parti. En ce sens, les résultats des campagnes de financement du PQ et du PLQ seront plus révélateurs que le meilleur sondage.)

Même le style du PQ a déteint sur le PLQ: les documents produits par la Commission politique ont été l'objet d'études au niveau des comtés et des régions, d'où ont émané d'autres résolutions. Un congrès libéral reste moins studieux et suscite moins de débats intellectuels qu'un congrès péquiste ou néo-démocrate (l'une des raisons étant que le NPD et le PQ sont peuplés d'enseignants et de professionnels du secteur public habitués à produire et à débattre des documents de ce genre), mais un nombre surprenant de délégués se sont enfermés durant des heures, en atelier ou en plénière, grignotant un sandwich à l'heure du lunch, le nez plongé dans d'épais cahiers.

La différence la plus visible, outre la composition du membership (le PQ recrute dans le secteur public, le PLQ dans le privé), est d'ordre linguistique et ethnique: là où le PQ forme un bloc homogène presque exclusivement «canadien-français», où les «autres» sont si rares qu'ils en acquièrent une notoriété immédiate, le PLQ constitue un regroupement pluraliste où s'activent de nombreux anglophones et néo-québécois, mais où cependant le français domine très nettement.

* *
*

Les velléités des allophones (qui s'opposent, au nom de la soi-disant «mosaïque» multi-culturelle, à la reconnaissance de la «dualité» linguistique dans l'ensemble canadien) ont été facilement repoussées, de même que la tentation d'une privatisation du secteur hospitalier. Mais le PLQ veut interdire le droit de grève dans les services de santé. C'est une politique ni de droite ni de gauche, simplement humaine et de bons sens, que le gouvernement Lévesque n'a hélas pas eu le courage d'adopter mais qui s'imposait depuis longtemps. Quant au reste, il n'y a pas plus d'antisyndicalisme dans le programme du PLQ (il y en aurait, de fait, plutôt moins) que dans l'ensemble de la société.

Au bout du compte, dans ce programme assez équilibré où il y a de tout pour tous, y compris pour les écolos, on cherche une idée-clé, un axe central, un thème principal. L'énergie? Cela reste le grand projet de Bourassa pour la relance économique, mais cela rappelle la Baie James. L'emploi, bien sûr... Mais c'est là-dessus (les 100 000 jobs) qu'il a fait campagne en 1970! Mais par ailleurs sur quoi d'autre un parti politique peut-il bien jouer, par les temps qui courent? Même le PQ va axer sa campagne sur le thème de l'emploi. C'est vraiment, plus que jamais, la crédibilité des partis et des chefs, davantage que les projets, qui sera le thème des prochaines élections.

5 mars 1985

LES JEUNES LIBÉRAUX

Tout le monde l'a remarqué: les jeunes ont dominé le congrès d'orientation du Parti libéral. On ne voyait qu'eux. À l'exécutif, une bonne proportion de postes leur sont réservés et les délégués des moins de 25 ans ont réussi à faire passer plusieurs de leurs résolutions — notamment celle qui accorderait aux moins de 30 ans le plein montant de l'aide sociale et celle qui forcerait le gouvernement à maintenir à leur niveau actuel, voire à éliminer totalement, les frais de scolarité à l'université.

Les jeunes étaient au moins aussi nombreux qu'à un congrès péquiste, et certainement plus enthousiastes et plus influents. Tout, dans ce congrès, exploitait cette image de jeunesse: la musique disco, le vidéo de propagande (réalisé par des jeunes du parti), le lancement de la campagne de financement (qui s'est fait non pas avec des discours mais avec une série de sketches joués par de jeunes comédiens dans un style très «Club Soda»), et même le divertissement du samedi soir, avec une «Ligue d'improvisation» où les jeunes, encore une fois, avaient la vedette, affrontant l'équipe des députés.

Signe des temps: dans l'un des sketches sur la campagne de financement, le stéréotype du péquiste est un vieux monsieur lubrique, qui reluque d'un peu trop près la jeune et jolie «sollicitrice» du PLQ. (Il y a dix ans, dans un spectacle libéral, le stéréotype du péquiste aurait été un jeune professeur — ou sociologue, ou animateur social — barbu). C'était reprendre l'un des thèmes actuels du PLQ, qui veut que le PQ soit devenu un «vieux parti» sans idées neuves, encore accroché aux années 60.

C'est comme s'il y avait eu entre le PLQ et les jeunes (ces jeunes-là du moins) une sorte d'échange: le PLQ avait besoin d'eux pour se refaire une beauté et pour recruter des voix dans l'immense réservoir d'une jeunesse indécise et peu politisée. Ces derniers, par ailleurs, ont trouvé dans ce parti d'opposition qui a de bonnes chances d'être bientôt au pouvoir, un canal efficace pour véhiculer leurs intérêts propres. C'est, de leur part, bien plus un calcul qu'un engagement au sens profond du terme. Cette génération aux prises avec le chômage n'a plus le loisir d'être idéaliste ni de nourrir des convictions altruistes et des rêves à long terme. Elle veut du concret, et tout de suite, et pour elle-même.

Faut-il s'étonner de ce que les quelques jeunes qui actuellement s'intéressent à la politique sautent dans le train d'un parti qui a une image de droite (quoique dans les faits, son programme soit à peu près semblable à la mentalité dominante au sein du PQ et qu'il y ait de moins en moins de différences idéologiques entre les deux partis)? Sans doute le phénomène est-il normal car il se manifeste ailleurs aussi: aux USA et en Europe, la crise économique et le vieillissement du discours de la gauche officielle sont autant de facteurs qui ont poussé beaucoup de jeunes vers la droite.

* *

*

L'omniprésence des jeunes au congrès — ils formaient le quart des délégués — faisait toutefois oublier qu'en réalité ils sont très minoritaires au sein du parti, ne constituant que 10,7 p. cent du membership alors que les plus de 45 ans y ont, avec 54,6 p. cent, la majorité absolue.

Leur enthousiasme jetait également un écran de fumée sur la réalité de leurs revendications, dont au moins une (la gratuité universitaire), était platement corporatiste.

Sur l'aide sociale, il n'est pas évident que la solution au terrible problème du chômage des jeunes passe par l'octroi des prestations maximales à tous les jeunes, y compris aux moins de 21 ans qui habitent chez leurs parents. La solution n'est pas simple à formuler ni à mettre en pratique, mais chose certaine, elle est plus complexe et plus multidimensionnelle que l'élargissement de l'aide sociale à toutes les catégories uniformément. La solution — ou plutôt l'ensemble de solutions requises — passe d'une part par l'aide directe à ceux qui en ont besoin et, d'autre part, par un ensemble de mesures visant à la fois à réduire le nombre des drop-out du secondaire, à favoriser la formation professionnelle et à dispenser, parallèlement à l'aide sociale qui ne sera toujours qu'un pis-aller, des incitations concrètes et des possibilités réelles d'entrée sur le marché du travail. (Plus facile à dire qu'à faire. Oui, je sais. Et nul ne s'étonnera de voir que les jeunes qui n'ont pour tout revenu que ce

397

$ 146 mensuel qui ne paie ni le loyer, ni la nourriture, ne veulent plus rien entendre. Moi-même je m'étonne de ce qu'ils aient été si patients durant si longtemps.)

Mais c'est sur la question de la gratuité universitaire que la participation des jeunes a été décevante. Voilà une vieille revendication du corporatisme étudiant qui traîne dans le paysage depuis 1960, et à laquelle la gauche du PLQ, de même que les députés qui ont le plus à cœur les questions d'éducation, se sont à bon droit opposés.

Ce ne sont pas les frais de scolarité (qui sont au Québec, très inférieurs à ce qu'ils sont ailleurs en Amérique puisqu'ils sont «gelés» depuis près de 20 ans) qui bloquent l'accès aux études supérieures.

Ce n'est pas à ce niveau que s'exerce la sélection sociale, car à cette étape les jeux sont déjà faits et depuis longtemps. C'est au primaire quand un enfant «décroche» dans sa tête, puis au secondaire quand il «décroche» effectivement et devient drop-out ou qu'il renonce au travail intellectuel, que tout se joue. C'est à ces niveaux qu'une politique progressiste doit augmenter les injections de fonds et de ressources. Une fois l'étudiant à la porte de l'université, c'est donc qu'il fait partie de cette minorité qui s'est rendue jusqu'au cégep, et il est déjà assuré, à supposer que l'économie se rétablisse, d'un «bel avenir» qui en fera un privilégié.

Bien sûr, nombreux sont ceux qui ne peuvent défrayer les frais de scolarité universitaire (encore que ce soit le manque à gagner et non les frais comme tels qui constitue le gros fardeau financier). Ce qu'il faut alors, comme l'ont fait valoir plusieurs députés progressistes, c'est un meilleur système de prêts-bourses. Mais la gratuité généralisée est plus que jamais un luxe et, qui plus est, un luxe inutile, qui n'assurerait même pas une réelle égalité des chances à tous les jeunes.

7 mars 1985

LE SOMMET
DES IMAGES

Brian Mulroney n'a pas le genre chef-d'État-accablé-par-le-fardeau-de-la-responsabilité. Il a l'air tellement heureux d'être premier ministre que ça nous fait plaisir pour lui. C'est dire qu'il a la bonne humeur communicative. Et à ce sommet irlandais de Québec, recevant d'égal à égal (en apparence du moins) le président des États-Unis, Brian Mulroney avait l'air plus heureux que jamais.

C'était un sommet politique, mais aussi celui de sa propre carrière: car sa cote de popularité, qui est à son maximum, ne pourra plus désormais que redescendre, pour la simple raison que les lunes de miel sont éphémères et qu'à la longue l'exercice du pouvoir produit du mécontentement.

Encore porté, pour l'instant, par la vague de sa propre popularité, M. Mulroney peut jouer sur l'équivoque et sur l'image. Sur ce plan, le sommet de Québec fut un succès. MM. Reagan et Mulroney sont des *entertainers*, dotés d'épouses qu'on dirait fabriquées sur mesure pour la fonction, et sont tous deux d'habiles manipulateurs d'images.

En ce sens, le compromis sur le dossier litigieux des pluies acides est un chef-d'œuvre: il n'y a pas l'ombre d'une action concrète à l'horizon, mais les deux chefs d'État donnent l'impression d'agir, en déléguant au dossier des hommes de confiance, M. Lewis du côté américain, M. Davis du côté canadien. La nomination de l'ancien premier ministre conservateur ontarien est en soi spectaculaire, car nul n'ignore qu'il jouit de la plus haute estime du premier ministre dont il fut le modèle et le gourou. En même temps, M. Mulroney fait d'une pierre deux coups, car en confiant cette mission à un allié fiable et vieux routier de la politique, il peut dormir tranquille, sûr que M. Davis fera toujours passer l'intérêt politique de son poulain avant toute autre considération.

Que ni M. Davis, ni son homologue américain, ne connaissent quoi que ce soit au dossier des pluies acides, que rien ne soit à prévoir d'ici des mois sauf d'autres études et d'autres palabres, n'a plus d'importance. Ce qui compte, c'est l'image: le président Reagan nous dit, la main sur le cœur, que ce problème est «très important» à ses yeux, et comme c'est la première fois qu'il le dit, c'est comme si c'était vrai. Les deux hommes chargent des «envoyés très spéciaux» d'étudier la question, et on a l'impression que le dossier va devenir prioritaire. Image, image, image… L'image positive d'un accord sur les pluies acides permettra de «faire passer», le lendemain, d'autres projets — plus controversés ceux-là — sur la défense et l'armement.

Autre habileté, qui illustre non pas seulement le flair électoral de M. Mulroney, mais aussi sa sensibilité — profonde, et d'une grande finesse — à la psychologie des Québécois qui est la sienne de toute façon: le sommet avait lieu à Québec.

Plutôt que de recevoir son illustre visiteur à Ottawa (selon la coutume), à Halifax ou ailleurs, il l'amène dans la capitale historique du Québec. (Il avait auparavant fait un cadeau analogue à l'Ouest, en amenant à Régina la première conférence des premiers ministres sur l'économie.)

Le geste a mille et une significations: c'est rapatrier le Québec dans le Canada, mais en l'honorant d'un statut spécial. C'est dire aux Américains, avec un clin d'œil aux Québécois: Vous voyez bien que cette province, qu'on vous a décrite comme turbulente, est respectable et que vous avez intérêt à y investir, puisque c'est là que moi, votre ami, je vous invite.

Qu'y a-t-il derrière les sourires, aussi sincères soient-ils? Voilà une question dans laquelle toute femme est une experte. Cet homme vous enveloppe de son charme, il multiplie les prévenances et vous comble de fleurs, il vous ouvre toutes les portes et vous présente tous ses amis, y compris les plus haut placés. Fort bien. Voilà qui suffit (à peu près) pour que vous lui tombiez dans les bras; mais de là à ce que l'affaire dure des années, c'est une autre histoire. C'est à suivre, en tout cas.

* *
*

Dans ce sommet de la Saint-Patrick, une chose frappait: l'absence du Québec en tant qu'entité politique et culturelle. Le premier ministre Lévesque, dont on imagine à quel point il aurait tempêté si ç'avait été Pierre Trudeau plutôt que Brian Mulroney qui l'avait écarté des cérémonies, était plus ou moins sur le même plan que le maire de Québec, un dignitaire parmi d'autres.

Encore cela pouvait-il à la rigueur se justifier sous l'angle constitutionnel et diplomatique. (Ce sommet n'avait rien à voir avec les juridictions provinciales.) Mais l'absence du Québec, de sa vitalité culturelle, était flagrante — et inexcusable — dans le spectacle télévisé de dimanche soir. Ce spectacle, d'une banale médiocrité et d'une effrayante kétainerie, parsemé de blagues ineptes (l'humour est la chose la moins traduisible du monde et devrait être banni des spectacles bilingues), ne rendait justice à personne, ni à la réalité artistique du Québec et du Canada, trahie par ce spectacle de salle paroissiale, ni à ses participants dont aucun n'était à son meilleur.

Devant pareil spectacle, un étranger aurait été justifié de se dire que si c'est ça la culture canadienne, tout ce qu'on mérite c'est d'être submergé par la culture américaine. Les Reagan ne sont pas les gens les plus sophistiqués du monde, mais en matière de shows ils s'y connaissent un peu. Ils ont dû trouver la soirée longue, mais enfin, ils n'étaient pas là pour s'amuser.

Fallait-il applaudir à la présence sur scène, lors de la «finale» irlandaise, d'un premier ministre et d'un président parmi les danseurs et les chanteurs? Était-ce une sympathique concession à une opinion publique bon enfant? Un rabaissement démagogique de leur propre fonction? L'illustration parfaite d'un sommet-image? À ce stade, j'étais trop atterrée pour me faire une idée.

19 mars 1985

LE SOMMET
BLEU

OTTAWA — Depuis sept ans florissante au Québec, la mode des sommets économiques vient de rejoindre le fédéral. La première conférence économique nationale du premier ministre Mulroney se déroule sous le signe bénit de la concertation et dans un pot-pourri de couleurs douces propices à la détente et à l'harmonie.

Bleu *tory*, comme le revêtement des tables auxquelles ont pris place les 136 participants du monde des affaires et du travail. Le bleu passe bien à la télévision, et plusieurs en portent, à commencer bien sûr par le premier ministre. Même la déléguée du Québec à Ottawa, Jocelyne Ouellette, a un tailleur bleu royal. Même André Marcoux, représentant des chômeurs (sic), a une chemise bleue. Une chemise sport évidemment, et en denim, mais bleue. Même le bouillant président de la CSN, Gérald Larose, se fond dans le décor, avec un trois-pièces gris pâle et une chemise rose. Jean-Guy Frenette de la FTQ détonne, avec une cravate rouge vif. C'est son côté contestataire. Autre vague trace de rouge, une mince lanière de cuir sur les chaussures (très élégantes au demeurant, et sans doute italiennes) d'un conseiller du premier ministre: «C'est mon côté *red tory*», dit-il en guise d'explication. Même la feuille d'érable, sur les documents officiels de la conférence, a viré au bleu. Les cartons que les participants doivent lever pour demander la parole sont bleus (pour les interventions officielles) et jaunes (pour les interventions spontanées). Bref, le rouge — rouge comme libéral, rouge comme lutte des classes — est une couleur bannie ou, tout simplement, inexistante. (Seule exception: le tapis posé à l'entrée du Centre des congrès pour recueillir les pas guillerets d'un premier ministre plus heureux que jamais, qui vogue allègrement, d'un succès d'image à l'autre, sur la vague de sa popularité.)

Comme dans toutes les opérations pancanadiennes, les Québécois sont plus ou moins isolés — non pas dans les activités officielles, rigoureusement bilingues, mais dans les activités informelles, pause-café ou pause-scotch — tout dépendant de leur degré de familiarité avec la langue anglaise. Mais en matière de sommet, les Québécois sont tous des vétérans. «Nous passons d'un sommet à l'autre!», dit Monique Simard de la CSN. Aujourd'hui c'est Ottawa, lundi c'est Québec, il y en a un autre à venir sur les nouvelles technologies, un autre sur les femmes, ça n'arrête pas. Le petit groupe de syndicalistes, de fonctionnaires et de patrons qui fait fructifier l'industrie des rencontres au sommet est devenu un univers compact où tout le monde se connaît.

Qu'est-ce que cela donne exactement? Difficile à savoir. Chaque porte-parole définit à sa façon la problématique en fonction des intérêts de ses mandataires, chacun lit au micro de la conférence le texte préparé à l'avance et ensuite, selon la tournure de la discussion — une discussion au demeurant très encadrée — chacun répète son petit numéro ou brode sur le thème initial. En gros, cela donne une série de discours parallèles.

Y a-t-il une seule chose qui soit sortie de ces «sommets», qui n'ait pas été soigneusement mise au point avant la séance publique et qui n'aurait pas vu le jour de toute façon? Exemple: le programme Corvée-Habitation, supposément sorti d'un «sommet» économique, dont nul n'ignore qu'il a germé ailleurs, et avant, et qu'il a été institué non pas parce que du choc des idées jaillit un jour miraculeusement la lumière, mais parce que le projet servait à la fois les intérêts du gouvernement, des entrepreneurs et de la FTQ.

Ce n'est évidemment pas aujourd'hui que ce nouvel exercice de concertation va produire la recette miracle pour éliminer le chômage et accroître la justice et la productivité. Personne ne s'y attend non plus. Cela ne veut pas dire que l'industrie des «sommets» soit totalement dépourvue d'utilité. D'abord, comme dirait l'autre, c'est quand même mieux de se parler que de s'envoyer promener, ça rend la vie moins désagréable et c'est plus civilisé. Ensuite — et telle est la véritable utilité des sommets — cela sert les intérêts des groupes qui y participent, pas nécessairement les intérêts de la base, mais du moins ceux des establishments. Cela met les associations patronales et les centrales syndicales «sur la carte», cela crée des occasions de rencontres interpersonnelles et cela donne à chacun un visage humain. Belle occasion, aussi, pour diverses causes, de bénéficier d'une audience nationale. Dans ce sommet d'Ottawa, il se trouve, comme il se doit, quelques handicapés, quelques femmes, quelques représentants de minorités visibles, autant de gens qui donnent du piquant à une rencontre qui autrement risquerait de périr dans l'ennui, et qui constituent autant d'objets télégéniques. Il y a même ici deux représentants des chômeurs. Remarquez, deux sur 136, ce n'est que 6 p. cent — deux fois moins que le taux de chômage réel mais même s'il y avait eu quatre représentants des chômeurs, qu'est-ce que ça aurait changé?

C'est d'abord pour les gouvernements que les sommets économiques constituent une bonne affaire. Une vraie mine d'or. La belle image garantie, celle de l'arbitre paternel et serein qui réussit à rassembler les ennemis d'hier et à poser les jalons d'un consensus. (Un consensus qui ne portera évidemment que sur les valeurs éprouvées et sur les grands objectifs non controversés.)

Ce rôle d'arbitre suprême mais compréhensif, le premier ministre Mulroney l'a développé à l'ultime degré, se plaçant lui-même dans le rôle d'animateur, de modérateur et de meneur de jeu, dirigeant les débats et distribuant la parole avec bonhomie et un rien de familiarité, appelant l'un par son prénom, conseillant à l'autre de changer de micro, s'interrogeant tout haut et permettant à l'occasion d'aimables digressions, incitant tout le monde à la spontanéité… «S'il y en a qui ont une bonne idée, dit-il, surtout n'hésitez pas, allez-y!» L'exercice est télévisé, et fait sur mesure pour la télévision. Le premier ministre aussi est fait sur mesure pour la télévision. Dans ce rôle d'animateur, il est vraiment parfait. Si jamais, dans deux ou trois mandats, il devait perdre ses élections, il pourrait toujours se recycler au *Point*.

23 mars 1985

LE DÉSIR
DE PLAIRE

C'est le jour du budget, quand la rigueur des chiffres tranchera dans la mousse des belles paroles, qu'on pourra vraiment juger de l'utilité du «sommet économique» d'Ottawa, et savoir s'il s'est agi ou non d'un simple exercice de relations publiques... Encore qu'il ne faille pas non plus attendre d'une consultation de ce type davantage qu'elle ne doit produire: après tout, les gouvernements sont élus pour gouverner. Qu'ils consultent ici et là, c'est bien, mais la démocratie n'est pas le corporatisme.

Normalement, un gouvernement est élu après avoir dit ce qu'il comptait faire, et l'électeur sait plus ou moins à quoi s'attendre. Le problème, ici, est que les conservateurs se sont fait élire sur des impressions, sur un climat, sur un programme flou d'où ne se dégageait aucune priorité. On ne sait pas où ils s'en vont. Ce désir de plaire à tous, M. Mulroney ne pouvait mieux l'illustrer qu'en disant, à la clôture de la conférence, qu'il tient également à la création d'emplois et à la réduction du déficit. Mais entre ces deux orientations contradictoires, où est sa priorité? M. Mulroney, plus à l'aise dans le rôle d'animateur, de médiateur ou de courtier que dans celui de décideur, ne veut pas trancher. Attendons donc le budget: on saura alors qui aura gagné, de l'aile droite obsédée par le déficit (incarnée par le ministre des Finances, M. Wilson) ou de l'aile gauche préoccupée par le chômage.

Autre limite de la concertation: l'illusion que l'aréopage réuni à Ottawa ce dernier weekend «représente» les citoyens canadiens. Vous et moi sommes, indubitablement, des «consommateurs», nous faisons le marché, achetons des meubles et des vêtements. Mais la soi-disant porte-parole des consommateurs canadiens, l'avons-nous élue? L'avions-nous même déjà vue? Si vous êtes propriétaire d'un salon de coiffure ou d'un garage, vous êtes-vous senti «représenté» par M. Bulloch de la Canadian Federation of Independent Business? Si vous êtes syndiqué, MM. McDermott, Larose, Laberge et White ont-ils déjà sollicité votre avis avant d'aller parler en votre nom?

Exemple: d'où, de quelle consultation à la base, le président de la FTQ a-t-il pris l'idée d'imposer une taxe additionnelle (un p. cent du revenu imposable) pour financer la création d'emplois? Qui dit que c'est ce que veulent les contribuables syndiqués et ceux de sa centrale en particulier? Au nom de qui parle-t-il lorsque, se rangeant du côté du ministre Sinclair Stevens, il encourage le gouvernement à ne pas subventionner Domtar?

Évidemment, on sait bien que si les travailleurs de Windsor Mills étaient syndiqués à la FTQ plutôt qu'à la CSN, M. Laberge dirait exactement le contraire.

* *

*

En marge des deux derniers sommets — celui de Québec avec le président Reagan, et celui d'Ottawa avec les establishments des corps intermédiaires —, un phénomène commence à prendre forme: c'est le style «présidentiel» du premier ministre Mulroney.

À Québec, il a écarté le gouverneur général des cérémonies, alors que normalement c'est le chef de l'État (Mme Sauvé en l'occurrence) et non le chef du gouvernement qui devait accueillir le président américain. Le bureau du premier ministre justifie l'accroc diplomatique par le fait qu'il s'agissait d'une réunion de travail et non d'une visite officielle mais tout le monde sait bien que cette décision n'avait qu'un but: attirer sur Mulroney, et sur lui seul, tous les feux des caméras, dans ce qui fut, bien davantage qu'une «réunion de travail», un parfait exercice de relations publiques. (Si Mme Sauvé avait accueilli M. Reagan à sa descente d'avion, M. Mulroney aurait été à l'écart avec d'autres dignitaires, et la télévision ne nous aurait pas montré la chaleureuse accolade entre les deux hommes.)

À Ottawa, autre incident: c'est sur un tapis rouge déroulé spécialement pour l'occasion que le premier ministre est entré dans le Centre des congrès pour inaugurer la conférence économique nationale. Normalement, c'est aux chefs d'État en visite officielle qu'on réserve le tapis rouge.

Détails que tout cela? Bien sûr. Mais détails révélateurs. Le plus curieux, dans le nouveau style qu'imprime M. Mulroney à la fonction de premier ministre, c'est qu'il oscille entre deux niveaux, tantôt trop «haut», tantôt trop «bas». Trop «haut» en prenant la place du chef de l'État ou en adoptant un style présidentiel, et trop «bas» en prenant, au sommet d'Ottawa, la place du modérateur, de l'animateur... ou pire, au gala couronnant le sommet de Québec, la place d'un chanteur parmi d'autres. Normalement, on ne s'attend pas à ce qu'un premier ministre exerce des fonctions aussi triviales que celles d'animer un débat pour la télévision, ni à ce qu'il fasse partie d'un chœur de chant en y entraînant le chef d'un État voisin: cela enlève de la dignité à sa fonction.

Ainsi assiste-t-on à ce bizarre phénomène d'un premier ministre qui usurpe à la fois un statut supérieur et un statut inférieur au sien, qui survalorise et dévalorise à la fois sa fonction. Évidemment tout cela M. Mulroney le fait avec un charme consommé, qui inspire de la sympathie ou de l'attendrissement plutôt que de l'irritation. Cet homme plaît, parce qu'il est plaisant. Il plaît et il veut plaire. C'est hélas cela, ce désir de plaire, qui le perdra un jour...

26 mars 1985

LE REFUGE
TEMPORAIRE

Ils étaient 600 à avoir payé de leurs poches le voyage à Montréal, les 12 $ de frais d'inscription et à avoir sacrifié un magnifique samedi ensoleillé pour s'enfermer toute la journée dans le sous-sol d'un hôtel. Pour ce qui est de l'assistance, ce congrès de fondation du Rassemblement démocratique pour l'indépendance allait donc être un succès. Pour ce qui est de la substance, c'est encore à voir: même les militants les plus «croyants» n'auraient pu jurer, à la fin des assises, que l'idée de l'indépendance du Québec va redevenir une idée-force susceptible de mobiliser de larges secteurs.

Leur défi est, disent-ils, de remettre l'idéologie indépendantiste au goût du jour. Mais même si la déclaration fondamentale du RDI a été assaisonnée des références aux thèmes de l'heure (écologie, féminisme, pacifisme, anti-étatisme et anti-corporatisme, autant de «nouveautés» par rapport au discours indépendantiste des années 60, exception faite du pacifisme qui était populaire en ce temps-là aussi), on n'est pas allé très loin dans la voie du renouvellement.

On peut d'ailleurs se demander jusqu'à quel point le discours indépendantiste peut être «modernisé». Toute idéologie indépendantiste reste nécessairement fondée sur le concept de l'État-nation, et il n'est pas sûr que ce ne soit pas justement ce concept qui se trouve implicitement rejeté aujourd'hui.

À défaut de miser sur les thèmes nationalistes traditionnels, le RDI pourrait mettre l'accent sur la perspective d'une société différente, impossible à réaliser dans le cadre canadien... Mais il faudrait pour cela, d'une part que ses militants, qui vont de l'extrême-droite à l'extrême-gauche puissent s'entendre sur un projet de société quelconque, et il faudrait d'autre part qu'une proportion substantielle de Québécois souhaite non seulement changer de régime socio-économique, mais que ce

projet de société soit absolument incompatible avec l'appartenance au cadre canadien.

De toute façon, quel que soit l'emballage, la définition de
l'indépendance nationale restera toujours la même: c'est la
récupération de la totalité des impôts et du pouvoir législatif. Il
n'y a pas à sortir de là. Tout le reste n'est que verbiage. L'un
des plus beaux cas de verbiage est l'argumentation en vogue
dans certains milieux péquistes, où l'on affirme que l'indépendance se fera «dans la tête» à mesure que les Québécois «mûri-
ront», etc. C'est encore une fois se perdre dans la brume. Cela
relève aussi d'une conception magique de la politique, comme
si la rupture du lien fédéral pouvait se faire «naturellement»,
progressivement, en douceur et mine de rien, et comme si le
désir d'un État indépendant était le prolongement organique de
l'accession à l'autonomie personnelle. Cette argumentation n'a
pas plus de fondement que celle de Lise Payette qui tentait
avant le référendum de convaincre les femmes qu'il y avait un
lien organique entre leur propre lutte et celle du camp du oui.
En réalité, les Québécois pourraient bien tous devenir des individus autonomes, en pleine maturité, sûrs d'eux-mêmes, et
trouver qu'ils ont davantage intérêt à vivre en régime fédéral.

Le moins qu'on puisse dire, en tout cas, c'est que le RDI
va avoir du pain sur la planche.

*   *

*

C'est toutefois avec un enthousiasme étonnant, compte
tenu du caractère aléatoire de l'entreprise, que ses membres se
sont mis à la tâche. La plupart n'en étaient d'ailleurs pas à leurs
premières armes, bien que la salle contienne une proportion
appréciable de jeunes. Ce congrès était un concentré d'anciens
rinistes, de militants nationalistes, syndicaux et communautai-
res, de péquistes loyaux à leur parti et de péquistes en rupture
de ban avec le parti de Lévesque et de Johnson.

Il avait des odeurs de «conventum» et de vagues réminiscences du RIN des années 60, dans la mesure où tout tournait autour de l'indépendance et non pas de la prise du pouvoir (concept impensable au RDI). Dans les couloirs, des groupes se formaient à mesure que se retrouvaient d'anciens camarades qui s'étaient perdus de vue.

Sur le plan idéologique, un très large, un trop large éventail — de l'extrême-droite fascisante aux intellectuels trotskystes, en passant par toutes les teintes du libéralisme et de la social-démocratie —, qui annonce d'autres fractionnements car tout ce monde ne pourra longtemps loger à la même enseigne.

Le RDI a beau traîner dans son sillage toutes sortes de gens, le gros des troupes cependant vient du PQ. C'était encore un congrès de péquistes, s'abreuvant aux deux mamelles de la procédurite et de la structurite. D'entrée de jeu, on tomba dans le débat de procédure. Une pluie d'amendements (32 en tout… dont l'un visait à remplacer le mot «indépendance» par «souveraineté»!) s'abattit sur la plénière, de même que les «points d'ordre», «questions de privilèges» et autres joyeusetés du code Morin. Les journalistes se faisaient des clins d'œil, en se disant que «leurs» péquistes n'avaient pas changé.

Il y avait quand même moins de rigidité et la règle était moins austère qu'à un vrai congrès du PQ. Libérés du fardeau du pouvoir, libérés de l'ombre patriarcale de René Lévesque et des rabat-joie à la Claude Morin, les délégués étaient pour ainsi dire en récréation… mais quand même dans l'attente d'un chef fort.

Jacques Parizeau, toujours présent mais toujours muet aux réunions des indépendantistes «orthodoxes», fit avec un retard calculé une entrée ovationnée, se laissa faire la cour par tout un chacun et, tel un sphinx, quitta les lieux avant la fin.

*   *

*

Il y a bien des germes de division au RDI, mais le seul qui ait vraiment percé samedi dernier concerne les rapports avec le PQ.

Une minorité aurait voulu se lancer dans l'arène électorale et considérer le PQ comme un parti adverse ayant trahi sa raison d'être. Mais la majorité reste liée au PQ. Soit par la carte de membre — qui pourra toujours servir à un éventuel congrès de leadership —, soit par le genre de sentiment qu'on garde, me disait une déléguée de Québec, envers «l'ancien mari dont on continue à se sentir proche».

Il y a aussi au RDI la conscience très vive qu'il serait injuste que ce soient ceux qui sont restés fidèles à sa raison d'être qui soient exclus du PQ, et obligés de tout recommencer à zéro. Un peu comme la femme battue qui se demande pourquoi c'est elle qui devrait quitter la maison... Et de fait, on avait à certains moments l'impression que le RDI était en quelque sorte, pour les péquistes «orthodoxes», un refuge temporaire avant le retour à la maison.

Mais ce retour n'aura lieu qu'advenant une défaite électorale du PQ, et que si, dans la foulée des âpres règlements de compte, l'aile radicale avait quelque chance de reprendre le contrôle du parti.

Ainsi, le tableau politique du Québec devient-il de plus en féroce: il n'y a plus seulement les libéraux qui rêvent à la défaite du PQ. Une partie de ceux qui l'ont si longtemps servi la souhaitent aussi, et au congrès du RDI, nombreux étaient ceux qui ne s'en cachaient pas.

2 avril 1985

IMPRESSIONS
DE QUÉBEC

QUÉBEC — La colline parlementaire vit dans un flou qui n'a rien d'artistique. Personne ne sait ce qui va se passer. Des élections au printemps? À l'automne? L'an prochain? Et avec qui? Avec ou sans Lévesque? Certains couteaux volent assez bas, et parfois les esprits s'échauffent.

Pendant que M. Lévesque semble déterminé à rester en selle — il a même laissé entendre à deux reprises, cette semaine, qu'il pourrait reporter les élections à l'ultime limite du printemps 86 —, les partisans de Bernard Landry et ceux de Pierre Marc Johnson s'accusent mutuellement d'avoir déjà mis en marche leurs «machines» en vue du leadership.

Dans ce théâtre où se mènent à plusieurs niveaux d'âpres luttes de pouvoir, deux hommes sont plus exposés que les autres, plus visibles et plus vulnérables, en situation proprement inhumaine: le chef actuel et celui qui est plus populaire que le chef, qui vivent depuis des mois dans une cage de verre, et dont les moindres gestes sont surveillés, épiés, analysés, interprétés: René Lévesque et Pierre Marc Johnson.

Il est clair que le premier, comme d'ailleurs beaucoup de «chefs historiques», ne supporte pas l'idée qu'il puisse avoir un successeur, encore moins un rival, et il est aussi clair que le second n'a que deux choix: ou attendre loyalement son tour, en encaissant stoïquement les coups, ou, si la situation devient intenable, s'en aller.

Jeudi midi, en plein restaurant parlementaire, le ministre Johnson, qui d'habitude ne perd jamais le contrôle de lui-même en public, a «craqué», s'en prenant vertement à son ancienne collègue Denise Leblanc-Bantey qui venait de l'accuser de se préparer à négocier à rabais un accord constitutionnel avec Ottawa. Fausseté, calomnie, dit-il: le document dont elle parle a été rédigé par un fonctionnaire. Indigné, hors de lui, il lance que désormais il ne se laissera plus insulter par le RDI, tandis qu'elle, aussi «montée», l'accuse d'être à l'origine du schisme au sein du parti.

*   *

*

Régulièrement, des députés, ministres, hauts fonctionnaires, confient aux journalistes mais toujours sous le couvert de l'anonymat, qu'ils sont au bord de la révolte ouverte. Les médias ne font que refléter le malaise, mais ce faisant, ils l'amplifient. Ce qui était déjà dramatique le devient encore plus une fois étalé au grand jour.

Rien n'est pire que les querelles de famille. Or, le parti ministériel en subit trois en même temps: celle qui oppose les «révisionnistes» et les «orthodoxes» réfugiés dans le RDI, celle qui oppose les pro-Landry et les pro-Johnson, et celle qui oppose M. Lévesque à une large fraction de son propre parti, celle-là étant évidemment la pire, car il y a là-dedans quelque chose d'émotionnel et d'explosif, qui relève de la relation père-fils.

Tant le premier ministre que ses députés disposent d'armes de chantage l'un envers les autres et vice-versa. Le premier ministre pourrait, sur un coup de tête, par vengeance ou par désespoir, les pousser tous dans le gouffre en déclenchant des élections tout de suite, alors que le PQ est au plus bas d'après les sondages. Mais si les libéraux ont quatre sièges de plus aux partielles du 3 juin, il suffirait qu'une poignée de députés démissionnent du côté ministériel pour que le gouvernement soit renversé et le premier ministre précipité dans des élections à un moment inopportun.

Affaibli et démoralisé, le gouvernement est vulnérable: si le ministre Clair n'avait pas réussi à reprendre en mains le dossier du régime de négociation dans le secteur public, les centrales syndicales auraient réduit son projet à néant en négociant directement avec M. Lévesque. Cette semaine, c'était au tour des directeurs d'hôpitaux à se mutiner, face aux compressions budgétaires ordonnées par Québec. Tout député pourrait exiger, en brandissant une menace de démission, un centre d'accueil, une route, une subvention, pour son comté.

Personne, nulle part, ne sait à quoi s'attendre. Tout le monde a son hypothèse, mais même les hypothèses les plus rationnelles sont aléatoires, puisque tout, absolument tout, dépend de ce que décidera le premier ministre... et ce dernier, qui est plus imprévisible que jamais, peut très bien faire mentir les oracles et changer sa trajectoire à la dernière minute.

* *
*

Selon les ministères, l'administration est en panne ou au contraire roule à plein régime: là où il n'y a plus d'idées générées par le gouvernement, la fonction publique comble le vide, et les technocrates s'activent, remettent à jour des projets que les priorités politiques avaient relégués dans l'ombre. C'est, dit un haut fonctionnaire, le système des vases communicants.

Chez les ministres et les députés, un fatalisme, qui se traduit chez les uns par l'humour noir, chez les autres par une sorte de sérénité, s'est insinué comme si, les jeux étant faits, on n'y pouvait plus rien.

Certains cependant nourrissent des espoirs: l'introduction du système de la proportionnelle permettrait de sauver des sièges... L'arrivée de Robert Bourassa à l'Assemblée nationale, après une victoire prévisible dans Bertrand, permettrait aux ministériels de l'«écraser»: M. Bourassa passe mal à la télé, il pourrait être vulnérable aux attaques dirigées contre son ancien gouvernement. D'autres mettent tous leurs espoirs sur la possibilité d'une lutte à trois: l'émergence du tiers parti conservateur diviserait le vote libéral. Plusieurs se rappellent avec quelle certitude tout le monde annonçait une victoire libérale en avril 81. Rien n'est jamais sûr en politique, disent-ils, et six mois c'est long.

Ceux qui, parmi les ministres, ont encore un dossier chaud à piloter, travaillent d'arrache-pied, pressés par le temps, pour laisser quelque chose de leur passage au pouvoir. Ayant donné le meilleur d'eux-mêmes pendant huit longues années, plusieurs font les comptes: additionnant les bons coups du gouvernement, qui furent somme toute nombreux, évaluant les ministres qui, pris un à un, valent bien ceux de tout autre gouvernement précédent, et évoquant la situation relativement convenable de l'économie, ils se demandent d'où vient au juste cette vague qui va les renverser.

11 mai 1985

LE PRINCE HÉRITIER

Une journée de travail derrière lui, le ministre Johnson entre dans un restaurant du Vieux-Québec. À peine est-il attablé que cinq, six, dix personnes se pressent autour de sa table...

Ce n'est pas que l'homme encourage la familiarité. Mais parce qu'il est le successeur le plus vraisemblable de René Lévesque, parce qu'il mène dans les sondages à l'heure même où le leadership du vieux chef péquiste fait l'objet d'une persistante contestation, Pierre Marc Johnson ne passe nulle part inaperçu.

Depuis le 13 février 1973, il n'est jamais passé inaperçu: à 26 ans, lors de sa première apparition publique, à l'assemblée d'investiture de Jérôme Proulx dans Saint-Jean, c'était son discours qui avait fait les manchettes. Le fils de feu Daniel Johnson avait alors déclaré que «le PQ était le successeur logique de l'Union Nationale, l'héritier de la grande tradition autonomiste qui s'est exprimée à travers l'UN d'avant 1969.»

«C'est avec l'assurance d'un jeune seigneur, écrivait alors Marcel Pépin dans *La Presse*, que M. Johnson légua à M. Lévesque, avant de lui céder le micro, l'héritage de l'UN.»

Dans ce premier discours, M. Johnson avait aussi fait rire l'auditoire, en inventant un dialogue avec un organisteur libéral.

415

«Vous voulez bâtir une clôture autour du Québec!, disait ce dernier, reprenant l'un des grands thèmes anti-indépendantistes de l'époque.

— À propos, qu'est-ce que vous diriez du contrat de peinture pour la clôture?

— Hé-hé… dans ce cas-là, p't'êt ben que j'serais pour la souveraineté!»

En quelques mots, mais avec subtilité, il avait démoli l'adversaire: la salle croulait de rire et trépignait de plaisir.

C'était l'époque où le Parti québécois était un parti aussi riant que vibrant. Dans l'opposition, oui, mais avec des espoirs à l'horizon. Douze ans après tout a changé. Pierre Marc Johnson a 38 ans et les cheveux grisonnants, il est ministre et plus soucieux. Il a toutes les raisons de l'être.

*   *

*

Le voici coincé, sans marge de manœuvre, et marchant sur des œufs: il doit alimenter — mais subtilement — le feu sur lequel mijote sa future campagne au leadership, tout en manifestant par ailleurs une loyauté sans faille à l'endroit d'un chef qui cependant refuse d'envisager sa succession, et ne fera rien pour lui faciliter les choses. Parce qu'il est plus populaire que d'autres prétendants au trône, il est plus visible et donc plus vulnérable: le moindre de ses gestes est scruté à la loupe et si un Bernard Landry peut multiplier les déclarations et les prises de contact au sein du parti comme s'il était déjà en campagne, Johnson, lui, ne peut rien se permettre, sous peine de passer pour un Brutus, le fils parricide de César. Pendant ce temps, ses supporteurs s'impatientent.

Si jamais la situation se prolongeait, Pierre Marc Johnson courrait deux risques majeurs: celui d'hériter d'une image abîmée, et d'un parti en si mauvais état qu'il ne serait même plus intéressant d'en solliciter la direction, car le fait est que le PQ risque de s'effriter si rien ne change d'ici quelques mois.

D'une part, il est au faîte de sa popularité, car il arrive au bon moment: nombreux sont ceux qui veulent du changement, mais dans la continuité. Quel meilleur candidat qu'un jeune ministre fils d'un ancien premier ministre?

D'autre part — à cause précisément de sa popularité — il a de plus en plus d'adversaires. D'abord au Parti libéral, où l'on craint comme la peste son arrivée à la tête du PQ. Aussi la stratégie du PLQ est-elle de ne lui donner désormais aucune chance de briller. L'opposition l'ignore et ne lui pose pas de questions. (Il faut dire que pour lui, tout est à double tranchant. S'il est trop discret, il risque d'avoir l'air mou et passif: mauvais pour une image de leader. S'il brille trop cependant, il risque que le premier ministre en prenne ombrage.) La relance du débat constitutionnel peut le servir à court terme, mais c'est un champ miné car le dossier risque fort de ne pas aboutir.

Au PQ Pierre Marc Johnson a des supporteurs plus enthousiastes que ceux de Bernard Landry, mais des ennemis plus nombreux et plus déterminés: personne n'aime les premiers de classe, et ceux qui sont restés fidèles à l'idéal souverainiste lui imputent la paternité (à tort, car les pères furent nombreux) de la volte-face idéologique de l'hiver dernier.

Les jeux, somme toute, sont loin d'être faits: le prince héritier a du chemin à faire avant de toucher à l'héritage... Au rythme où vont les choses, compte tenu de la façon dont la boutique est actuellement menée et de l'affaissement interne du parti gouvernemental, rien ne dit que l'héritage n'aura pas été dilapidé avant que la succession ne s'ouvre.

18 mai 1985

ON NE SE BAT
PAS DANS
LES AUTOBUS

L'analyse des propositions constitutionnelles du gouvernement Lévesque constitue certes un exercice intéressant, intellectuellement parlant, mais qui ne sert pas à grand-chose, car tout indique que ces propositions ne feront pas de sitôt l'objet d'une vraie négociation.

À Ottawa d'ailleurs, c'est dans un silence éloquent qu'elles sont tombées. Une vague remarque du ministre de la Justice, John Crosbie, et ce fut tout. M. Crosbie déclara en substance que l'étude (seulement l'étude, pas la discussion) du document québécois prendrait au moins autant de temps que Québec n'en a mis à le préparer. (Comptons tout de suite cinq mois.)

Le lendemain, le premier ministre Mulroney, interrogé par des reporters alors qu'il était en tournée dans l'Ouest, déclara à peu près la même chose... mais sur un ton plus réservé encore.

C'est un secret de polichinelle que M. Mulroney a d'autres chats à fouetter pour l'instant — il l'a d'ailleurs dit lui-même, en signalant le caractère prioritaire des questions économiques — et que la réouverture du dossier, qui implique neuf autres interlocuteurs, n'est pas pour demain.

L'un des principaux lieutenants québécois de M. Mulroney nous confiait récemment qu'il ne pouvait imaginer comment le premier ministre fédéral, même avec la meilleure volonté du monde, pourrait agir rapidement dans ce dossier. Il estimait qu'au mieux, cela prendrait des mois avant qu'une entente quelconque puisse apparaître à l'horizon.

Chose certaine, disait-il, il n'est pas question d'une nouvelle conférence fédérale-provinciale sur la constitution, ni de quelque autre forme de débat ouvert. Le jour où il y aurait conférence fédérale-provinciale, c'est que tout aurait déjà été réglé entre le gouvernement fédéral, le Québec et chacune des neuf autres provinces.

Pour dégager un consensus sur une éventuelle formule de compromis, M. Mulroney devra s'enfermer à huis clos avec chacun des premiers ministres provinciaux l'un après l'autre et essayer d'arracher à chacun un accord — vraisemblablement en échange de quelque avantage.

«Ce sera long et difficile», prévoyait notre interlocuteur.

D'abord parce qu'aucun premier ministre provincial, à part celui du Québec, n'a intérêt à rouvrir ce dossier, qui comporte dans chaque province divers éléments explosifs. Tous les dirigeants provinciaux sont contents d'être débarrassés de cette pomme de discorde que leur avait imposée M. Trudeau. En outre, cette question soulève chez leurs électeurs pire encore que des bâillements: une véritable nausée.

Ensuite parce que plusieurs premiers ministres ont bien d'autres problèmes, autrement plus cruciaux.

En Ontario, M. Miller aura toutes les misères du monde à maintenir à flot son gouvernement minoritaire, et l'on prévoit de nouvelles élections.

Au Nouveau-Brunswick, M. Hatfield est lui aussi près de la sortie, sa carrière étant irrémédiablement minée par les scandales qui ont éclaté l'hiver dernier. Comble de malchance, ces deux provinces sont précisément celles qui auraient été les meilleures alliées d'Ottawa et du Québec dans la révision constitutionnelle.

Les autres provinces atlantiques, peu peuplées, ne pèsent guère dans la balance, mais on peut se demander pourquoi Terre-Neuve voudrait faire plaisir au Québec si le Québec n'accepte pas de rouvrir le contrat des Chutes Churchill. Quant aux provinces de l'Ouest, elles ont toujours été et sont encore les moins sympathiques à ce genre d'opération. (M. Lougheed, de l'Alberta, s'est contenté d'une vague formule de politesse quand on l'a interrogé là-dessus samedi alors qu'il était l'hôte de M. Mulroney.)

Enfin parce qu'à part le sourire encourageant du premier ministre fédéral, il n'y a rien qui puisse vraiment pousser les autres provinces à rouvrir le dossier.

Le Québec est totalement, absolument et tragiquement dépourvu de la moindre arme de négociation: d'une part parce que nul n'ignore que le gouvernement Lévesque est au bout de son rouleau et que M. Lévesque lui-même pourrait bientôt partir, d'autre part parce que le référendum a fait perdre au Québec la puissante épée de Damoclès — le chantage au «séparatisme» — qui jusque-là lui avait permis d'obtenir des concessions.

Les intellectuels, au Canada anglais comme au Québec, peuvent bien trouver «inacceptable» que le Québec soit exclu de l'accord constitutionnel et dire que cela en soi justifie une action rapide, tout cela n'est qu'une vision de l'esprit. Dans la réalité c'est autre chose: il y a trois ans et demi que le Québec se trouve dans un *no man's land* juridique, et personne n'en est mort, ni ne s'en est aperçu. Qui ressent dans sa vie quotidienne le contrecoup de cette absence?

Le Québec n'a pas signé? *And so what?* Au Canada anglais, il n'y a plus personne que cela préoccupe, sauf une poignée d'universitaires et de journalistes spécialisés en politique fédérale. Depuis le référendum du 20 mai 1980, il n'y a plus personne qui songe même à se demander *«what does Québec want»*. (Au Québec, il faut bien dire que la question ne mobilise plus grand-monde non plus. Quand le ministre Pierre Marc Johnson concède que «personne ne va se battre dans les autobus à propos de cela», disons que c'est... un euphémisme.)

Cela, Brian Mulroney le sait autant que quiconque, de la même façon qu'il connaît la position de faiblesse dans laquelle se trouve son interlocuteur provincial.

Il pourra fort bien multiplier, comme il le fait avec tant de grâce à propos de n'importe quoi, les déclarations lénifiantes et aimables qui, finalement, ne veulent rien dire, et laisser couler le temps, jusqu'à ce qu'un nouveau gouvernement québécois, renforcé par une victoire toute fraîche, s'amène à la table, bénéficiant cette fois d'un rapport de force un peu moins catastrophique.

* *
*

Pour l'instant, ce bloc de propositions n'a qu'une utilité électorale.

Pour M. Lévesque, dont le règne est entaché des deux humiliantes défaites de mai 80 et de novembre 81, le document pourrait être une sorte de chant du cygne, encore qu'une proposition sur laquelle personne n'est à la veille d'entamer une négociation n'a pas plus de valeur qu'un projet syndical qui traîne sur une table à laquelle le patron n'a pas encore consenti à s'asseoir.

Pour M. Johnson, qui pilote ces jours-ci le dossier avec d'autant plus d'ardeur que son chef, en voyage en France, lui a laissé le champ libre, cela sera une occasion de prendre la vedette et de montrer aux péquistes sceptiques qu'il reste profondément nationaliste et semi-souverainiste.

Pour le PQ enfin, ce dossier peut apporter de l'eau au moulin de la prochaine campagne électorale. Avantage corollaire: il est en terrain sûr car la question nationale est le seul point sur lequel il devance le PLQ. Tous les sondages montrent en effet que le PQ est considéré dans l'électorat francophone comme «meilleur défenseur des intérêts du Québec» que le parti adverse. C'est toujours ça de pris.

21 mai 1985

FIN DE RÈGNE

QUÉBEC — Jeudi, 10 h 15. À l'Assemblée nationale, le premier ministre va et vient, arpentant les allées, s'esquivant pour aller griller une cigarette, faisant la moue ou grimaçant. Nerveux, le premier ministre? Oui, mais cela n'a rien de nouveau.

Quand il prend la parole cependant, pour répondre à la motion célébrant ses 25 ans de vie politique, il retrouve calme et autorité, et pendant quelques instants, le charme joue. Comme avant, comme toujours. Rien de nouveau là non plus.

La journée se passe, une journée de fin de session, trouble et troublée, lourde de fatigue accumulée et d'interrogations. Que fera René Lévesque? Où s'en va le parti? Nombre de péquistes songent à quitter la politique: à 40, 45 ans, il est temps de songer à une autre carrière, de retourner à sa famille et de quitter le Titanic.

Seuls les libéraux sont sereins, et pour cause: le pouvoir est là tout près, à portée de la main, et il sent bon: un gros gâteau qui sort du four, qui vous met l'eau à la bouche.

*   *
*

Le même soir, entre 21 heures et minuit: la session est ajournée et, au bar-restaurant Chalet suisse, rue Sainte-Anne (encore désigné par la classe politico-journalistique sous son ancien nom de L'Aquarium), nombre de péquistes sont attablés: députés, ministres, dirigeants et permanents du parti arrivés à Québec pour la réunion de l'exécutif qui doit avoir lieu la veille du conseil national... Plusieurs journalistes sont là aussi car la rumeur court que le bureau du premier ministre émettra un communiqué d'ici minuit.

Ce qui surviendra ensuite passera dans les annales comme l'un des événements les plus disgracieux de notre histoire politique. Certainement, en tout cas, comme la fin de règne la plus inélégante.

De propos délibéré, le premier ministre retardera la diffusion de son communiqué jusqu'à 23 heures 20. Il savait fort bien — lui, un ancien journaliste et vieil habitué de l'Aquarium où, avant de devenir premier ministre, il avait terminé tant de soirées — que toute l'action se transporterait là, puisqu'à cette heure, et un soir de fin de session en plus, c'était le seul endroit où les médias allaient pouvoir joindre des gens du parti et du gouvernement pour solliciter leurs réactions.

C'est donc dans un bar, à une heure impossible et sans préavis, que l'annonce de la démission de M. Lévesque a retenti. Parmi les ministres, il semble que seuls MM. Marc-André Bédard et Yves Duhaime avaient été mis au courant, et ils s'étaient bien gardés de mettre les pieds à l'Aquarium. Les ministres et députés qui s'y trouvaient apprirent la nouvelle par les journalistes qui apportaient de leurs salles de rédaction le communiqué transmis par l'agence Telbec. La présidente du parti, Mme Assimopoulos, qui terminait son dîner au premier étage du restaurant avec d'autres dirigeants et employés du parti, s'est elle aussi trouvée prise au dépourvu.

Si les journalistes de la télévision n'avaient pas fait preuve de délicatesse, et sans la vigilance du gérant du restaurant, qui protestait contre cette invasion d'un lieu privé, la télé aurait pu donner une déplorable image du parti ministériel: des réactions amplifiées par l'œil implacable de la caméra, exprimées sous l'effet combiné du choc et de l'alcool! Heureusement, les quelques ministres et députés qui ont accepté de donner des interviews dans ce décor incongru l'ont fait avec beaucoup de dignité. Mais pour qui était sur place, le spectacle de cette invraisemblable cohue, entre des tables couvertes de bouteilles de vin et d'assiettes à moitié vides, avait quelque chose de minable, qui n'était pas à la hauteur de ce parti qui a représenté à bien des égards ce que le Québec avait de meilleur, et qui n'était pas non plus à la hauteur de la carrière si bien remplie de René Lévesque.

On se souviendra que Pierre Trudeau s'est lui aussi livré à ce jeu de vieux cabotin l'an dernier, en alimentant le suspense et en calculant ses effets, annonçant sa démission un jour de tempête de l'année bissextile, de manière à ce qu'on ne puisse même pas en marquer l'anniversaire d'ici quatre ans. Mais au moins c'est dans la dignité qu'il avait fait connaître sa décision, par l'intermédiaire de la présidente du PLC qui, en ayant été informée au préalable, avait pu contacter dans les locaux du parti et à une heure décente, une conférence de presse en bonne et due forme. Rien de commun avec cette comédie burlesque qu'on vit à Québec en cette soirée du 20 juin 1985.

*   *
*

Cet abrupt départ aura constitué le dernier pied de nez de M. Lévesque à l'endroit du parti dont il avait été le père fondateur craint et adoré jusqu'à ce qu'au fil des années, les relations entre l'homme et son parti commencent à se détériorer. Les critiques, derrière et autour de lui, montèrent au rythme où descendait la cote du parti dans les sondages.

Cette incessante rogne, amplifiée par les médias, a certainement blessé M. Lévesque et hâté son départ, mais il serait ridicule d'y voir une sordide conspiration. Le sentiment du parti correspondait tout simplement à celui de la population, qui souhaite, à tort ou à raison (là n'est pas la question), une nouvelle sorte de leader politique, incarnant mieux la vision qu'ont maintenant les Québécois d'eux-mêmes: celle d'un peuple qui s'est affirmé, qui a confiance en lui, qui n'est plus «né pour un p'tit pain», et qui ne se reconnaît plus dans ce petit homme brouillon et querelleur, dont le côté «chien battu qui ne se tient pas pour vaincu» séduit moins qu'auparavant.

Évidemment, ce formidable changement de mentalité, c'est très largement à lui, René Lévesque, qu'on le doit. C'est lui qui, par une action échelonnée sur un quart de siècle, a changé l'image que les Québécois ont d'eux-mêmes. Même les réussites du French Power, à Ottawa, peuvent lui être en partie attribuées, car sans la présence au Québec d'un puissant mouvement souverainiste, sans la menace que cela représentait pour le Canada anglais, le gouvernement Trudeau n'aurait jamais pu y faire pénétrer le bilinguisme, et peut-être Trudeau lui-même n'aurait-il jamais été premier ministre.

Qu'aujourd'hui, avec les blessures encore fraîches de la défaite référendaire et du recul constitutionnel, Lévesque ait l'air d'un perdant et Trudeau d'un gagnant, n'a que peu de rapport avec la réalité, car il était plus facile de rapatrier la constitution que de faire un pays, et il n'y a pas de honte à avoir échoué dans un projet trop ambitieux.

* *
*

Ce départ remet tout en question. Pour les libéraux, le pouvoir est moins proche, car face à un PQ doté d'un nouveau chef, d'un nouveau style, avec de nouvelles idées, la partie recommence et n'est plus aussi sûre.

Pour le PQ, c'est le passage à l'âge adulte. Désormais privés de leur père fondateur, les péquistes apprendront à marcher tout seuls. Ils en sont capables.

22 juin 1985

C'EST LE DÉBUT
D'UN TEMPS NOUVEAU

Les oiseaux de malheur auront eu tort, qui prédisaient que le Parti québécois s'effondrerait avec le départ de son père fondateur.

Malgré le choc produit par le départ de M. Lévesque et la perspective d'une course au leadership qui sera vive et peut-être

425

cruelle, les péquistes réunis à la veille de la Saint-Jean en conseil national paraissaient non seulement maîtres d'eux-mêmes, mais soulagés, et dotés, aurait-on dit, d'une sérénité, d'une maturité nouvelle.

Les éloges au «disparu» ont été brefs: les déclarations d'usage de la vice-présidente Nadia Assimoupoulos furent suivis d'un hommage senti, lu par le fidèle second, le vice-premier ministre, M. Marc-André Bédard — lequel, dans ce parti où désormais les fils ont la main haute, fait un peu figure d'oncle. L'oncle débonnaire et fin finaud, qui n'a pas d'ennemi mais qui n'est pas né de la dernière pluie. Comme Gérard-D. Lévesque durant les deux courses successives au leadership du Parti libéral, c'est lui qui tiendra le fort.

Chaque fois, les délégués ont applaudi, mais on aurait dit que le cœur n'y était pas. L'ovation traînaillait et les gens se levaient, un à un, comme par devoir. Quand un petit groupe de gens, à l'arrière de la salle, entonna «Mon cher René, c'est à ton tour...», la chanson retomba très vite, misérablement, comme un petit pétard mouillé.

Comment expliquer cette réserve? Sans doute par cette franchise désarmante (mais qui parfois les désarme face à l'adversaire) qui est l'un des traits des militants péquistes. Une très forte majorité, parmi eux, le souhaitait, ce départ. Ils n'ont pas feint le désespoir, car en réalité, c'est plutôt le soulagement qui primait, et aussi une sorte d'excitation à l'idée d'ouvrir eux-mêmes et par eux-mêmes un nouveau chapitre de l'histoire de leur parti... et peut-être, qui sait, de le mener à la victoire.

Dès cette semaine commence l'injection de sang neuf: de nouveaux membres s'inscriront, attirés par la perspective de partiper directement à l'élection de celui qui deviendra peut-être un jour premier ministre. Le bateau qui sombrait a maintenant des chances d'arriver au port.

Au fond, bien sûr, il y avait du chagrin, le sentiment d'avoir tourné une page (ouvrir un nouveau chapitre, c'est en fermer un), le sentiment, comme disait une déléguée, qu'«un pan entier de ma vie vient de tomber», un mélange subtil de nostalgie et de culpabilité, personne n'aimant l'idée que ce sont les pressions internes qui ont provoqué le départ de M. Lévesque.

*   *
*

Ce dernier, faut-il dire, avait toujours été plus à son aise dans son rôle de premier ministre que dans celui de chef de parti. Maintes fois, il avait brutalement forcé son parti à changer de cap: les écoles anglaises, l'avortement, les droits des autochtones, l'appartenance à l'OTAN, autant de questions sur lesquelles, entre 1969 et 1979, le chef avait violemment désavoué ses militants en faisant planer des menaces de démission.

La pire crise fut celle du «renérendum», en décembre 1981, peu après l'échec des pourparlers constitutionnels, alors que M. Lévesque choisit la voie du plébiscite pour forcer le congrès à revenir sur des votes que lui-même pourtant avait inspirés, car durant les jours précédant le congrès, il avait chauffé ses militants à blanc en multipliant les déclarations incendiaires contre le fédéral et le Canada anglais.

C'est cet épisode qui devait marquer la fin du rapport amoureux entre l'homme et son parti. La moitié des membres s'abstint de participer au plébiscite, et dorénavant, c'est avec une sorte de lassitude que les militants allaient observer les fluctuations d'humeur de leur chef. L'usure s'était installée: cela ne pardonne pas.

Le PQ était comme une femme qui a trop longtemps vécu dans l'ombre d'un homme adoré mais difficile. Trop de crises, trop de scènes de ménage. Il est parti, en claquant la porte. Elle trouve la maison grande. Mais elle respire.

*   *
*

427

Déjà d'ailleurs l'avenir débordait sur le passé. Le clan des fils passait à l'action. Personne n'a officiellement plongé dans l'arène mais ils étaient là, évaluant leurs chances.

En ce début de course, c'est Pierre Marc Johnson qui incarnait l'avenir. Où qu'il aille, les caméramen s'agglutinaient autour de lui, et il marchait, tel le prince héritier, dans un halo de lumière. Mais il hésitait. Avant-hier encore, il affirmait n'être pas encore décidé, même si ses supporteurs piétinent sur la ligne de départ, impatients et fébriles.

Comme si, plus seul que jamais, même s'il était ce weekend-ci plus adulé que jamais, il mesurait avec effroi l'ampleur du défi: pourra-t-il porter, sans décevoir, le poids de toutes ces attentes fixées sur lui? Chargé de trop d'espoirs, alourdi en quelque sorte, au moment de sauter quelque chose le retenait.

*   *
*

La course au leadership démarrait, le conseil national en fixait les règles. Sans chicane ni palabres inutiles, et en devançant même l'horaire… Du jamais vu!

Plusieurs, parmi les purs et durs, sont partis et ceux qui sont restés ont vieilli. D'où une sorte de réalisme qui aurait surpris ceux qui n'auraient connu que le PQ des débuts.

Ainsi, le tiers des délégués aurait voulu hausser le plafond maximal des dépenses pour les candidats au leadership, estimant que les 400 000 $ proposés par l'exécutif étaient trop peu. «Un plafond de 600 000 $ serait plus réaliste, compte tenu du coût de la publicité, des envois postaux… Soyons raisonnables, on a quitté les sous-sol d'église!», de s'exclamer Pierre Cloutier, un avocat de 40 ans, qui en d'autres temps faisait partie des radicaux.

Même ceux qui préféraient maintenir le plafond à 400 000 $ utilisaient des arguments pépères: «La sobriété a bien meilleur goût, et s'inscrirait mieux dans la tradition péquiste»,disait André Boulerice, candidat dans St-Jacques. Paisiblement, un autre proposa une solution de compromis: pourquoi pas 500 000 $?

Même chose pour les dons. L'exécutif s'attendait à être contesté en proposant d'offrir à tous les électeurs — non pas seulement aux membres du parti — la possibilité de souscrire à la caisse d'un candidat. La proposition, qui en d'autres temps aurait déclenché des levées de boucliers, est passée sans débat, comme une lettre à la poste!

Le PQ garde quand même un côté idéo-angélique (qu'on qualifie maintenant, dans les coulisses du parti, de «côté puritain»!): dans les textes officiels, ce que tout le monde appelle «course au leadership» est désigné vertueusement comme «l'élection à la présidence du parti»!

25 juin 1985

LES «YUPPIES» QUÉBÉCOIS

Le Parti québécois qui émergera de la course au leadership sera méconnaissable: les milliers de nouveaux membres que lui attirera l'élection de son chef au suffrage universel en transformeront le visage et la pensée. D'où viendront-ils? Tout dépendra de la force respective des candidats et des milieux où ils concentreront leur recrutement.

Mais le PQ a déjà changé. Il n'a plus grand chose à voir avec l'ardent mouvement des premières années. Au conseil national du weekend dernier, les délégués donnaient l'image d'un groupe pondéré, réaliste, plus friand d'efficacité que de débats idéologiques. Un gros changement, mais qui au fond n'a rien de mystérieux.

*   *

*

Le gros des militants du PQ est venu des *babyboomers*, la génération née dans l'après-guerre. Ils avaient 25 ans à la crise d'octobre, 35 au référendum. Ils ont aujourd'hui 40 ans, et un REA.

Les «hippies» des années 60 sont devenus, avec le temps, des *yuppies*, (pour *young, urban upwardly mobile professionnals*).

Ces jeunes «professionnels» en ascension sociale existent dans toutes les villes nord-américaines. Ils ont bénéficié de la période d'expansion économique, ils sont instruits, ce sont eux qui détiennent les meilleurs emplois, et même leur passé contestataire et militant leur a donné quelque chose de plus: une sorte de culture politique qui, canalisée vers des objectifs d'ordre économique, double leur efficacité. (Rien de mieux qu'un ancien militant pour l'entreprise. L'ancien militant voit venir l'adversaire, il a de l'énergie et du dynamisme, c'est souvent un «leader naturel», et les tactiques syndicales n'ont pas de secret pour lui. Entre la stratégie politique et la stratégie de mise en marché, la marge n'est pas toujours si grande!)

Comme en outre ces enfants du *baby boom* de l'après-guerre forment la génération la plus nombreuse de toutes, ils ont pour eux la force du nombre. Ce sont eux qui déterminent les valeurs dominantes, les modes, les courants d'idée.

C'est quand ils étaient jeunes que la société valorisait la jeunesse, la contestation, Marcuse, les communes et les robes indiennes. Maintenant qu'ils ont vieilli, qu'ils ont plus d'argent et qu'ils se sont embourgeoisés, la société valorise des activités qui correspondent à leurs besoins: la bourse et les abris fiscaux, l'informatique, les produits fins, les industries culturelles, et la *gentrification* des villes qui se manifeste par l'achat et la rénovation du vieux stock de logements urbains par de jeunes professionnels et le mouvement de retour au centre-ville.

En politique comme sur le marché de la consommation, ils pèsent de tout leur poids. Ce sont eux qui, en Ontario, viennent de renverser les *tories* au profit d'un libéral plus progressiste, plus urbain et plus sophistiqué, qui répond parfaitement, comme d'ailleurs son allié néo-démocrate, au stéréotype du *yuppie*.

*   *

*

Au Québec, c'est ce groupe-là qui a été le grand bénéficiaire de la Révolution tranquille, du French Power à Ottawa et de la poussée nationaliste-indépendantiste au Québec.

C'est la première génération à avoir bénéficié massivement de la réforme scolaire des années 60. L'élargissement du secteur public lui a offert un extraordinaire éventail d'emplois rémunérateurs. La revalorisation du français à travers le Canada — la grande réussite du gouvernement Trudeau — lui permet de s'affirmer à Toronto, à Winnipeg, à Vancouver. Auparavant, le français était une langue méprisée, aujourd'hui, les élites canadiennes-anglaises n'ont rien de plus pressé que d'envoyer leurs enfants dans des classes d'immersion pour qu'ils deviennent bilingues, et un Québécois qualifié — s'il est bilingue évidemment — a plus de chances de percer qu'auparavant dans les provinces anglaises.

Enfin, au Québec même, la génération des *yuppies* est celle qui a le plus bénéficié du mouvement nationaliste-indépendantiste, qui a permis aux francophones, grâce notamment à la loi 101, de reprendre en mains l'économie québécoise et de perdre ce qui leur restait de complexe d'infériorité.

Une partie du crédit en revient à l'ex-ministre Jacques Parizeau. Comme d'ailleurs Pierre Trudeau, il venait d'un groupe presque marginal tant il était minoritaire dans une société de gagne-petits où le niveau général d'instruction était très bas: la mini-bourgeoisie canadienne-française urbaine. Son père avait réussi dans les assurances et sa mère avait milité, aux côtés de Thérèse Casgrain, pour l'obtention du droit de vote des femmes.

Convaincu qu'un peuple ne peut s'affirmer que sous l'impulsion d'«élites» bourgeoises nombreuses et dynamiques capables de s'affirmer dans le monde des affaires, Jacques Parizeau décida en quelque sorte d'élargir son milieu d'origine et de créer — presque à partir de rien — une bourgeoisie francophone québécoise.

À l'époque où l'on parlait plutôt de créer «un Cuba, deux Cuba, trois Cuba...», il n'aurait pas été de bon ton de prôner la création d'«un Outremont, deux Outremont, trois Outremont», mais c'est ce que M. Parizeau voulait faire, et c'est ce qu'il fit.

Les premiers à s'en apercevoir furent évidemment les marxistes. Les autres se contentèrent d'en empocher les résultats. Parmi bien d'autres tactiques, le ministre des Finances inventa celle du RÉA. Non pas seulement pour alléger le fardeau des hauts-salariés, mais pour changer les mentalités.

Tous les peuples n'ont pas le même rapport à l'argent. Les Canadiens français ont longtemps gardé la mentalité paysanne: l'argent dans le bas de laine (ou la caisse populaire), et le moins de risques possibles. Le Québec épargnait mais n'investissait pas, préférant se replier frileusement sur l'assurance, le plus d'assurances possibles. (Les Québécois furent longtemps, dit-on, les gens les plus «assurés» au monde. Toujours l'héritage paysan: la propriété était synonyme de biens fonciers, tangibles et non transportables, donc périssables. D'où les assurances. Les actions, les parts, c'étaient des biens abstraits, intangibles, et risqués.)

En créant les RÉA, l'ancien ministre des Finances forçait les Québécois à s'intéresser à la Bourse et à la finance, et à comprendre que l'argent doit non seulement fructifier, mais circuler.

Les *yuppies* sont par définition des ingrats. Ils prospèrent grâce au travail acharné des Lévesque, des Trudeau, des Parizeau. Mais ils ne voteraient plus pour eux. Ils veulent du neuf, de l'inédit, du post-moderne, ils ne veulent plus entendre parler des misères de l'ancien temps, de l'époque où l'on se rendait à l'école à pied, où l'on se faisait dire *speak white*, où l'on était né pour un p'tit pain. Ils se demandent s'il faut «acheter de l'Alcan» ou investir dans le pétrole, et c'est pour le Tiers-Monde qu'ils réservent leurs capacités d'indignation (quand il leur en reste, car ils en ont dépensé des tonnes entre 1965 et 1975).

* *

*

Maintenant, une question: qui, croyez-vous, parmi les (futurs) candidats à la succession de René Lévesque, serait le candidat des *yuppies*?

29 juin 1985

LANDRY OU L'IMPÉTUOSITÉ

Quand Bernard Landry, venu de Saint-Jacques-de-Montcalm via le séminaire de Joliette, arriva à Montréal pour faire ses études de médecine (il allait ensuite bifurquer vers le Droit), il avait l'air, vraiment, de sortir d'un poster du Prêt d'Honneur: le prototype de l'étudiant au regard franc, sain, propre, intelligent, sérieux mais sachant s'amuser, le sourire sympathique et le regard tourné vers l'avenir.

Ses parents n'étaient pas dans le *Who's Who* montréalais, mais il avait de l'ambition, il allait faire son chemin dans la vie. Il avait même, dans l'allure et la démarche, un petit côté militaire. Cela lui venait de son entraînement comme officier dans l'armée, où comme bien des garçons de sa génération, il s'était enrôlé pour payer ses études.

433

De l'ambition? Et comment! Déjà, à cette époque, c'est avec cette impétuosité candide, presque naïve tant elle était ouverte, qu'il mordait dans la vie, dans l'avenir. Déjà il voulait devenir président de la future République du Québec, et il ne s'en cachait pas.

C'est avec autant d'aplomb qu'il allait, 20 ans plus tard, alors que M. Lévesque était encore en fonction, proclamer son désir de lui succéder. Est-ce de la franchise? De la vanité? C'est en tout cas désarmant, car normalement les aspirants au trône se tiennent cois tant que la succession n'est pas ouverte.

S'il voulait devenir président de la République, c'est évidemment parce qu'il était indépendantiste. Il le fut très tôt, de fait, des années avant René Lévesque, et alors que Pierre Marc Johnson, encore au secondaire, était immergé dans l'univers paternel de l'Union nationale.

Il admirait de Gaulle, le chanoine Groulx, Félix Leclerc. Une image: Landry debout rue Dorchester par une fin d'après-midi venteuse, haranguant des milliers d'étudiants survoltés, devant le Reine Elisabeth où se terrait Donald Gordon, le président du CN qui venait d'affirmer que les Canadiens français étaient incompétents. Landry et d'autres avaient organisé ce qui allait être la première grande «manif» du mouvement indépendantiste.

Comme bien d'autres jeunes loups avec des visées politiques, c'est dans les associations étudiantes qu'il se fit les dents, mais il mit les bouchées doubles, triples même, car il en fonda trois: la première au séminaire de Joliette, la deuxième étant l'Union générale des étudiants du Québec et la troisième, l'Association des étudiants québécois en France, alors qu'il étudiait l'économie à Paris avant de revenir, enthousiaste, mettre son savoir tout neuf au service de l'État du Québec qui bourgeonnait et bouillonnait.

Une autre image, plus récente celle-là: attelés côte-à-côte au même pupitre, tels deux fringants chevaux de course forcés de courir au même rythme, à quelques pieds à peine de l'homme qu'ils veulent remplacer: Landry et Johnson se partageant non seulement le même pupitre à l'Assemblée nationale, mais aussi le même ministère, que le premier ministre a malicieusement divisé en deux, Johnson héritant du volet canadien, et Landry, du volet international. Deux scorpions dans le même bocal, sous le regard du père.

Pierre Marc Johnson. Voilà qui n'était pas prévu dans les plans qu'ébauchait Landry à 20 ans.

* *
*

Il a neuf ans de plus que Johnson, bien qu'il fasse plus jeune que son âge... et que Johnson, avec ses cheveux grisonnants, fasse plus vieux!

Mais ils ont des choses en commun. Tous deux ont perdu leur père à 20 ans et en ont été marqués, tous deux ont épousé des femmes intelligentes, autonomes, et avocates de surcroît! Ce sont deux hommes cultivés, et qui sont considérés par les hauts fonctionnaires (les meilleurs juges en la matière) comme de gros travailleurs, qui «assimilent» bien leurs dossiers et comprennent vite les questions les plus complexes. (À son premier mandat, comme ministre d'État au développement économique, Landry avait la réputation d'être brillant mais un peu paresseux. Était-ce parce que ce ministère de coordination, à vocation floue et sans personnel, «flottait» hors du concret? Ou parce que Jacques Parizeau éclipsait tous les autres ministres «économiques»? Toujours est-il qu'aujourd'hui, on dit au contraire qu'il travaille énormément et qu'il mène rondement ses dossiers économiques.)

Tous deux sont d'excellents orateurs, avec une bonne maîtrise de la langue. Johnson parle mieux l'anglais, mais Landry a appris l'espagnol.

Contrairement à Johnson, qui se tire toujours en douceur des mauvais pas, la passion politique a parfois été pour Landry, mauvaise conseillère. Ainsi, quand devant un auditoire français, il avait comparé le fédéralisme canadien à l'occupation allemande en France.

Paradoxe intéressant, et qui en dit long sur la distorsion produite par la télévision: Johnson transmet une image plus chaleureuse, plus «intimiste» que Landry, bien qu'il soit, en personne, beaucoup plus distant. Landry transmet au contraire une image plus hautaine, probablement parce qu'il s'exprime sur un ton péremptoire, mais il est, en réalité, plus facile d'accès.

Le *high profile* de Landry, qui en fait un orateur plus bouillant, plus sanguin que son adversaire, aurait pu être, en d'autres temps, un atout. Mais cela risque aujourd'hui de lui nuire, si, comme semblent l'indiquer les sondages, l'électorat souhaite un nouveau style de politicien, conciliant, reposant, plus apte à la négociation qu'à la dénonciation.

*   *

*

Il aurait eu intérêt à ce que M. Lévesque fasse les prochaines élections et à ce que la course au leadership survienne après une défaite aux urnes. Une partie de la responsabilité de l'échec aurait été reportée sur Johnson, qui est identifié à la nouvelle stratégie «fédéralisante» du PQ, et Landry aurait alors eu la partie belle pour ramener à la surface le discours souverainiste qui lui tient à cœur et qui peut encore mobiliser bien des militants péquistes.

Le voilà forcé, aujourd'hui, de jouer sur les mots et de se présenter comme le gardien de la flamme indépendantiste, tout en respectant les décisions du dernier congrès, car il serait suicidaire (et ridicule) d'inciter le parti à effectuer une seconde volte-face en moins d'un an.

Mais il dit voir moins que jamais comment le Québec pourrait s'épanouir avec les pouvoirs limités d'une province. Son défi: renouveler le discours souverainiste.

6 juillet 1985

UN POPULISTE
DE DROITE

Le PLQ a eu Pierre Paradis, le PLC, Eugene Wheelan... Au PQ, c'est le ministre Jean Garon, dernier candidat d'importance à entrer dans la course au leadership, qui incarnera le populisme de droite.

Du populiste de droite, il a toutes les caractéristiques: la démagogie facile, la familiarité sans façon, un attachement farouche aux valeurs du passé et la bonhomie ratoureuse. C'est Duplessis (mais en plus drôle et en moins dictatorial), cachant ses diplômes sous des dehors un peu rustres. Duplessis faisait l'éloge de l'ignorance et professait des idées simplistes mais c'était, dans la vie privée, un avocat intelligent et relativement cultivé.

Les débuts de Jean Garon en politique ont été marqués de la même ambiguïté. Au lendemain de la formation du premier cabinet Lévesque, en 1976, Claude Ryan, alors directeur du *Devoir*, émettait des doutes sur l'aptitude de cet «intellectuel abstrait et désincarné» à diriger un ministère aussi terre-à-terre que l'Agriculture. De toute évidence, M. Ryan n'avait jamais rencontré le nouveau ministre, et s'était fié à l'impression que dégageait un *curriculum vitae* de type très académique, M. Garon ayant été professeur de droit fiscal à Laval, après avoir acquis une double formation en droit et en économie.

Mais ceux qui l'avaient déjà entrevu ne le connaissaient pas mieux. À le voir, à l'entendre, on l'aurait pris, disons, pour le représentant d'une compagnie de machinerie agricole. En réalité, M. Garon, bien que né à Saint-Michel-de-Bellechasse, n'avait jamais vécu sur une terre ni même fait pousser le plus modeste plant de tomates dans un quelconque potager de banlieue, et il avait passé presque toute sa vie d'adulte sur le campus de Laval.

Il avouera, plus tard, s'être trouvé complètement perdu quand il hérita des dossiers agricoles. Au début, d'ailleurs, sa performance fut très critiquée mais, peu à peu, il allait, fort brillamment du reste, remonter la côte et se faire pardonner ses premiers errements par son sens de l'humour, un humour gras et rustique, qui détendait une Assemblée nationale plutôt crispée, et réunissait dans un même éclat de rire les libéraux meurtris par la défaite de 1976 et les péquistes qui, tout à leur projet collectif, se prenaient alors très au sérieux.

Mais, par le tempérament, les idées, les valeurs, Jean Garon avait une sensibilité proche de celle du monde rural. À 25 ans, à l'âge où l'on a instinctivement «le cœur à gauche», Jean Garon était déjà plus que conservateur: réactionnaire, au vrai sens du mot, dans la mesure où il voulait non pas conserver les valeurs contemporaines mais retourner à celles d'antan.

Il militait alors au Rassemblement pour l'indépendance nationale — l'un des rares Québécois de la vieille capitale, avec l'avocat Guy Pouliot, à s'être embarqué dans ce mouvement fort peu populaire à Québec —, mais le RIN était beaucoup trop à gauche à son goût. Il ronchonnait abondamment contre «la gang de Montréal»! Trop socialisants, trop athées et trop intellectuels à son goût, les indépendantistes montréalais, disait-il, n'avaient pas le pouls du peuple, le vrai peuple étant, bien entendu, dans les campagnes et pas dans les villes et surtout pas à Montréal (où pourtant logeait la moitié de la population québécoise).

Aussi Jean Garon quitta-t-il le RIN pour aller fonder, avec le docteur Jutras de Victoriaville (l'un des pionniers du lobby pro-vie) et le créditiste Gilles Grégoire, un parti indépendantiste de droite qui recueillit une part honorable du vote en 1966.

Des années plus tard, alors qu'après ses études à Laval il était replongé en politique active, sous la bannière du PQ, il entretenait encore des doutes sur le bien-fondé, pour une mère de famille, d'avoir un emploi à l'extérieur du foyer, et il ne s'était pas réconcilié avec Montréal.

Heureusement pour lui, il est tombé sur un ministère qui lui aura permis de ne pas mettre les pieds dans la métropole, sauf pour des événements champêtres comme l'ouverture des Floralies ou la présentation du projet de ferme-modèle de l'île Notre-Dame. Sa dernière allusion à Montréal résume fort bien sa philosophie: «Les gens veulent voir (au parti) moins de faces à claques, des gens proches d'eux plutôt que des gens qui, assis dans un salon, discutent de Picasso.» (Que l'exposition Picasso attire des foules de gens «ordinaires», que la société ait assez évolué pour que l'art soit devenu un sujet de conversation pas seulement dans les salons mais dans le métro ou dans les cafétérias, et que l'activité culturelle ait autant de retombées économiques que l'élevage des bovins, voilà autant d'éventualités qu'il semble avoir peu considérées.)

*　　*

*

Dans cette campagne, M. Garon aura deux gros problèmes: ayant été cantonné dans le même ministère depuis son entrée en politique, il n'a pu faire ses preuves ailleurs. Et son style paraîtra désuet à beaucoup. Ce qui passe bien, venant d'un simple ministre, ne passe plus quand c'est le fait d'un aspirant premier ministre.

Depuis un quart de siècle, d'ailleurs, les politiciens populistes n'ont guère eu de succès au Québec. Réal Caouette s'est vite trouvé plafonné et Jean Chrétien, qui joue souvent sur ce genre de cordes, a toujours été plus populaire chez les anglophones que chez les francophones. En général, les Québécois aiment être représentés non par «le gars de la porte d'à-côté» mais par quelqu'un qui sort du commun et qui garde, entre lui et les autres, une certaine distance. (C'est l'un des rares domaines où les Québécois sont plus proches des Européens que des Nord-Américains.)

Tout indique que M. Garon a été un bon ministre de l'Agriculture. Il est particulièrement fier d'avoir élevé le taux d'autosuffisance dans la production agricole, et son nom est associé à l'une des belles réalisations du gouvernement péquiste, le zonage agricole.

Chose certaine, c'est grâce à lui que le PQ, naguère parti essentiellement urbain, a pénétré dans les régions rurales, qui ont largement contribué à sa réélection de 1981.

Plusieurs le considèrent comme le meilleur ministre de l'Agriculture qu'ait jamais eu le Québec. D'autres disent qu'il est «le ministre de l'Agriculture le plus populaire... en ville», c'est-à-dire auprès de ceux qui ne connaissent rien à l'agriculture, mais la remarque ne veut pas dire grand-chose. A-t-on jamais vu des cultivateurs se dire contents de leur sort et de leur ministre?

Cet homme est plus complexe, plus secret, que sa façade bonhomme ne le donne à penser: sous la truculence, loge un bohème, qui travaille fort il est vrai, mais d'une façon brouillonne et compulsive. C'est un couche-tard, un gros mangeur qu'on verra souvent, à une heure du matin, engouffrer de gigantesques fondues au Chalet suisse avant de retourner au travail, et qui épuise ceux de ses collaborateurs qui seraient assez zélés pour essayer de le suivre.

Il y a trois mois, alors que la cote du PQ était au plus bas, il prédisait, contre l'avis de tous ses collègues, un «balayage» péquiste dans les comtés semi-ruraux. Était-il sérieux? Était-ce du bluff? Avec lui, on ne sait jamais.

3 août 1985

C'EST TERNE
MAIS PROPRE

JONQUIÈRE — Ennuyante, cette course au leadership du PQ? Oui, si l'on s'attend à des déclarations incendiaires et à de spectaculaires crocs-en-jambes. Non, si l'on écoute ce qui s'y dit: déjà, on a une bonne idée du style de leadership et des orientations principales de celui qui, de toute évidence, deviendra, au moins jusqu'à l'issue des prochaines élections provinciales, le prochain premier ministre du Québec.

De fait, c'est la prévisibilité du résultat qui fait de cette course au leadership une campagne si propre — à comparer du moins avec ce qui s'est vu ailleurs — et si terne. La lutte est si inégale, et Pierre Marc Johnson, tellement en avance, que les affrontements sérieux sont impossibles. Les vraies batailles et les coups bas ne surviennent que lorsqu'il y a vraiment compétition, quand la partie est «chaude». Cette fois, au contraire, tous les concurrents connaissent d'avance le résultat: le futur vainqueur peut se permettre toutes les noblesses, et les futurs vaincus — ceux du moins qui veulent poursuivre leur carrière politique — ont tout intérêt à se ménager les faveurs de celui qui bientôt tiendra leur sort entre ses mains.

Cette course gagnée d'avance prive le PQ des retombées qu'aurait eu, dans l'opinion publique, un beau match serré avec de fortes doses de suspense, encore que ce genre d'effet ne dure guère: c'est après une chaude lutte entre MM. Turner et Chrétien que les Libéraux fédéraux ont perdu leurs élections. Même si certains trouvent ce calme un peu plat, le parti y gagnera à long terme, car les divisions seront beaucoup moins intenses, et les plaies, plus faciles à cicatriser.

En outre, bien qu'il y ait en lice au moins trois candidats marginaux, qui sont là pour faire valoir une idée ou pour se faire valoir eux-mêmes, l'éventail des aspirants est si bien équilibré et représente une telle diversité de clientèles, qu'on le croirait planifié par des experts en marketing.

Il y a de tout pour tous: la droite (Garon), le centre-droit (Johnson), le centre-gauche (Marois), la gauche (Lalonde) et l'écologie-pacifisme (Gagnon). Il y a toutes les teintes du nationalisme à saveur souverainiste, du pastel (Johnson) au rouge feu (Bertrand). Il y a tous les thèmes à la mode: la productivité, le plein emploi, la concertation, l'écologie, les femmes, les jeunes, etc. Il y a le style urbain (Johnson), le style rural (Garon), le style CLSC (Marois), le style CSN (Lalonde), le style dramatique (Bertrand), le style «vert» (Gagnon). Il y a une femme sur les rangs, mieux encore, il y en a deux.

Et, mieux encore, qui ne sont pas là pour l'image. Les femmes qui osent viser le sommet ne sont jamais de simples «cautions»: Flora Mac Donald chez les Conservateurs, en 1976, ou Rosemary Brown au NPD en 1974, étaient des députés aguerris. Mais la présence d'une candidate majeure sur les rangs (Mme Marois pourrait en effet se classer au deuxième rang) constitue une première au Québec, et une première prometteuse.

Si elle a réussi à s'imposer par ses propres qualités, Mme Marois reste cependant une figure symbolique, dans la mesure où elle incarne l'exception. (Il est exceptionnel qu'une femme accède à des fonctions ministérielles et se permette en plus de viser le sommet.) Certains disent que le fait d'être une femme lui nuit dans cette campagne. Je crois au contraire que c'est, dans ce cas-ci, davantage un atout qu'un handicap, et que l'élément nouveauté ajoute à l'intérêt de la candidature de Mme Marois.

Ainsi va la discrimination: une femme politique est rarement jugée en fonction de ses qualifications propres, elle est toujours sous-évaluée, sur-évaluée ou évaluée de travers. Ce déséquilibre finira le jour où il y aura assez de femmes en politique, pour que le fait d'en être une ne constitue ni un atout, ni un handicap, simplement une caractéristique parmi d'autres. En ce sens, le plus grand mérite de cette candidature est justement d'ouvrir la voie à d'autres, et de fournir aux femmes un motif de fierté et d'émulation, et aux jeunes filles, un *role model* fascinant.

*   *

*

Dans le château-fort péquiste du Saguenay, Pierre Marc Johnson fut reçu comme un futur premier ministre, par une foule de péquistes ordinaires et de notables régionaux qui lui étaient presque tous acquis.

Tel un parrain rayonnant de fierté à la vue de l'ascension fulgurante de son poulain, le ministre Marc-André Bédard, qui règne sur le royaume du Saguenay, l'accueillit avec chaleur à l'entrée de l'aréna de Jonquière, et, lui ouvrant solennellement les portes du royaume, le présenta aux militants que ce nouveau départ et l'arrivée de la relève ont sorti de la morosité.

(Il est possible que le ministre Bédard revienne sur sa décision de se retirer de la politique, entre autres raisons, dit-on, parce que celui à qui il comptait «léguer» son comté, l'avocat Lucien Bouchard, a préféré devenir ambassadeur à Paris, et que, lui parti, le sceptre tomberait entre les mains de l'influent maire de Jonquière, Francis Dufour, qui songerait à se porter candidat péquiste dans le comté voisin. Le sang chicoutimien de Bédard, dit-on, n'aurait fait qu'un tour: remettre la clé du royaume à un homme de Jonquière? Jamais! Aussi se pourrait-il qu'il se laisse convaincre de rester en selle. Pour l'instant, quand on le lui demande, il vous répond qu'il n'est pas décidé, mais son sourire enjôleur trahit l'envie qu'il a de rester en politique.)

* *
*

L'échéance se rapprochant, la lutte prend de plus en plus l'allure d'un exercice théâtral, les futurs vaincus se «positionnant» pour bénéficier d'un quelconque rapport de forces, et le futur vainqueur commençant déjà à panser les plaies, à soigner les égos et à rassembler son monde. Il multiplie les égards pour «Pauline» et les allusions flatteuses à «Jean». Imité illico par ses troupes, il se lève pour applaudir Francine Lalonde qui descend bravement du podium vers une salle où aucun groupe de supporteurs n'est là pour l'appuyer. Il traverse la salle pour aller serrer la main d'un Luc Gagnon que presque personne n'a écouté car le malheureux était le dernier à parler.

Seul Guy Bertrand est exclu des agapes fraternelles. Noir, sombre, long, osseux, très espagnol, il a quelque chose de l'Inquisiteur ou de l'Ange exterminateur, à tout le moins du directeur spirituel. Vivante incarnation du reproche, jouant à merveille le rôle de l'oeil de Dieu qui était dans la tombe et regardait Caïn, à chaque assemblée il réenfonce le fer dans la plaie et rappelle cruellement au parti ses louvoiements autour de l'idée d'indépendance, en lui jetant à la figure ses engagements écrits dont certains ne remontent qu'à quelques mois. C'est, dit son slogan de campagne, «la minute de vérité», avec la chanson-thème de Sacco et Vanzetti là où les autres font plutôt dans le *soft pop*.

Stupéfiant spectacle: le seul candidat faisant preuve d'une intransigeante fidélité à l'idéal qui fut jusqu'à il y a un an la raison d'être de ce parti a l'air aujourd'hui d'un cheveu sur la soupe et d'un empêcheur de tourner en rond. Bien sûr, ses propos paraissent aujourd'hui désuets, mais c'est quand même, en substance et parfois presque mot à mot, ce que le parti au grand complet disait il y a un an!

21 septembre 1985.

ON AVAIT MÊME
DES MAJORETTES!

QUÉBEC — Dimanche, le Parti québécois poursuivait, de manière plus spectaculaire que jamais, sa métamorphose. Le père fondateur est parti, et sitôt après avoir hérité de la boutique, les enfants ont tout changé.

444

Ils ont repeint les murs, refait les vitrines, fait entrer la musique dans la boîte et chambardé les étalages, les étiquettes, les emballages. La gestion aussi est en train de changer: elle sera plus directe, plus pragmatique et plus terre-à-terre. Plus collégiale aussi, quoiqu'il semble bien que le plus influent des frères va mener la barque d'une main assez ferme.

Depuis toujours expert en matière d'image — mais c'était surtout, jusqu'à présent, des images à caractère idéologique: drapeaux, chansons inspirées, sons et lumières symboliques, etc. — le PQ s'est recyclé dans la ligne nord-américaine, et pour la dernière assemblée régionale, à Québec, tous les camps avaient sorti la panoplie habituelle des gros partis de masse: chapeaux de polystyrène, foulards et banderolles, trompettes et tambours, et même, gracieuseté du camp Garon, une vraie parade avec de vraies majorettes!

Exception faite de la Pastorale de l'écologiste Luc Gagnon et du Sacco et Vanzetti de l'indépendantiste radical Guy Bertrand, les chansons-thèmes des divers camps avaient plus à voir avec CKOI qu'avec Vigneault.

Dans la bonne tradition des congrès de leadership, les partisans se sont livrés pendant trois quarts d'heure à un concours de bruit avant que les candidats ne commencent à défiler sur la tribune. Ma parole, était-on au PQ, ou bien chez les Démocrates ou les Républicains?

«Cette fois ils n'ont rien à amender ni à parapher!», dit un collègue, faisant allusion aux austères congrès qui ont été jusqu'à présent la marque de commerce du PQ et aux discussions byzantines auxquelles il s'est si souvent livré.

Pour les péquistes de la première heure, ce cérémonial voyant et tapageur avait l'effet d'un choc, mais finalement, on s'habituait. Philippe Bernard, le courtois universitaire qui fut longtemps membre de l'exécutif, plus habitué aux subtilités du débat idéologique qu'aux explosions de décibels, contemplait, un sourire incrédule aux lèvres, ce spectacle inouï: «Qui aurait cru... Et on a même des majorettes!» Denise

Malouin, qui fut de l'aile parlementaire aux temps héroïques de l'opposition, ne cachait pas son plaisir: «Les gens s'amusent. Il faut bien qu'on s'amuse, après tout, on est un parti de gens ordinaires!»

Avec le temps, les cicatrices du référendum se sont refermées. Le PQ, naguère sentencieux, austère et puritain parce qu'investi d'une mission et chargé d'un idéal qui le dépassait et pesait d'autant plus lourd qu'il était presque impossible à atteindre, le PQ donc redescend sur terre et prend plaisir à constater qu'il est ordinaire, comme les autres, normal autrement dit.

* *
*

Mais quand même, le PQ reste le PQ: un parti de gens relativement instruits, pour qui l'adhésion à un parti politique est une forme d'engagement.

Sous leurs canotiers aux couleurs du candidat, les partisans de Pierre Marc Johnson n'ont pas cet air de mercenaire qu'on voit si souvent, dans certains partis, chez les figurants recrutés au hasard, dont le regard hébété indique qu'ils ont été conscrits en échange d'un voyage gratuit ou d'une rémunération quelconque. Sous les déguisements qu'ils se sont fabriqués avec les foulards aux couleurs de leur candidate, les partisans de Pauline Marois ont encore l'air de vrais péquistes, qui au prochain congrès (lequel n'en sera pas un de leadership) redeviendront des enseignants, des syndicalistes, des travailleurs sociaux enclins à défendre pouce à pouce telle résolution, tel amendement. Dans la foulée des majorettes qui les précèdent, les partisans de Garon n'ont pas l'air de soldats de plomb amenés là seulement pour faire partie du décor, mais de gens qui croient à leur homme. Les partisans de Guy Bertrand sont plus ascétiques, mais ils ont le sens de l'humour. L'une de leurs pancartes fait dire à Pierre Marc Johnson: «L'indépendance, je ne suis ni pour ni contre, bien au contraire.»

446

Le PQ reste le PQ. Plutôt angélique même s'il est de plus en plus un parti de vieux routiers de la politique. Les liens restent forts, d'un camp à l'autre, et il n'y a pas tellement de coups fourrés. La liste des atrocités s'établirait à peu près ainsi: une dame du camp Garon se plaint d'avoir été brutalement bousculée, à Jonquière, par un militant du camp Johnson. Le camp Marois a bloqué la porte centrale deux heures avant l'assemblée, pour sauter sur les meilleures places. Le camp Johnson a «volé» la clé d'une porte de la mezzanine pour mieux placer son monde. Le camp Bertrand avait malicieusement encerclé la chaise réservée à Pierre Marc Johnson, perfide complot que ce dernier déjoua en allant s'asseoir ailleurs. Bref, ce n'est pas le Liban.

Le PQ reste le PQ. Plutôt masochiste, et n'hésitant pas à se flageller en public, ou du moins à compromettre, tant il veut avoir l'air «démocrate», la réussite de ses propres assemblées. Cédant aux pressions du camp Marois — qui joue la carte de la consultation — et des médias qui trouvaient la campagne terne, la présidente des élections s'est résignée à permettre une brève période de questions avant chaque discours. Évidemment, c'est une «consultation» fictive et parfaitement artificielle, car aucun échange réel n'est possible dans une salle de 2500 personnes. Aussi les questions sérieuses n'eurent-elles pas de réponse détaillée, et l'exercice a plutôt mis en relief l'hostilité qui existe à l'endroit du futur chef, qui a du affronter une série de questions acerbes, sur le coût de sa campagne, son «alliance» avec les «bleus», etc.

L'incident a toutefois permis aux gens de voir comment le favori de cette course se débrouille quand il est attaqué de front. M. Johnson s'en est bien tiré, on dirait même que ces attaques l'ont aiguillonné et il a livré son meilleur discours de la campagne.

Après avoir enjoint ses organisateurs de la région, lors d'une réunion précédant l'assemblée, de commencer tout de suite à fraterniser avec les gens des autres camps, Pierre Marc

Johnson a poursuivi, dans son discours, son travail de rassemblement, en faisant appel à la collaboration de tous les autres
candidats, qu'il a nommés l'un après l'autre par leur prénom.

La boutique a changé de mains, mais, contrairement à ce
que d'aucuns prévoyaient, elle n'a pas l'air d'être à la veille de
faire faillite.

24 septembre 1985

MONSIEUR LÉVESQUE

L'homme aura quitté la politique à peu près comme il y
était entré: en coup de vent, d'une manière imprévisible et
brouillonne, et avec cet indéfinissable sourire oblique dont on
ne sait jamais s'il est affectueux ou ironique.

Il se sera fait prier pour participer à l'hommage que son
parti lui a rendu hier soir, et n'aura accepté qu'à condition que
la cérémonie ne soit pas trop sentimentale.

Il n'a d'ailleurs jamais aimé, lui qui pourtant savait si bien
les susciter, les débordements d'affectivité: quand ses partisans
l'applaudissaient trop passionnément, il leur faisait signe de se
taire, comme si cela l'embarrassait, l'agaçait, l'inquiétait.
Était-ce de la pudeur? De la fausse modestie? Était-ce la conscience aiguë du suprême danger que représente, pour des foules
survoltées, la parole d'un chef charismatique? Il avait vu, tout
jeune — il n'avait que 22 ans en 1945, quand il entra, jeune
reporter à l'emploi de l'armée américaine, dans les charniers de
Dachau — ce que peut produire, chez des peuples désemparés,
le pouvoir de la parole hystérique. Il avait vu non pas Hitler,
mais, pire encore, ce que Hitler avait fait faire.

D'où, peut-être, sa réserve, devant les foules qu'il avait
lui-même soulevées. Comme s'il leur disait: «Attention, ne me
prenez pas trop au sérieux.»

D'où sa foi tenace, têtue, et parfois coléreuse tant elle était passionnée, dans les valeurs démocratiques.

Envers ceux qu'il soupçonnait — souvent à tort d'ailleurs — de déviation anti-démocratique, il pouvait être violent et injuste. Tout ce qui sentait l'extrémisme, tout ce qui avait l'air d'un groupuscule, tout ce qui était en marge du peuple ou parallèle au peuple, lui inspirait une méfiance teintée de répulsion.

Il fut d'ailleurs toujours meilleur premier ministre que chef de parti, et infiniment plus à son aise dans le premier rôle que dans le second. Il croyait au pouvoir du peuple bien davantage qu'à celui, tyrannique et capricieux, des partisans, et sitôt premier ministre, c'est la mentalité de la société dans son ensemble bien davantage que le programme de son parti qui lui a dicté sa ligne de conduite.

Comme beaucoup de chefs politiques, qui sont à l'aise devant des foules mais timides en face-à-face, René Lévesque n'aimait pas les débordements d'émotivité. C'est d'ailleurs pourquoi les remaniements ministériels ont toujours été pour lui une terrible corvée: un ministre recalé ou congédié devient un grand enfant qui pleure et plaide, et René Lévesque, lui-même incapable d'exprimer ses sentiments directement, ne supportait pas ce genre d'intimité.

Autoritaire mais tolérant, à la fois brutal et tendre (mais c'était bien sûr une tendresse bourrue, qui ne s'avouait jamais complètement), ombrageux mais humain, capable des pires grossièretés comme des sentiments les plus délicats et des pensées les plus subtiles, américanophile de style et de coeur, et francophile par raison, farouchement nationaliste mais jamais xénophobe, souvent agressif mais souvent conciliant, à la fois impulsif et responsable, curieux mélange de pragmatisme et d'intellectualisme, René Lévesque avait une personnalité si complexe qu'il aura représenté, pour trois générations — la précédente, la sienne et celle qui le suit — plusieurs symboles à la fois: celui du Canadien français qui se rebelle, celui du Cana-

dien français qui compose avec l'ordre établi, celui du Canadien français belliqueux mais prudent, qui revendique tout en
protégeant ses arrières.

Même son physique, son corps trapu, court, musclé, son
visage de paysan sans finesse mais brillant de charme et d'énergie, incarnait le stéréotype historique du Canadien français
taillé d'une pièce mais ratoureux, l'air modeste du chien battu
mais capable de mettre son poing sur la table.

Cet homme qui correspondait si peu aux canons de la
beauté masculine fut un homme séduisant: longtemps, les femmes — bien des femmes en tout cas — le trouvèrent irrésistible,
et les hommes — bien des hommes en tout cas — s'identifièrent
à lui. C'était une admiration plus familière que celle qu'on
vouait à Pierre Trudeau. On disait Ti-Poil là où l'on n'aurait
jamais pensé à dire Ti-Pit. Mais devant Lévesque, le plus fruste
des admirateurs s'arrêtait au bord de la familiarité: instinctivement, on le vouvoyait, on le traitait avec respect. Car contrairement à ce que d'aucuns ont pu croire, René Lévesque n'a
jamais été un politicien populiste. Sa pensée n'était ni simpliste
ni démagogique, et malgré le langage vert qu'il utilisait parfois,
il maintenait une distance entre lui et les autres, ayant la conscience et le respect de sa fonction, parce qu'elle lui était prêtée
par le peuple.

*   *

*

C'est novembre 1981, bien davantage que la défaite référendaire, qui l'aura brisé.

Définitivement vaincu par Pierre Trudeau, au terme
d'une longue bataille qui souvent ressembla à un duel entre
deux hommes de pouvoir, René Lévesque allait entrer dans la
période la plus sombre de sa carrière: la question nationale restait en suspens, il n'y avait plus d'argent dans les coffres de
l'État, il y eut le «renérendum», la crise économique, la mort
lente de la social-démocratie et de la souveraineté-association...

Tout à coup, l'époque à laquelle il s'était identifié — la Révolution tranquille — basculait dans une autre décennie, différente, avec d'autres défis, et les jeunes poussaient derrière.

Ce qui toutefois apparaîtra mieux d'ici quelques années, c'est que ce qui rapprochait Trudeau et Lévesque est bien plus important que ce qui les séparait: sans Lévesque, Trudeau n'aurait pas réussi à faire progresser au Canada une langue qui ne reposait plus sur la force du nombre. C'est la «menace séparatiste», d'autant plus puissante que le leader du mouvement était crédible, qui a créé, en faveur du French Power d'Ottawa, un rapport de force que ne justifiaient ni l'économie ni la démographie. Le nationalisme pancanadien, qui visait la promotion de la minorité francophone à la largeur du pays, est violemment entré en conflit avec l'autre nationalisme, celui qui visait l'accroissement des pouvoirs du Québec, foyer de la majorité francophone. Entre les deux gouvernements, le conflit était inévitable, mais les francophones, et au Canada et au Québec, auront finalement gagné sur les deux tableaux.

De ces 25 ans agités et fructueux, René Lévesque émerge aujourd'hui, sans doute partagé entre l'amertume et la satisfaction, mais libéré du poids des autres, tel un père de famille trop longtemps chargé de responsabilités, qui un jour vend la maison, s'achète un condo, et se dit: «Demain matin, je ferai ce que je veux, seulement ce que je veux.» La liberté! Quoi de plus beau comme perspective d'avenir, surtout quand on a gardé une mentalité de journaliste?

On dit souvent que le plus bel héritage qu'un père puisse laisser à ses enfants, ce n'est pas l'argent, ni les biens, c'est l'instruction. L'instruction, ou la formation, bref ce qui permet à un enfant de faire son chemin dans la vie. C'est cela qu'il nous laisse, René Lévesque: la formation démocratique conjuguée au désir de réussir. Passant, en 25 ans, d'une mutation à l'autre et par des transitions qui auraient pu être périlleuses, le Québec est resté farouchement, obstinément, fièrement démocratique. À son image.

28 septembre 1985

FINI
LES DRAMES

La campagne au leadership du Parti québécois aura marqué, pour cette génération au moins, la fin du courant indépendantiste.

La souveraineté n'est plus cet objectif à court terme susceptible de mobiliser les énergies d'un parti politique important. Cette idée retourne d'où elle est venue: dans l'opposition, dans la marginalité, dans le fin fond des arrières-salles où une poignée de militants, dans quelques groupuscules, tenteront de la ressusciter.

L'idée flotte encore dans les assemblées du PQ et dans son programme officiel, mais à l'état de rêve plus que de projet, comme un idéal si vague, si hypothétique et si lointain qu'il ne pourrait même pas orienter précisément les actions quotidiennes d'un gouvernement.

Où est maintenant la différence entre les péquistes et les libéraux? Ces derniers aussi sont nationalistes. (Aucun parti, d'ailleurs, ne pourrait gagner la majorité, au Québec, sans être nationaliste à un degré ou un autre.) Sans doute la différence sera-t-elle de plus en plus une question d'accent. Tant à cause de son histoire que de sa clientèle presque exclusivement francophone, le PQ sera plus nationaliste, plus porté à promouvoir des politiques autonomistes, encore qu'il aura tout intérêt à composer le plus harmonieusement possible avec les autres provinces et le fédéral, pour se donner l'image d'un parti capable de jouer de bonne foi le jeu du fédéralisme.

*   *

*

Contrairement à ce que l'on aurait pu souhaiter au nom de la clarté et de la rationalité, les péquistes n'ont pas fait, durant cette campagne au leadership, le débat de fond auquel on se serait attendu.

Jusqu'à ce que la victoire de Pierre Marc Johnson permette enfin d'obtenir une version claire et définitive — celle du chef élu, dorénavant porte-parole du parti et du gouvernement — l'équivoque fut maintenue. La souveraineté était une «longue marche», une «petite flamme», un «aboutissement logique», la souveraineté était «dans la tête», «dans le coeur», voire «dans le peuple» (évidemment, puisqu'on est en démocratie!). Que de paroles, mon Dieu, pour contourner l'inéluctable!

Le seul indépendantiste «pur et dur», Me Guy Bertrand, était trop marginal pour provoquer le débat, et le seul candidat important qui voulait faire campagne sur ce thème, le ministre Bernard Landry, a préféré se retirer en début de course, après avoir constaté qu'il allait saborder toutes ses chances en s'identifiant à un idéal en perte de vitesse au sein même du parti. Les professions de foi du ministre Garon, le plus indépendantiste des candidats importants, lui ont permis de recruter parmi les «orthodoxes» restés au parti, mais à l'issue de ce baroud d'honneur, il n'avait toujours que 16 p. cent des voix. Plus des deux-tiers des péquistes avaient préféré les candidats qui avaient entretenu, autour de cette question, un flou des plus artistiques.

Mme Marois, très représentative d'un parti en transition, qui est déjà fédéraliste de fait sinon de coeur mais qui regarde en arrière avec quelque nostalgie, Mme Marois, donc, était la plus ambiguë, évitant la question nationale au profit de considérations sur l'emploi, mais laissant entendre qu'elle pourrait remettre «le beau risque (du fédéralisme)» en question, lançant le mot «souveraineté» ici et là mais toujours en dehors d'un contexte concret, bref agitant le drapeau mais sans qu'on sache exactement ce qu'elle voulait faire avec.

Mais à mesure que la campagne avançait, M. Johnson a été de plus en plus clair. Il allait de moins en moins recourir au double langage qui était devenu, depuis un an, la marque du PQ sous le leadership de René Lévesque. Il a carrément parlé de tournant, de virage, en termes directs et réalistes: «Le mot Ottawa ne m'empêche pas de dormir.»

Dans le discours qu'il a livré au soir de sa victoire, pas une fois le mot «souveraineté» n'a été mentionné, pas une fois n'y a-t-il eu la moindre allusion, même indirecte, à une quelconque démarche vers la souveraineté.

S'il a parfois fait appel aux sentiments souverainistes, ce fut essentiellement pour dire qu'il fallait être plus productifs, plus compétitifs, et qu'après on verrait.

Cette idée-clé, il l'a exprimée jeudi soir au «Point»: «Je rêve du jour où le Québec aurait les moyens de payer de la péréquation... Le pays se serait fait si on avait (eu) ça.» Il faisait allusion au jour (hypothétique) où le Québec serait non seulement assez riche pour se passer des subventions versées au titre de la péréquation, mais assez riche pour devoir contribuer au financement des provinces «pauvres». Il laissait alors entendre que le Québec se jugerait alors peut-être capable de voler de ses propres ailes. C'est l'inverse de la thèse classique qui veut que le Québec s'orienterait d'autant plus vers l'indépendance qu'il aurait été «exploité». Mais c'est une proposition qui restera longtemps hypothétique, car elle suppose au moins deux décennies de prospérité et un formidable boom économique.

*   *

*

Pour ce qui est des négociations constitutionnelles, M. Johnson a beaucoup insisté non seulement sur la nécessité de s'entendre avec le reste du Canada, mais aussi sur la nécessité, pour obtenir le meilleur règlement, de recréer un rapport de force avantageux pour le Québec.

On a l'impression que c'est dans ce but qu'il laisse parfois planer la possibilité qu'un jour peut-être... pour retrouver cette arme de négociation qui avait tellement servi les gouvernements de Jean Lesage et de son propre père.

À cette époque, l'indépendance était suspendue dans le paysage comme une épée de Damoclès, dont les gouvernements provinciaux, bien que non indépendantistes, se servaient dans leurs négociations avec Ottawa. Cet atout a été perdu le 20 mai 1980, quand, comme le dit M. Johnson, «les Québécois se sont dit non à eux-mêmes». Il est loin d'être évident que cette ancienne stratégie puisse retrouver quelque crédibilité, car on ne peut effacer les résultats du référendum et des sondages qui le confirment, mais rien n'interdit au premier ministre de laisser planer la menace, au cas où quelqu'un, quelque part, le prendrait au sérieux.

C'est en même temps, pour lui, une façon de faciliter la transition aux membres du parti.

*   *

*

Car transition il y a. Elle est palpable pour peu qu'on se trouve en milieu péquiste. Les «orthodoxes» sont partis, et les militants qui restent ont changé.

Ils n'ont pas été touchés par la foi fédéraliste, mais ils trouvent que rien ne sert de s'enfoncer dans une voie où la majorité ne veut pas le suivre, ils se disent que de toute façon, «ce n'est pas le Goulag», que le Québec peut fort bien continuer à se développer dans le régime actuel, et qu'il y a d'autres choses dans la vie. Ils sont fatigués de chanter «Gens du Pays», ils n'ont plus envie de coller des fleurdelisés sur leur auto, ils en ont assez de ce qu'ils appellent maintenant «le folklore», assez des rendez-vous historiques, des drames et des tempêtes.

*   *

*

Les prochaines élections seront fascinantes: pour la première fois depuis des années, deux partis dotés de deux chefs cérébraux et conciliants s'affronteront à armes égales, sur le plancher des vaches, sans s'empoigner autour de drapeaux et de projets collectifs. Fini les drames. Le Québec va respirer. La politique y redevient ce qu'elle est ailleurs: une activité importante parce que la qualité de vie démocratique en dépend, mais qui ne prend plus toute la place. Une activité laïque, d'où la foi est exclue.

5 octobre 1985

TABLE DES MATIÈRES

LA PARTIE DE POKER

EXIT

CHASSÉS-CROISÉS

LA VAGUE BLEUE

LA LUNE DE MIEL

LA SUCCESSION